Jules Barbey d'Aurevilly

Les Diaboliques

Édition présentée, établie et annotée
par Jacques Petit

Gallimard

Édition dérivée de la Bibliothèque de la Pléiade

© *Éditions Gallimard, 1973, 2003.*

INTRODUCTION

« J'étais, un soir de l'été dernier, chez la baronne de Mascranny, une des femmes de Paris qui aiment le plus l'esprit... On était rangé en cercle... » Ainsi commence « Le Dessous de cartes d'une partie de whist ». Quelqu'un parle à ce cercle d'auditeurs attentifs : « C'était le plus étincelant causeur de ce royaume de la causerie... » Il ne quittera la scène qu'au dernier instant et l'histoire qu'il raconte paraît se confondre avec la nouvelle même. Toutes les Diaboliques, à peu près, obéiront à ce schéma. Celle-ci, la première dans l'ordre d'écriture, détermine en effet une technique, un mouvement et, semble-t-il, une intention. Chacun de ces récits est, en quelque manière, révélation d'un « dessous de cartes », lentement préparée par un conteur qui ménage ses effets, et soudain éclatant ; brusque toujours, souvent scandaleuse. « Le narrateur fut interrompu par le cri très vrai de deux ou trois femmes... » C'est la fin de la même nouvelle. Voilà l'effet souhaité et, la surprise passée, évanoui l'étonnement, nous reste cette « espèce d'horreur rêveuse » que d'Aurevilly prête alors à l'une des auditrices.

Un lecteur complice

Nos premières impressions répondent à cette attente. Comment ne nous laisserions-nous prendre à ce mouvement lent, sinueux, de la narration, auquel Barbey nous fait participer ? Car la « mise en scène » du récit a ce résultat. Auditeurs et spectateurs, en même temps que lecteurs, nous devenons un peu complices de l'écrivain. Qu'il nous entraîne avec lui dans Valognes endormi pour écouter Brassard évoquer ses souvenirs devant la fenêtre au rideau cramoisi, dans un salon du faubourg Saint-Germain, ou dans la chambre de la duchesse devenue prostituée..., nous entrons dans son jeu. La surprise même que provoque la fin du récit, ne naît point, paradoxalement, de l'intervention d'un fait vraiment inattendu. Trop d'allusions, d'indices, de « clins d'œil » nous y préparent. La surprise nous atteint toutefois, mais ne nous déconcerte pas ; elle est plutôt, selon l'expression même de Barbey, « la goutte de lumière » qui tombe sur un ensemble de « faits mal éclairés ». C'est alors que nous nous prenons à rêver sur les personnages qui se découvrent à nous, en cet instant, et sur l'histoire même dont nous saisissons seulement le vrai sens.

De tels mouvements supposent bien que nous acceptions le jeu. Complices, nous le sommes en effet d'un narrateur qui, sans cela, nous deviendrait vite insupportable. Car la lenteur volontaire du récit est sans doute le trait marquant de ces nouvelles. Deux, trois préludes se succèdent le plus souvent : présentation du salon de la baronne, dans « Le Dessous de cartes d'une partie de whist », présentation du conteur, présentation par le conteur de la petite ville où se sont déroulés les événements qu'il va rapporter... Si l'on y ajoute les portraits qu'il trace des personnages, les analyses auxquelles il se complaît, on s'aperçoit que cette lenteur détruit l'histoire, réduite à trois ou quatre scènes. Il en va ainsi dans les autres nouvelles et l'écrivain parfois, souvent même, note l'impatience des auditeurs que les digressions exaspèrent. À moins que ce soit le conteur que les interruptions irritent. Nous sentons, nous, qu'elles sont indispensables à faire naître cette attente anxieuse qui prépare le dénouement, et nous en goûtons l'habileté.

La complicité est plus profonde qui nous lie — à travers d'Aurevilly — aux personnages de ces récits. Sa sympathie ne fait aucun doute pour les amants du « Bonheur dans le crime », son admiration éclate devant la duchesse de Sierra-Leone, voire devant la comtesse de Stasseville... S'il ajoute, après avoir écrit, de la première, le mot « sublime », « c'est le sublime de l'enfer », libre à nous de lire dans ce commentaire une concession au moralisme ou une justification nouvelle des sentiments qu'elle lui inspire. De tels personnages ont, à ses yeux, comme le Satan d'Eloa, « la suavité du mal et de la nuit, l'attrait des coupables mystères ». Prestiges byroniens auxquels il nous rend sensibles, tout démodés qu'ils sont.

Il n'est pas sûr toutefois qu'il faille chercher dans cette séduction le sens véritable des Diaboliques. *Tous les héros n'en sont pas criminels et certains sont à peine « diaboliques ». Plus que leurs crimes, importent les images qu'ils suscitent, les thèmes qui les accompagnent ; images et thèmes résurgents, qui passent d'une nouvelle à l'autre et dont l'affabulation ne masque pas la permanence : le mystère, le danger, la profanation, le scandale..., pour ne citer que les plus évidents. Ils s'ordonnent, semble-t-il, autour d'un mouvement fondamental d'angoisse, qu'ils traduisent la fuite (le mystère et ce mystère redoublé qu'est le mensonge), la peur ou l'agressivité qui réplique par la profanation*

*ou le scandale cherché. Entre ces deux réactions, une
nette opposition. Ou plutôt naissent-elles d'une ambivalence : Brassard fuit le scandale, la duchesse ou
Hauteclaire le provoquent ; le danger tue chez les uns
le plaisir et pour d'autres l'aiguise...*

*Barbey joue de ces contradictions. Il semble même
que sur elles il ait construit une psychologie assez som-
maire, qui pourrait passer pour la justification de ces
nouvelles. Le « dessous des cartes » apparaît souvent
comme le passage des apparences à la vérité d'un personnage, passage qui est brusque inversion : dandy
courageux, un peu fanfaron, Brassard avoue sa peur ;
Don Juan, cynique heureux, raconte la seule aventure amoureuse qu'il n'a su vivre et dont il rêve, un
amour innocent ; Mme de Stasseville, la froide indifférente sur qui la médisance provinciale ne trouve rien
à dire, est soupçonnée des plus violentes passions et
des plus criminelles ; Mesnilgrand, Hauteclaire nous
sont de même « révélés »... La dernière* Diabolique *se
construit sur l'antithèse de la « madone » et de la
prostituée. Cette révélation constitue un des éléments
extérieurs du récit. Il n'est pas sûr que l'écrivain en
soit dupe, mais il obéit à une tradition : toute narration romanesque ne se doit-elle pas — à l'époque —
d'être psychologique.*

*Ici se brise l'accord de l'écrivain et du lecteur. Il
n'était qu'apparence, si Barbey a cru vraiment ne nous
offrir que des « diaboliques » ; ou leurre, s'il savait à
quel point tous ces jeux de la narration et ces personnages mêmes n'étaient que prétextes et masques. Et l'on ne
peut guère douter qu'il en ait eu le pressentiment. Les*
Diaboliques *ne nous racontent que lui, l'inconscient
y affleure quand il ne s'exprime pas avec une netteté
étonnante ; et l'écrivain a dû parfois hésiter devant
certains aveux, ou simplement en prenant conscience
de ce qu'il livrait.*

Le secret et l'illusion

Il est clair du moins qu'il met lui-même en cause une lecture simple des Diaboliques. *Qu'il obscurcisse à plaisir un personnage et laisse intact le secret que nous espérions percer, ou que, plus roué encore, il renonce à terminer son histoire, un élément nouveau intervient, une dénonciation. Si l'on y regarde de près, les analyses, fort longues parfois, ne sont que duperies. Ni Alberte, ni Hauteclaire, ni même Mme de Stasseville dont il est tant parlé, ne nous sont connues. Sous prétexte de les peindre, le conteur à leur propos multiplie les questions, les suppositions, pour nous abandonner enfin sur des hypothèses contradictoires. Plutôt qu'elles ne l'éclairent, ces lentes, volontairement lentes, dissertations masquent le personnage. La transformation, progressive ou brusque, des êtres ne s'accompagne d'aucune explication ; la contradiction est posée sans plus ; ce qui rend les personnages un peu monstrueux ou plus simplement les fait paraître « anormaux », si l'on s'en tient à une lecture psychologique. L'héroïne du « Rideau cramoisi », par exemple, est une nymphomane. Voilà l'explication donnée, qui ne nous avance guère.*

D'explications, Barbey d'Aurevilly n'en veut pas. Si, cédant à une tradition, se conformant à une certaine esthétique romanesque, il paraît nous en fournir, il est rare qu'il ne maintienne pas, en deçà, une zone obscure, un mystère irréductible. Le secret des êtres l'obsède, qu'il traduit dans une image banale en apparence, celle du sphinx ; de la femme-sphinx : Alberte, la comtesse de Stasseville, Hauteclaire, la duchesse…, car l'image, une seule fois, s'applique à un homme, Marmor de Karkoël. Il est vrai que les personnages

masculins des Diaboliques *ne nous sont guère moins
incompréhensibles que les femmes. Et l'auteur veut
les laisser tels, pour des raisons qui tiennent à la métaphysique (le rapport de l'être à Dieu ou à Satan ne
peut nous être clair), à la psychologie (l'univers aurevillien ne rend pas possible la communication), et
plus encore à l'esthétique. Écrire n'est pas seulement
— ou n'est pas — présenter un personnage, ni même
raconter une histoire.*

*On a remarqué (l'épigraphe même de cette nouvelle
le suggère) que « Le Dessous de cartes » nous offrait
seulement une « illusion d'histoire ». Certes, il y a un
dénouement, tragique, mais le récit finit sur des interrogations :*

*« D'où venait cet enfant ? [...] De qui était-il ? Était-
il mort de mort naturelle ? L'avait-on tué ?... Qui
l'avait tué ?... »*

*Barbey joue à entasser ainsi les questions auxquel-
les il ne répondra pas. À peine moins net, le même jeu
se retrouve dans « Le Rideau cramoisi » : « Et après ?
— lui dis-je. — Eh bien ! voilà — répondit-il, — il n'y
a pas d'après ! » Sans doute savons-nous, à cet instant,
l'essentiel : la maîtresse du jeune officier est morte
dans ses bras ; mais pourquoi si longuement raconter
la peur du jeune homme, ses hésitations, sa fuite ?
Sinon pour aiguiser notre curiosité et nous laisser sur
cette attente. Point de dénouement au « Bonheur dans
le crime » ou au « Dîner d'athées » : on ne sait ce qu'est
devenue la Rosalba dont Mesnilgrand a raconté l'histoire... Seule la dernière nouvelle a un dénouement véritable. Encore Tressignies a-t-il été plus qu'un auditeur,
presque un acteur, et nous ne saurons rien de lui,
après cette aventure.*

*Cette impression de déséquilibre, d'inachèvement,
est renforcée par un autre mouvement, plus subtil, qui,
dans les cinq premiers récits, nous ramène des der-*

*nières lignes au début. La diligence arrêtée repart, la
conversation reprend, le déjeuner se poursuit... Ce
retour est brusque, aussi brusque que fut lent le départ
du récit ; comme si se produisait un retour au réel,
un réveil. Les indications données, à cet égard, dans
« Le Rideau cramoisi », frappent par leur netteté :
« Notre diligence endormie ressemblait à une voiture
enchantée, figée par la baguette des fées, à quelque
carrefour de clairière, dans la forêt de la Belle au Bois
dormant » ; autour de la voiture, le silence, la nuit ;
le narrateur insiste, réduit le réel à « ce noir compartiment fermé » où se trouvent Brassard et son auditeur,
et au « rideau cramoisi » qu'ils regardent. Le récit fini,
sinon l'histoire, « l'ombre svelte d'une taille de femme »
passe derrière le rideau. Le charme est rompu, la voiture repart. La vie reprend.*

*Les deux plans se distinguent nettement ; le cadre,
vrai ; le récit, illusoire. Un jeu de reflets toutefois renvoie de l'un à l'autre. Parfois, quelque détail, unique
(cette ombre de femme : « L'ombre d'Alberte ! »), assure
ce passage. Parfois, un réseau serré, minutieusement
établi, de correspondances joue de l'un à l'autre ; dans
« Le Dessous de cartes d'une partie de whist », l'effet
se répète jusqu'à nous laisser deviner en telle auditrice un double de l'héroïne ; « Le Plus Bel Amour de
Don Juan », dans un mouvement plus curieux, évoque
par sa succession de narrateurs ces boîtes qui, ouvertes, contiennent une autre boîte presque identique qu'il
faut ouvrir à son tour, jusqu'à la dernière... qui ne
contient rien. Ainsi est dénoncée, d'une autre manière,
l'illusion.*

*Si l'on tente d'ailleurs d'approfondir quelque peu
l'impression première de complicité, on verra qu'à
aucun instant le lecteur ne se trouve devant une histoire à laquelle il donnerait créance ; il écoute un narrateur, constamment présent, qui sans cesse se rappelle*

à son attention et jamais, d'une certaine manière, ne le laisse se prendre à l'aventure contée ou s'accorder aux personnages. On suit moins les événements que le récit, et moins le récit que le conteur. La narration l'emporte sur l'histoire, et le discours sur la narration.

Les masques et les rêves

Barbey parle, et lui seul. Car le narrateur qu'il met en scène : Brassard, Don Juan, l'anonyme du « Dessous de cartes », Mesnilgrand, Tressignies (et Torty même), c'est lui encore, masqué ; à peine parfois. Ce n'est pas tant qu'il leur confie tel détail de sa vie, ce pourrait être une facilité. Mais il se projette en eux. Le dandy Brassard, paré de gloire militaire et de succès féminins, a vécu ce que d'Aurevilly n'a que rêvé. Tressignies est ce qu'il se voulait lorsqu'il écrivait les Memoranda, *avec la position mondaine et la fortune qui lui manquaient. Don Juan, il ne le fut qu'en imagination et dans de complaisants récits... Et quel masque tentant que celui du cynique Torty, pour le vieil homme désabusé qui écrit* Les Diaboliques ! *Celui-là nous entraîne plus loin, déjà.*

Les autres transpositions — métamorphoses dirait mieux — sont à demi conscientes. Tout ce que le narrateur du « Dessous de cartes » confie sur soi-même a un caractère autobiographique évident. À Don Juan, d'Aurevilly donne son âge : « Malheureusement ! c'était Don Juan au cinquième acte. » À Brassard, dont il fait un « vieux beau », il prête, non sans ironie, une de ses coquetteries séniles : « une courte barbe, restée noire, ainsi que ses cheveux, par un mystère d'organisation ou de toilette... impénétrable ». Il n'aimait point cependant qu'on le plaisantât sur ce chapitre ; le masque ici permet le jeu.

Ainsi sans doute s'exprime et se libère l'obsession de la vieillesse.

Un mouvement inconscient prolonge ces fantasmes en rêves, ou en cauchemars. À lire ainsi « Le Rideau cramoisi », on voit surgir derrière l'image protectrice : celle du dandy, une seconde image plus sombre : celle du jeune officier affolé... La rêverie de puissance qui s'épanouit en un fantasme sadique (Alberte meurt dans les bras de son amant et « sous ses caresses ») tourne soudain à l'angoisse. Alberte elle-même est un personnage surgi de cette inquiétude, de cette peur (qui n'exclut pas, tout au contraire, l'attirance) devant la sexualité. La petite fille, amoureuse horrifiée de Don Juan, la traduit mieux encore. Cette seconde nouvelle, où l'on a vu le plus souvent une étonnante et déplaisante fatuité, obéit ainsi au même mouvement profond de défense suivi de défaite.

Les autres nouvelles se lisent moins aisément, dirait-on, selon ce schéma. Aucune cependant où ne se mêlent ces deux réactions fondamentales. Qu'au centre du réseau des personnages, dans « Le Dessous de cartes », il y ait l'enfant mort, ou que soit représentée en clair dans le récit de Mesnilgrand une scène de castration, l'angoisse est présente. Dans « La Vengeance d'une femme », la victoire ne s'acquiert que par une destruction de soi (l'intensité baroque des détails, lorsque Tressignies se fait raconter la mort de la duchesse, trouve là une justification)... Reste « Le Bonheur dans le crime » où seule la comtesse mourante paraît attester la permanence de l'angoisse ; il n'est pas sûr que la faille dans le bonheur des amants criminels n'existe pas ; ni Torty ni son auditeur ne la découvre. Je verrais volontiers cette fêlure dans la provocation dont Hauteclaire et Savigny ne sauraient se départir : leur bonheur tient moins à leur amour qu'à l'hostilité des autres chaque jour ressentie et affrontée. En cela, ils

illustrent au plus profond le dandysme aurevillien,
scandale chaque jour renouvelé où l'être puise sa force.

Les thèmes profonds

 En deçà des thèmes apparents, déjà relevés, que
décèle une première lecture et sur lesquels Barbey
insiste : le mystère, le danger, la profanation, le scan-
dale..., on devine un autre réseau thématique qui sous-
tend ces récits. Le repérer est assez simple, dès que
l'on tente de retrouver dans les autres, fussent-ils en
contrepoint, les thèmes dominants de chaque Diabolique. *Apparaît alors un système presque cohérent*
dont on tirerait une explication.
 Ainsi « La Vengeance d'une femme » éclaire bruta-
lement une image d'autodestruction que l'on remarque
à peine dans les autres nouvelles et dont la découverte
invite à une relecture. On note que la comtesse de
Savigny n'accepte pas la mort, mais la choisit ; « le
goût horrible de cette encre avec laquelle ils m'ont
empoisonnée », dit-elle au médecin, l'a avertie : « Mais
j'ai tout bu, j'ai tout pris, malgré cet affreux goût, parce
que j'étais bien aise de mourir ! » On peut croire
aussi que la comtesse de Stasseville s'est tuée, après
le départ de Karkoël. Comme la duchesse de Sierra-
Leone, elle n'est point cependant un être faible, et la
comtesse de Savigny ne manque pas de caractère...
Cette destruction de soi n'apparaît pas ici comme un
abandon. Elle tente plutôt d'être une revanche ou tra-
duit un dédaigneux orgueil. On ajoutera que tout,
dans l'attitude de Mesnilgrand, semble guidé par un
mouvement identique ; il « se jeta, ou plutôt se préci-
pita dans la peinture [...] exactement comme on
monte au septième étage pour se tuer mieux, en tom-
bant de plus haut, quand on veut se jeter par la fenê-

tre », écrit d'Aurevilly ; il absorbe « narcotiques » et
« stupéfiants » sans en souffrir, sans « assoupir » en
lui « ce monstre de fureur » « qu'il appelait le crocodile de sa fontaine, un crocodile phosphorescent dans
une fontaine de feu ». On sait que Barbey disait de
lui-même : « La vie me brûle, mais, comme la salamandre, je vis dans ce feu. » Image identique, qui
suggère un mouvement proche. On s'étonnera donc
moins de découvrir dans la description du souper offert
au séducteur vieilli, dans « Le Plus Bel Amour de Don
Juan », la présence sous-jacente d'un souvenir pictu-
ral, celui du Sardanapale de Delacroix. Une autre
allusion : « C'était l'heure du terrible souper avec le
froid Commandeur de marbre blanc... » fait intervenir la même image de mort. Les rapprochements se
multiplient : on ajoutera que Mesnilgrand a failli
mourir, avant dix-huit ans, « d'excès de femmes », « des
excès insensés », et l'on se demandera si la violence
sensuelle d'Alberte ne cache pas un mouvement du
même ordre.

Car, entre cette destruction de soi et les thèmes
sexuels, le lien apparaît profond. « Mais, vraiment,
c'était quelque chose de si fauve et de si acharné,
qu'on aurait dit qu'elle voulait laisser sa vie [...] dans
chacune de ses caresses » remarque Tressignies à propos de la duchesse prostituée ; ce qui littéralement
devient vrai pour Alberte... Une telle violence n'est
pas seulement passion, elle suppose une agressivité
qu'expliquent le désir de vengeance chez la duchesse,
comme chez Mesnilgrand écrasé par son destin, ou
l'opposition violente à un interdit. Certains détails du
« Rideau cramoisi » apportent une confirmation très
nette : les meubles de la chambre où se retrouvent les
amants, sont ceux que d'Aurevilly dans son enfance a
vus dans la chambre de sa mère, et le buste de Niobé
qu'il place en ce même lieu, est très vite devenu pour

*lui une des plus nettes « images maternelles ». Tout le
récit apparaît dominé par cette présence effrayante.
Toutes* Les Diaboliques *peut-être.*

   *Un des thèmes constants, en effet, en est la peur de
la castration. Le récit de Mesnilgrand, dans « À un
dîner d'athées », offre à cet égard une scène très claire.
Que la femme en soit victime indique cette réaction
— ou ce fantasme — de défense. Mais on notera aussi
une série d'allusions convergentes. L'aventure de Brassard a marqué d'une « tache noire » tous ses plaisirs,
Mesnilgrand avouera qu'avoir connu la Rosalba le
« rendit fort tranquille et fort indifférent avec toutes
les femmes » et Tressignies, après sa rencontre avec la
duchesse, a les mêmes réactions... Une image proche
est celle du cœur arraché, dans « La Vengeance d'une
femme », ou profané, dans le « Dîner d'athées ». Mourante, la comtesse de Savigny regrettera de ne pouvoir
exercer une telle vengeance : « Lui, je lui mangerais le
cœur ! » On ferait aisément le lien entre ces thèmes.
Brassard ne saura plus aimer, condamné à devenir
un Don Juan, et la duchesse, pour la même raison,
une prostituée : « Je sentis qu'on m'ouvrait la poitrine et qu'on m'en arrachait le cœur. Hélas ! ce n'était
pas à moi qu'on l'arrachait : c'était à Esteban... »*

   *Sans doute convient-il d'aller plus loin en ce sens.
L'être n'est pas seulement menacé dans sa sexualité,
mais dans sa vie. « Le Dessous de cartes d'une partie
de whist » raconte une singulière histoire, puisque
Barbey est né au cours d'une partie de whist et qu'il
manqua mourir, faute de soins, quelques instants
plus tard. Vrais ou faux, ces détails restent pour lui liés
à sa naissance ; un fantasme s'est développé qui fait
croire que l'enfant tué est symboliquement lui-même.
Ici encore des convergences s'imposent : dans « Le Plus
Bel Amour de Don Juan », la marquise rit en appre-
nant que l'enfant n'existe pas ; Hauteclaire se réjouit*

de n'avoir pas d'enfants : « Les enfants sont bons pour les femmes malheureuses ! » ; Ydow et la Rosalba renient ignoblement le leur...

Est-il trop audacieux de discerner là un élément fondamental ? Les Diaboliques *certes ne s'expliquent pas uniquement par ce thème. Mais certains mouvements seraient incompréhensibles si l'on ne saisissait à l'origine cette menace profondément ressentie d'où naissent aussi bien le goût du mystère et du mensonge protecteurs, la sensation constante du danger, l'attitude provocatrice du dandy, l'affirmation de soi par le scandale, et peut-être le besoin même d'écrire.*

La littérature et le scandale

En poursuivant l'analyse, on découvrirait sans doute que le goût aurevillien des images violentes, des scènes choquantes, des sujets scabreux, s'explique par là. Certes Barbey nie avoir voulu faire scandale et ce n'est pas hypocrisie. Le mouvement qui l'entraîne joue en profondeur et, tandis qu'il accumule les justifications morales dans sa préface, par exemple, il cherche moins à se défendre qu'à se rassurer. Les contradictions de son attitude, lors des menaces de procès, le montrent ; il rompt sur toute la ligne et cède. Il réagit comme le jeune Brassard, par la fuite. Écrivant, il aurait plutôt l'attitude de Mesnilgrand ou celle de la duchesse de Sierra-Leone.

Les Diaboliques *sont une réaction. Contre le monde où il vit, contre son siècle : toutes en portent à quelque instant la trace. Contre le sort qui a été le sien : ainsi se campe-t-il en des personnages provocants, Brassard ou Don Juan ; revanche mince et bien précaire, puisqu'il en fait saisir lui-même les limites. Mais que l'on admette l'analyse suggérée, le bonheur des amants criminels ou la scène de castration inversée montrent déjà une autre revanche, inconsciente et qui échoue, en quelque manière. La réussite de Hauteclaire est moins son bonheur que le scandale auquel elle fait face. Le personnage le plus clair et le seul vainqueur serait paradoxalement la duchesse, dans « La Vengeance d'une femme », qui unit les deux thèmes fondamentaux de la destruction et du scandale, les deux pôles de l'œuvre aurevillienne. Ce n'est pas au hasard qu'interviennent l'image de Sardanapale ou celle, si fréquente, de la profanation (singulièrement de la profanation du cœur), ni sans raison que Mesnilgrand « se jette » dans la peinture comme on se suiciderait. Barbey s'est jeté ainsi dans la littérature et c'est de soi-même (de la profanation, sinon de la destruction de soi) qu'il tire la matière du scandale qu'elle constitue.*

Jacques PETIT

Les Diaboliques

À qui dédier cela ?
J. B, d'A.

PRÉFACE[1]

Voici les six premières !

Si le public y mord, et les trouve à son goût, on publiera prochainement les six autres ; car elles sont douze, — comme une douzaine de pêches, — ces pécheresses !

Bien entendu qu'avec leur titre de *Diaboliques*, elles n'ont pas la prétention d'être un livre de prières ou d'*Imitation chrétienne*... Elles ont pourtant été écrites par un moraliste chrétien, mais qui se pique d'observation vraie, quoique très hardie, et qui croit — c'est sa poétique, à lui — que les peintres puissants peuvent tout peindre et que leur peinture est toujours assez *morale* quand elle est *tragique* et qu'elle donne l'*horreur des choses qu'elle retrace*. Il n'y a d'immoral que les Impassibles et les Ricaneurs. Or, l'auteur de ceci, qui croit au Diable et à ses influences dans le monde, n'en rit pas, et il ne les raconte aux âmes pures que pour les en épouvanter.

Quand on aura lu ces *Diaboliques*, je ne crois pas qu'il y ait personne en disposition de les recommencer en fait, et toute la moralité d'un livre est là...

Cela dit pour l'honneur de la chose, une autre question. Pourquoi l'auteur a-t-il donné à ces petites tra-

gédies de plain-pied ce nom bien sonore — peut-
être trop — de *Diaboliques* ?... Est-ce pour les histoires elles-mêmes qui sont ici ? ou pour les femmes
de ces histoires ?...

Ces histoires sont malheureusement vraies. Rien
n'en a été inventé. On n'en a pas nommé les personnages : voilà tout ! On les a masqués, et on a
démarqué leur linge. « L'alphabet m'appartient »,
disait Casanova, quand on lui reprochait de ne pas
porter son nom. L'alphabet des romanciers, c'est
la vie de tous ceux qui eurent des passions et des
aventures, et il ne s'agit que de combiner, avec la
discrétion d'un art profond, les lettres de cet alpha-
bet-là. D'ailleurs, malgré le vif de ces histoires à
précautions nécessaires, il y aura certainement des
têtes vives, montées par ce titre de *Diaboliques,* qui
ne les trouveront pas aussi *diaboliques* qu'elles ont
l'air de s'en vanter. Elles s'attendront à des inventions, à des complications, à des recherches, à des
raffinements, à tout le *tremblement* du mélodrame
moderne, qui se fourre partout, même dans le roman.
Elles se tromperont, ces âmes charmantes !... *Les
Diaboliques* ne sont pas des diableries : ce sont des
Diaboliques, — des histoires réelles de ce temps de
progrès et d'une civilisation si délicieuse et si
divine, que, quand on s'avise de les écrire, il semble
toujours que ce soit le Diable qui ait dicté !... Le
Diable est comme Dieu. Le Manichéisme, qui fut la
source des grandes hérésies du Moyen Âge, le Manichéisme n'est pas si bête. Malebranche disait que
Dieu se reconnaissait *à l'emploi des moyens les plus
simples*. Le Diable aussi.

Quant aux femmes de ces histoires, pourquoi ne
seraient-elles pas les *Diaboliques* ? N'ont-elles pas
assez de diabolisme en leur personne pour mériter
ce doux nom ? Diaboliques ! il n'y en a pas une

seule ici qui ne le soit à quelque degré. Il n'y en a
pas une seule à qui on puisse dire sérieusement le
mot de « *Mon ange !* » sans exagérer. Comme le
Diable, qui était un ange aussi, mais qui a culbuté,
si elles sont des anges, c'est comme lui, — la tête en
bas, le... reste en haut ! Pas une ici qui soit pure,
vertueuse, innocente. Monstres même à part, elles
présentent un effectif de bons sentiments et de
moralité bien peu considérable. Elles pourraient
donc s'appeler aussi « les *Diaboliques* », sans l'avoir
volé... On a voulu faire un petit musée de ces
dames, — en attendant qu'on fasse le musée, encore
plus petit, des dames qui leur font pendant et contraste dans la société, car toutes choses sont doubles !
L'art a deux lobes, comme le cerveau. La nature
ressemble à ces femmes qui ont un œil bleu et un
œil noir. Voici l'œil noir dessiné à l'encre — à l'encre
de la *petite vertu.*

On donnera peut-être l'œil bleu plus tard.

Après les *Diaboliques*, les *Célestes*... si on trouve
du bleu assez pur[1]...

Mais y en a-t-il ?

Jules BARBEY d'AUREVILLY.

Paris, 1ᵉʳ mai 1874.

LE RIDEAU CRAMOISI

Really.

Il y a terriblement d'années, je m'en allais chasser le gibier d'eau dans les marais de l'Ouest, — et comme il n'y avait pas alors de chemins de fer dans le pays où il me fallait voyager, je prenais la diligence de *** qui passait à la patte d'oie du château de Rueil et qui, pour le moment, n'avait dans son coupé qu'une seule personne. Cette personne, très remarquable à tous égards, et que je connaissais pour l'avoir beaucoup rencontrée dans le monde, était un homme que je vous demanderai la permission d'appeler le vicomte de Brassard. Précaution probablement inutile ! Les quelques centaines de personnes qui se nomment le monde à Paris sont bien capables de mettre ici son nom véritable[1]... Il était environ cinq heures du soir. Le soleil éclairait de ses feux alentis une route poudreuse, bordée de peupliers et de prairies, sur laquelle nous nous élançâmes au galop de quatre vigoureux chevaux dont nous voyions les croupes musclées se soulever lourdement à chaque coup de fouet du postillon, — du postillon, image de la vie, qui fait toujours trop claquer son fouet au départ !

Le vicomte de Brassard était à cet instant de l'existence où l'on ne fait plus guère claquer le sien... Mais c'est un de ces tempéraments dignes d'être Anglais (il a été élevé en Angleterre), qui blessés à mort, n'en conviendraient jamais et mourraient en soutenant qu'ils vivent. On a dans le monde, et même dans les livres, l'habitude de se moquer des prétentions à la jeunesse de ceux qui ont dépassé cet âge heureux de l'inexpérience et de la sottise, et on a raison, quand la forme de ces prétentions est ridicule ; mais quand elle ne l'est pas, — quand, au contraire, elle est imposante comme la fierté qui ne veut pas déchoir et qui l'inspire, je ne dis pas que cela n'est point insensé, puisque cela est inutile, mais c'est beau comme tant de choses insensées !... Si le sentiment de la Garde qui *meurt et ne se rend pas* est héroïque à Waterloo, il ne l'est pas moins en face de la vieillesse, qui n'a pas, elle, la poésie des baïonnettes pour nous frapper. Or, pour des têtes construites d'une certaine façon militaire, ne jamais se rendre est, à propos de tout, toujours *toute la question*, comme à Waterloo !

Le vicomte de Brassard, qui ne s'est pas rendu (il vit encore, et je dirai comment, plus tard, car il vaut la peine de le savoir), le vicomte de Brassard était donc, à la minute où je montais dans la diligence de ***, ce que le monde, féroce comme une jeune femme, appelle malhonnêtement « un vieux beau ». Il est vrai que pour qui ne se paie pas de mots ou de chiffres dans cette question d'âge, où l'on n'a jamais que celui qu'on paraît avoir, le vicomte de Brassard pouvait passer pour un « beau » tout court. Du moins, à cette époque, la marquise de V...[1], qui se connaissait en jeunes gens et qui en aurait tondu une douzaine, comme Dalila tondit Samson, portait avec assez de faste, sur un fond bleu, dans un bra-

celet très large, en damier, or et noir, un bout de
moustache du vicomte que le diable avait encore
plus roussie que le temps… Seulement, vieux ou
non, ne mettez sous cette expression de « beau »,
que le monde a faite, rien du frivole, du mince et de
l'exigu qu'il y met, car vous n'auriez pas la notion
juste de mon vicomte de Brassard, chez qui, esprit,
manières, physionomie, tout était large, étoffé, opulent, plein de lenteur patricienne, comme il convenait au plus magnifique dandy que j'aie connu, moi
qui ai vu Brummel devenir fou, et d'Orsay mourir !

C'était, en effet, un dandy que le vicomte de Brassard. S'il l'eût été moins, il serait devenu certainement maréchal de France. Il avait été dès sa jeunesse
un des plus brillants officiers de la fin du premier
Empire. J'ai ouï dire, bien des fois, à ses camarades
de régiment, qu'il se distinguait par une bravoure à
la Murat, compliquée de Marmont[1]. Avec cela, — et
avec une tête très carrée et très froide, quand le
tambour ne battait pas, — il aurait pu, en très peu
de temps, s'élancer aux premiers rangs de la hiérarchie militaire, mais le dandysme !… Si vous combi-
nez le dandysme avec les qualités qui font l'officier :
le sentiment de la discipline, la régularité dans le
service, etc., etc., vous verrez ce qui restera de l'officier dans la combinaison et s'il ne saute pas comme
une poudrière ! Pour qu'à vingt instants de sa vie
l'officier de Brassard n'eût pas sauté, c'est que,
comme tous les dandys, il était heureux. Mazarin
l'aurait employé, — ses nièces aussi, mais pour une
autre raison : il était superbe.

Il avait eu cette beauté nécessaire au soldat plus
qu'à personne, car il n'y a pas de jeunesse sans la
beauté, et l'armée, c'est la jeunesse de la France !
Cette beauté, du reste, qui ne séduit pas que les femmes, mais les circonstances elles-mêmes, — ces

coquines, — n'avait pas été la seule protection qui se fût étendue sur la tête du capitaine de Brassard. Il était, je crois, de race normande, de la race de Guillaume le Conquérant, et il avait, dit-on, beaucoup conquis... Après l'abdication de l'Empereur, il était naturellement passé aux Bourbons, et, pendant les Cent-Jours, surnaturellement leur était demeuré fidèle. Aussi, quand les Bourbons furent revenus, la seconde fois, le vicomte fut-il armé chevalier de Saint-Louis de la propre main de Charles X (alors Monsieur). Pendant tout le temps de la Restauration, le beau de Brassard ne montait pas une seule fois la garde aux Tuileries, que la duchesse d'Angoulême ne lui adressât, en passant, quelques mots gracieux. Elle, chez qui le malheur avait tué la grâce, savait en retrouver pour lui. Le ministre, voyant cette faveur, aurait tout fait pour l'avancement de l'homme que Madame distinguait ainsi ; mais, avec la meilleure volonté du monde, que faire pour cet enragé dandy qui — un jour de revue — avait mis l'épée à la main, sur le front de bandière de son régiment, contre son inspecteur général, pour une observation de service ?... C'était assez que de lui sauver le conseil de guerre. Ce mépris insouciant de la discipline, le vicomte de Brassard l'avait porté partout. Excepté en campagne, où l'officier se retrouvait tout entier, il ne s'était jamais astreint aux obligations militaires. Maintes fois, on l'avait vu, par exemple, au risque de se faire mettre à des arrêts infiniment prolongés, quitter furtivement sa garnison pour aller s'amuser dans une ville voisine et n'y revenir que les jours de parade ou de revue, averti par quelque soldat qui l'aimait, car si ses chefs ne se souciaient pas d'avoir sous leurs ordres un homme dont la nature répugnait à toute espèce de discipline et de routine, ses soldats, en revanche, l'adoraient. Il était excellent pour eux. Il n'en exigeait rien que d'être très braves, très pointilleux et très coquets, réalisant enfin le type de l'ancien soldat français, dont la *Permission de dix heures* et trois à quatre vieilles chansons, qui sont des chefs-d'œuvre, nous ont conservé une si exacte et si charmante image. Il les poussait peut-être un peu trop au duel, mais il prétendait que c'était là le meilleur moyen qu'il connût de développer en eux l'esprit militaire. « Je ne suis pas un gouvernement, disait-il, et je n'ai point de décorations à leur donner quand ils se battent bravement entre eux ; mais les décorations dont je suis le grand-maître (il était fort riche de sa fortune personnelle), ce sont des gants, des buffleteries de rechange, et tout ce qui peut les pomponner, sans que l'ordonnance s'y oppose. » Aussi, la compagnie qu'il commandait effaçait-elle, par la beauté de la tenue, toutes les autres compagnies de grenadiers des régiments de la Garde, si brillante déjà. C'est ainsi qu'il exaltait à outrance la personnalité du soldat, toujours prête, en France, à la fatuité et à la coquetterie, ces deux provocations permanentes, l'une par le ton qu'elle prend, l'autre par l'envie qu'elle excite. On comprendra, après cela, que les autres compagnies de son régiment fussent jalouses de la sienne. On se serait battu pour entrer dans celle-là, et battu encore pour n'en pas sortir.

Telle avait été, sous la Restauration, la position tout exceptionnelle du capitaine vicomte de Brassard. Et comme il n'y avait pas alors, tous les matins, comme sous l'Empire, la ressource de l'héroïsme en action qui fait tout pardonner, personne n'aurait certainement pu prévoir ou deviner combien de temps aurait duré cette martingale d'insubordination qui étonnait ses camarades, et qu'il jouait contre ses chefs avec la même audace qu'il aurait joué sa vie s'il fût

allé au feu, lorsque la révolution de 1830 leur ôta,
s'ils l'avaient, le souci, et à lui, l'imprudent capitaine, l'humiliation d'une destitution qui le mena-
çait chaque jour davantage. Blessé grièvement aux
Trois Jours, il avait dédaigné de prendre du service
sous la nouvelle dynastie des d'Orléans qu'il méprisait. Quand la révolution de Juillet les fit maîtres
d'un pays qu'ils n'ont pas su garder, elle avait
trouvé le capitaine dans son lit, malade d'une blessure qu'il s'était faite au pied en dansant — comme
il aurait chargé — au dernier bal de la duchesse de
Berry. Mais au premier roulement de tambour, il
ne s'en était pas moins levé pour rejoindre sa compagnie, et comme il ne lui avait pas été possible de
mettre des bottes, à cause de sa blessure, il s'en
était allé à l'émeute comme s'il s'en serait allé au
bal, en chaussons vernis et en bas de soie, et c'est
ainsi qu'il avait pris la tête de ses grenadiers sur la
place de la Bastille, chargé qu'il était de balayer dans
toute sa longueur le boulevard. Paris, où les barri-
cades n'étaient pas dressées encore, avait un aspect
sinistre et redoutable. Il était désert. Le soleil y tombait d'aplomb, comme une première pluie de feu
qu'une autre devait suivre, puisque toutes ces fenêtres, masquées de leurs persiennes, allaient, tout à
l'heure, cracher la mort... Le capitaine de Brassard
rangea ses soldats sur deux lignes, le long et le plus
près possible des maisons, de manière que chaque
file de soldats ne fût exposée qu'aux coups de fusil
qui lui venaient d'en face, — et lui, plus dandy que
jamais, prit le milieu de la chaussée. Ajusté des deux
côtés par des milliers de fusils, de pistolets et de
carabines, depuis la Bastille jusqu'à la rue de Richelieu, il n'avait pas été atteint, malgré la largeur d'une
poitrine dont il était peut-être un peu trop fier, car
le capitaine de Brassard *poitrinait* au feu, comme

une belle femme, au bal, qui veut mettre sa gorge
en valeur, quand, arrivé devant Frascati, à l'angle
de la rue de Richelieu, et au moment où il commandait à sa troupe de se masser derrière lui pour
emporter la première barricade qu'il trouva dressée
sur son chemin, il reçut une balle dans sa magnifique poitrine, deux fois provocatrice, et par sa largeur, et par les longs brandebourgs d'argent qui y
étincelaient d'une épaule à l'autre, et il eut le bras
cassé d'une pierre, — ce qui ne l'empêcha pas d'enlever la barricade et d'aller jusqu'à la Madeleine, à la
tête de ses hommes enthousiasmés. Là, deux femmes en calèche, qui fuyaient Paris insurgé, voyant
un officier de la Garde blessé, couvert de sang et
couché sur les blocs de pierre qui entouraient, à
cette époque-là, l'église de la Madeleine à laquelle
on travaillait encore, mirent leur voiture à sa disposition, et il se fit mener par elles au Gros-Caillou,
où se trouvait alors le maréchal de Raguse, à qui il
dit militairement : « Maréchal, j'en ai peut-être
pour deux heures ; mais pendant ces deux heures-
là, mettez-moi partout où vous voudrez ! » Seulement il se trompait... Il en avait pour plus de deux
heures. La balle qui l'avait traversé ne le tua pas.
C'est plus de quinze ans après que je l'avais connu,
et il prétendait alors, au mépris de la médecine et
de son médecin, qui lui avait expressément défendu
de boire tout le temps qu'avait duré la fièvre de sa
blessure, qu'il ne s'était sauvé d'une mort certaine
qu'en buvant du vin de Bordeaux.

Et en en buvant, comme il en buvait ! car, dandy
en tout, il l'était dans sa manière de boire comme
dans tout le reste... il buvait comme un Polonais. Il
s'était fait faire un splendide verre en cristal de
Bohême, qui jaugeait, Dieu me damne ! une bouteille de bordeaux tout entière, et il le buvait d'une

haleine ! Il ajoutait même, après avoir bu, qu'il faisait tout dans ces proportions-là, et c'était vrai !
Mais dans un temps où la force, sous toutes les formes, s'en va diminuant, on trouvera peut-être qu'il
n'y a pas de quoi être fat. Il l'était à la façon de
Bassompierre, et il portait le vin comme lui. Je l'ai
vu sabler douze coups de son verre de Bohême, et
il n'y paraissait même pas ! Je l'ai vu souvent
encore, dans ces repas que les gens décents traitent
« d'orgies », et jamais il ne dépassait, après les plus
brûlantes lampées, cette nuance de griserie qu'il
appelait, avec une grâce légèrement soldatesque,
« *être un peu pompette* », en faisant le geste militaire
de mettre un pompon à son bonnet. Moi, qui voudrais vous faire bien comprendre le genre d'homme
qu'il était, dans l'intérêt de l'histoire qui va suivre,
pourquoi ne vous dirais-je pas que je lui ai connu
sept maîtresses, en pied, à la fois, à ce bon *braguard*
du XIXe siècle, comme l'aurait appelé le XVIe en sa
langue pittoresque. Il les intitulait poétiquement « les
sept cordes de sa lyre », et, certes, je n'approuve pas
cette manière musicale et légère de parler de sa
propre immoralité ! Mais, que voulez-vous ? Si le
capitaine vicomte de Brassard n'avait pas été tout
ce que je viens d'avoir l'honneur de vous dire, mon
histoire serait moins piquante, et probablement
n'eussé-je pas pensé à vous la conter[1].

Il est certain que je ne m'attendais guère à le
trouver là, quand je montai dans la diligence de ***
à la patte d'oie du château de Rueil. Il y avait longtemps que nous ne nous étions vus, et j'eus du plaisir
à rencontrer, avec la perspective de passer quelques
heures ensemble, un homme qui était encore de
nos jours, et qui différait déjà tant des hommes de
nos jours. Le vicomte de Brassard, qui aurait pu
entrer dans l'armure de François Ier et s'y mouvoir

avec autant d'aisance que dans son svelte frac bleu
d'officier de la Garde royale, ne ressemblait, ni par
la tournure, ni par les proportions, aux plus vantés
des jeunes gens d'à présent. Ce soleil couchant
d'une élégance grandiose et si longtemps radieuse,
aurait fait paraître bien maigrelets et bien pâlots
tous ces petits croissants de la mode, qui se lèvent
maintenant à l'horizon ! Beau de la beauté de l'empereur Nicolas[1], qu'il rappelait par le torse, mais
moins idéal de visage et moins grec de profil, il portait une courte barbe, restée noire, ainsi que ses
cheveux, par un mystère d'organisation ou de toilette... impénétrable[2], et cette barbe envahissait très
haut ses joues, d'un coloris animé et mâle. Sous un
front de la plus haute noblesse, — un front bombé,
sans aucune ride, blanc comme le bras d'une
femme, — et que le bonnet à poil du grenadier, qui
fait tomber les cheveux, comme le casque, en le
dégarnissant un peu au sommet, avait rendu plus
vaste et plus fier, le vicomte de Brassard cachait
presque, tant ils étaient enfoncés sous l'arcade sour-
cilière, deux yeux étincelants, d'un bleu très sombre, mais très brillants dans leur enfoncement, et y
piquant comme deux saphirs taillés en pointe ! Ces
yeux-là ne se donnaient pas la peine de scruter, et
ils pénétraient. Nous nous prîmes la main, et nous
causâmes. Le capitaine de Brassard parlait lentement, d'une voix vibrante qu'on sentait capable de
remplir un Champ-de-Mars de son commandement.
Élevé dès son enfance, comme je vous l'ai dit, en
Angleterre, il pensait peut-être en anglais ; mais cette
lenteur, sans embarras du reste, donnait un tour
très particulier à ce qu'il disait, et même à sa plaisanterie, car le capitaine aimait la plaisanterie, et il
l'aimait même un peu risquée. Il avait ce qu'on
appelle le propos vif. Le capitaine de Brassard allait

toujours *trop loin*, disait la comtesse de F..., cette
jolie veuve, qui ne porte plus que trois couleurs
depuis son veuvage : du noir, du violet et du blanc.
Il fallait qu'il fût trouvé de très bonne compagnie
pour ne pas être souvent trouvé de la mauvaise. Mais
quand on en est réellement, vous savez bien qu'on
se passe tout, au faubourg Saint-Germain !

Un des avantages de la causerie en voiture, c'est
qu'elle peut cesser quand on n'a plus rien à se dire,
et cela sans embarras pour personne. Dans un
salon, on n'a point cette liberté. La politesse vous
fait un devoir de parler quand même, et on est souvent puni de cette hypocrisie innocente par le vide
et l'ennui de ces conversations où les sots, même
nés silencieux (il y en a), se travaillent et se détirent
pour dire quelque chose et être aimables. En voiture publique, tout le monde est chez soi autant que
chez les autres, — et on peut sans inconvenance
rentrer dans le silence qui plaît et faire succéder à
la conversation la rêverie... Malheureusement, les
hasards de la vie sont affreusement plats, et jadis
(car c'est jadis déjà) on montait vingt fois en voiture
publique, — comme aujourd'hui vingt fois en wagon,
— sans rencontrer un causeur animé et intéressant... Le vicomte de Brassard échangea d'abord
avec moi quelques idées que les accidents de la
route, les détails du paysage et quelques souvenirs
du monde où nous nous étions rencontrés autrefois
avaient fait naître, — puis, le jour déclinant nous
versa son silence dans son crépuscule. La nuit, qui,
en automne, semble tomber à pic du ciel, tant elle
vient vite ! nous saisit de sa fraîcheur, et nous nous
roulâmes dans nos manteaux, cherchant de la tempe
le dur coin qui est l'oreiller de ceux qui voyagent. Je
ne sais si mon compagnon s'endormit dans son angle
de coupé ; mais moi, je restai éveillé dans le mien.

J'étais si blasé sur la route que nous faisions là et que j'avais tant de fois faite, que je prenais à peine garde aux objets extérieurs, qui disparaissaient dans le mouvement de la voiture, et qui semblaient courir dans la nuit, en sens opposé à celui dans lequel nous courions. Nous traversâmes plusieurs petites villes, semées, çà et là, sur cette longue route que les postillons appelaient encore : un fier « ruban de queue », en souvenir de la leur, pourtant coupée depuis longtemps. La nuit devint noire comme un four éteint, — et, dans cette obscurité, ces villes inconnues par lesquelles nous passions avaient d'étranges physionomies et donnaient l'illusion que nous étions au bout du monde... Ces sortes de sensations que je note ici, comme le souvenir des impressions dernières d'un état de choses disparu, n'existent plus et ne reviendront jamais pour personne. À présent, les chemins de fer, avec leurs gares à l'entrée des villes, ne permettent plus au voyageur d'embrasser, en un rapide coup d'œil, le panorama fuyant de leurs rues, au galop des chevaux d'une diligence qui va, tout à l'heure, relayer pour repartir. Dans la plupart de ces petites villes que nous traversâmes, les réverbères, ce luxe tardif, étaient rares, et on y voyait certainement bien moins que sur les routes que nous venions de quitter. Là, du moins, le ciel avait sa largeur, et la grandeur de l'espace faisait une vague lumière, tandis qu'ici le rapprochement des maisons qui semblaient se baiser, leurs ombres portées dans ces rues étroites, le peu de ciel et d'étoiles qu'on apercevait entre les deux rangées des toits, tout ajoutait au mystère de ces villes endormies, où le seul homme qu'on rencontrât était — à la porte de quelque auberge — un garçon d'écurie avec sa lanterne, qui amenait les chevaux de relais, et qui bouclait les ardillons de

leur attelage, en sifflant ou en jurant contre ses chevaux récalcitrants ou trop vifs... Hors cela et l'éternelle interpellation, toujours la même, de quelque
voyageur, ahuri de sommeil, qui baissait une glace
et criait dans la nuit, rendue plus sonore à force de
silence : « Où sommes-nous donc, postillon ?... »
rien de vivant ne s'entendait et ne se voyait autour
et dans cette voiture pleine de gens qui dormaient,
en cette ville endormie, où peut-être quelque rêveur,
comme moi, cherchait, à travers la vitre de son
compartiment, à discerner la façade des maisons
estompée par la nuit, ou suspendait son regard et
sa pensée à quelque fenêtre éclairée encore à cette
heure avancée, en ces petites villes aux mœurs réglées
et simples, pour qui la nuit était faite surtout pour
dormir. La veille d'un être humain, — ne fût-ce
qu'une sentinelle, — quand tous les autres êtres
sont plongés dans cet assoupissement qui est
l'assoupissement de l'animalité fatiguée, a toujours
quelque chose d'imposant. Mais l'ignorance de ce
qui fait veiller derrière une fenêtre aux rideaux baissés, où la lumière indique la vie et la pensée, ajoute
la poésie du rêve à la poésie de la réalité. Du moins,
pour moi, je n'ai jamais pu voir une fenêtre, — éclairée la nuit, — dans une ville couchée, par laquelle je
passais, — sans accrocher à ce cadre de lumière un
monde de pensées, — sans imaginer derrière ces
rideaux des intimités et des drames... Et maintenant, oui, au bout de tant d'années, j'ai encore dans
la tête de ces fenêtres qui y sont restées éternellement
et mélancoliquement lumineuses, et qui me font
dire souvent, lorsqu'en y pensant, je les revois dans
mes songeries :

    « Qu'y avait-il donc derrière ces rideaux[1] ? »

    Eh bien ! une de celles qui me sont restées le plus
dans la mémoire (mais tout à l'heure vous en com-

prendrez la raison) est une fenêtre d'une des rues
de la ville de ***, par laquelle nous passions cette
nuit-là. C'était à trois maisons — vous voyez si mon
souvenir est précis — au-dessus de l'hôtel devant
lequel nous relayions ; mais cette fenêtre, j'eus le
loisir de la considérer plus de temps que le temps
d'un simple relais. Un accident venait d'arriver à
une des roues de notre voiture, et on avait envoyé
chercher le charron qu'il fallut réveiller. Or, réveiller
un charron, dans une ville de province endormie, et
le faire lever pour resserrer un écrou à une diligence qui n'avait pas de *concurrence* sur cette ligne-
là, n'était pas une petite affaire de quelques minutes... Que si le charron était aussi endormi dans son
lit qu'on l'était dans notre voiture, il ne devait pas
être facile de le réveiller... De mon coupé, j'entendais
à travers la cloison les ronflements des voyageurs
de l'intérieur, et pas un des voyageurs de l'impériale,
qui, comme on le sait, ont la manie de toujours descendre dès que la diligence arrête, probablement
(car la vanité se fourre partout en France, même
sur l'impériale des voitures) pour montrer leur
adresse à remonter, n'était descendu... Il est vrai
que l'hôtel devant lequel nous nous étions arrêtés
était fermé. On n'y soupait point. On avait soupé au
relais précédent. L'hôtel sommeillait, comme nous.
Rien n'y trahissait la vie. Nul bruit n'en troublait le
profond silence... si ce n'est le coup de balai, monotone et lassé, de quelqu'un (homme ou femme... on
ne savait ; il faisait trop nuit pour bien s'en rendre
compte) qui balayait alors la grande cour de cet
hôtel muet, dont la porte cochère restait habituellement ouverte. Ce coup de balai traînard, sur le pavé,
avait aussi l'air de dormir, ou du moins d'en avoir
diablement envie ! La façade de l'hôtel était noire
comme les autres maisons de la rue où il n'y avait

de lumière qu'à une seule fenêtre... cette fenêtre que précisément j'ai emportée dans ma mémoire et que j'ai là, toujours, sous le front !... La maison, dans laquelle on ne pouvait pas dire que cette lumière brillait, car elle était tamisée par un double rideau cramoisi dont elle traversait mystérieusement l'épaisseur, était une grande maison qui n'avait qu'un étage, — mais placé très haut...

« C'est singulier ! — fit le comte de Brassard, comme s'il se parlait à lui-même, — on dirait que c'est toujours le même rideau ! »

Je me retournai vers lui, comme si j'avais pu le voir dans notre obscur compartiment de voiture ; mais la lampe, placée sous le siège du cocher, et qui est destinée à éclairer les chevaux et la route, venait justement de s'éteindre... Je croyais qu'il dormait, et il ne dormait pas, et il était frappé comme moi de l'air qu'avait cette fenêtre ; mais, plus avancé que moi, il savait, lui, pourquoi il l'était !

Or, le ton qu'il mit à dire cela — une chose d'une telle simplicité ! — était si peu dans la voix de mon-dit vicomte de Brassard et m'étonna si fort, que je voulus avoir le cœur net de la curiosité qui me prit tout à coup de voir son visage, et que je fis partir une allumette comme si j'avais voulu allumer mon cigare. L'éclair bleuâtre de l'allumette coupa l'obscurité.

Il était pâle, non pas comme un mort... mais comme la Mort elle-même.

Pourquoi pâlissait-il ?... Cette fenêtre, d'un aspect si particulier, cette réflexion et cette pâleur d'un homme qui pâlissait très peu d'ordinaire, car il était sanguin, et l'émotion, lorsqu'il était ému, devait l'empourprer jusqu'au crâne, le frémissement que je sentis courir dans les muscles de son puissant biceps, touchant alors contre mon bras dans le rapprochement de la voiture, tout cela me produisit l'effet de cacher quelque chose... que moi, le chasseur aux histoires, je pourrais peut-être savoir en m'y prenant bien.

« Vous regardiez donc aussi cette fenêtre, capitaine, et même vous la reconnaissiez ? — lui dis-je de ce ton détaché qui semble ne pas tenir du tout à la réponse et qui est l'hypocrisie de la curiosité.

— Parbleu ! si je la reconnais ! » fit-il de sa voix ordinaire, richement timbrée et qui appuyait sur les mots.

Le calme était déjà revenu dans ce dandy, le plus carré et le plus majestueux des dandys, lesquels — vous le savez ! — méprisent toute émotion, comme inférieure, et ne croient pas, comme ce niais de Goethe, que l'étonnement puisse jamais être une position honorable pour l'esprit humain[1].

« Je ne passe pas par ici souvent, — continua donc, très tranquillement, le vicomte de Brassard, — et même j'évite d'y passer. Mais il est des choses qu'on n'oublie point. Il n'y en a pas beaucoup, mais il y en a. J'en connais trois : le premier uniforme qu'on a mis, la première bataille où l'on a donné, et la première femme qu'on a eue. Eh bien ! pour moi, cette fenêtre est la quatrième chose que je ne puisse pas oublier. »

Il s'arrêta, baissa la glace qu'il avait devant lui... Était-ce pour mieux voir cette fenêtre dont il me parlait ?... Le conducteur était allé chercher le charron et ne revenait pas. Les chevaux de relais, en retard, n'étaient pas encore arrivés de la poste. Ceux qui nous avaient traînés, immobiles de fatigue, harassés, non dételés, la tête pendant dans leurs jambes, ne donnaient pas même sur le pavé silencieux le coup de pied de l'impatience, en rêvant de leur écurie. Notre diligence endormie ressemblait à une voiture enchantée, figée par la baguette des fées, à quelque carrefour de clairière, dans la forêt de la Belle au Bois dormant[1].

« Le fait est, — dis-je, — que pour un homme d'imagination, cette fenêtre a de la physionomie.

— Je ne sais pas ce qu'elle a pour vous, — reprit le vicomte de Brassard, — mais je sais ce qu'elle a pour moi. C'est la fenêtre de la chambre qui a été ma première chambre de garnison. J'ai habité là... Diable ! il y a tout à l'heure trente-cinq ans[2] ! derrière ce rideau... qui semble n'avoir pas été changé depuis tant d'années, et que je trouve éclairé, absolument éclairé, comme il l'était quand... »

Il s'arrêta encore, réprimant sa pensée ; mais je tenais à la faire sortir.

« Quand vous étudiiez votre tactique, capitaine, dans vos premières veilles de sous-lieutenant ?

— Vous me faites beaucoup trop d'honneur, répondit-il. J'étais, il est vrai, sous-lieutenant dans ce moment-là, mais les nuits que je passais alors, je ne les passais pas sur ma tactique, et si j'avais ma lampe allumée, à ces heures indues, comme disent les gens rangés, ce n'était pas pour lire le maréchal de Saxe.

— Mais, — fis-je, preste comme un coup de raquette, — c'était, peut-être, tout de même, pour l'imiter ?[3] »

Il me renvoya mon volant.

« Oh ! — dit-il, — ce n'était pas alors que j'imitais le maréchal de Saxe, comme vous l'entendez... Ça n'a été que bien plus tard. Alors, je n'étais qu'un bambin de sous-lieutenant, fort épinglé dans ses uniformes, mais très gauche et très timide avec les femmes, quoiqu'elles n'aient jamais voulu le croire, probablement à cause de ma diable de figure... je n'ai jamais eu avec elles les profits de ma timidité.

D'ailleurs, je n'avais que dix-sept ans dans ce beau temps-là. Je sortais de l'École militaire. On en sortait à l'heure où vous y entrez à présent, car si l'Empereur, ce terrible consommateur d'hommes, avait duré, il aurait fini par avoir des soldats de douze ans, comme les sultans d'Asie ont des odalisques de neuf. »

« S'il se met à parler de l'Empereur et des odalisques, — pensé-je, — je ne saurai rien. »

« Et pourtant, vicomte, — repartis-je, — je parierais bien que vous n'avez gardé si présent le souvenir de cette fenêtre, qui luit là-haut, que parce qu'il y a eu pour vous une femme derrière son rideau !

— Et vous gagneriez votre pari, Monsieur, — fit-il gravement.

— Ah ! parbleu ! — repris-je, — j'en étais bien sûr ! Pour un homme comme vous, dans une petite ville de province où vous n'avez peut-être pas passé dix fois depuis votre première garnison, il n'y a qu'un siège que vous y auriez soutenu ou quelque femme que vous y auriez prise, par escalade, qui puisse vous consacrer si vivement la fenêtre d'une maison que vous retrouvez aujourd'hui éclairée d'une certaine manière, dans l'obscurité !

— Je n'y ai cependant pas soutenu de siège... du moins militairement, — répondit-il, toujours grave ; mais être grave, c'était souvent sa manière de plaisanter, — et, d'un autre côté, quand on se rend si vite la chose peut-elle s'appeler un siège ?... Mais quant à prendre une femme avec ou sans escalade, je vous l'ai dit, en ce temps-là, j'en étais parfaitement incapable... Aussi ne fut-ce pas une femme qui fut prise ici : ce fut moi ! »

Je le saluai ; — le vit-il dans ce coupé sombre ?

« On a pris Berg-op-Zoom[1], — lui dis-je.

— Et les sous-lieutenants de dix-sept ans, —

ajouta-t-il, — ne sont ordinairement pas des Berg-op-Zoom de sagesse et de continence imprenables !

— Ainsi, fis-je gaiement, — encore une madame ou une mademoiselle Putiphar...

— C'était une demoiselle, — interrompit-il avec une bonhomie assez comique.

— À mettre à la pile de toutes les autres, capitaine ! Seulement, ici, le Joseph était militaire... un Joseph qui n'aura pas fui...

— Qui a parfaitement fui, au contraire, — repartit-il, du plus grand sang-froid, — quoique trop tard et avec une peur ! ! ! Avec une peur à me faire comprendre la phrase du maréchal Ney que j'ai entendue de mes deux oreilles et qui, venant d'un pareil homme, m'a, je l'avoue, un peu soulagé : « Je voudrais bien savoir quel est le Jean-f... (il lâcha le mot tout au long) qui dit n'avoir jamais eu peur !... »

— Une histoire dans laquelle vous avez eu cette sensation-là doit être fameusement intéressante, capitaine !

— Pardieu ! fit-il brusquement, — je puis bien, si vous en êtes curieux, vous la raconter, cette histoire, qui a été un événement mordant sur ma vie comme un acide sur de l'acier, et qui a marqué à jamais d'une tache noire tous mes plaisirs de mauvais sujet[1]... Ah ! ce n'est pas toujours profit que d'être un mauvais sujet ! » ajouta-t-il, avec une mélancolie qui me frappa dans ce luron formidable que je croyais doublé de cuivre comme un brick grec.

Et il releva la glace qu'il avait baissée, soit qu'il craignît que les sons de sa voix ne s'en allassent par là, et qu'on n'entendît, du dehors, ce qu'il allait raconter, quoiqu'il n'y eût personne autour de cette voiture, immobile et comme abandonnée ; soit que ce régulier coup de balai, qui allait et revenait, et qui raclait avec tant d'appesantissement le pavé de la

grande cour de l'hôtel, lui semblât un accompagne-
ment importun de son histoire ; — et je l'écoutai, —
attentif à sa voix seule, — aux moindres nuances de
sa voix, — puisque je ne pouvais voir son visage,
dans ce noir compartiment fermé, — et les yeux
fixés plus que jamais sur cette fenêtre, au rideau
cramoisi, qui brillait toujours de la même fascinante lumière, et dont il allait me parler[1] :

« J'avais donc dix-sept ans, et je sortais de l'École
militaire, — reprit-il. Nommé sous-lieutenant dans
un simple régiment d'infanterie de ligne, qui attendait, avec l'impatience qu'on avait dans ce temps-
là, l'ordre de partir pour l'Allemagne, où l'Empereur faisait cette campagne que l'histoire a nommée la campagne de 1813, je n'avais pris que le
temps d'embrasser mon vieux père au fond de sa
province, avant de rejoindre dans la ville où nous
voici, ce soir, le bataillon dont je faisais partie ; car
cette mince ville, de quelques milliers d'habitants
tout au plus, n'avait en garnison que nos deux premiers bataillons... Les deux autres avaient été
répartis dans les bourgades voisines. Vous qui probablement n'avez fait que passer dans cette ville-ci,
quand vous retournez dans votre Ouest, vous ne
pouvez pas vous douter de ce qu'elle est — ou du
moins de ce qu'elle était il y a trente ans — pour
qui est obligé, comme je l'étais alors, d'y demeurer.
C'était certainement la pire garnison où le hasard
— que je crois le diable toujours, à ce moment-là
ministre de la guerre — pût m'envoyer pour mon
début. Tonnerre de Dieu ! quelle platitude ! Je ne
me souviens pas d'avoir fait nulle part, depuis, de
plus maussade et de plus ennuyeux séjour. Seulement, avec l'âge que j'avais, et avec la première
ivresse de l'uniforme, — une sensation que vous ne
connaissez pas, mais que connaissent tous ceux qui

l'ont porté, — je ne souffrais guère de ce qui, plus tard, m'aurait paru insupportable. Au fond, que me faisait cette morne ville de province ?... Je l'habitais, après tout, beaucoup moins que mon uniforme, — un chef-d'œuvre de Thomassin et Pied, qui me ravissait ! Cet uniforme, dont j'étais fou, me voilait et m'embellissait toutes choses ; et c'était — cela va vous sembler fort, mais c'est la vérité ! — cet uniforme qui était, à la lettre, ma véritable garnison ! Quand je m'ennuyais par trop dans cette ville sans mouvement, sans intérêt et sans vie, je me mettais en grande tenue, — toutes aiguillettes dehors, — et l'ennui fuyait devant mon hausse-col ! J'étais comme ces femmes qui n'en font pas moins leur toilette quand elles sont seules et qu'elles n'attendent personne. Je m'habillais... pour moi. Je jouissais solitairement de mes épaulettes et de la dragonne de mon sabre, brillant au soleil, dans quelque coin de Cours désert où, vers quatre heures, j'avais l'habitude de me promener, sans chercher personne pour être heureux, et j'avais là des gonflements dans la poitrine, tout autant que, plus tard, au boulevard de Gand[1], lorsque j'entendais dire derrière moi, en donnant le bras à quelque femme : « Il faut convenir que voilà une fière tournure d'officier ! » Il n'existait, d'ailleurs, dans cette petite ville très peu riche, et qui n'avait de commerce et d'activité d'aucune sorte, que d'anciennes familles à peu près ruinées, qui boudaient l'Empereur, parce qu'il n'avait pas, comme elles disaient, fait rendre gorge aux voleurs de la Révolution, et qui pour cette raison ne fêtaient guère ses officiers. Donc, ni réunions, ni bals, ni soirées, ni redoutes. Tout au plus, le dimanche, un pauvre bout de Cours où, après la messe de midi, quand il faisait beau temps, les mères allaient promener et exhiber leurs filles jusqu'à deux heures, — l'heure des vêpres, qui, dès qu'elle sonnait son premier coup, raflait toutes les jupes et vidait ce malheureux Cours[1]. Cette messe de midi où nous n'allions jamais, du reste, je l'ai vue devenir, sous la Restauration, une messe militaire à laquelle l'état-major des régiments était obligé d'assister, et c'était au moins un événement vivant dans ce néant de garnisons mortes ! Pour des gaillards qui étaient, comme nous, à l'âge de la vie où l'amour, la passion des femmes, tient une si grande place, cette messe militaire était une ressource. Excepté ceux d'entre nous qui faisaient partie du détachement de service sous les armes, tout le corps d'officiers s'éparpillait et se plaçait à l'église, comme il lui plaisait, dans la nef. Presque toujours nous nous campions derrière les plus jolies femmes qui venaient à cette messe, où elles étaient sûres d'être regardées, et nous leur donnions le plus de distractions possible en parlant, entre nous, à mi-voix, de manière à pouvoir être entendus d'elles, de ce qu'elles avaient de plus charmant dans le visage ou dans la tournure. Ah ! la messe militaire ! J'y ai vu commencer bien des romans. J'y ai vu fourrer dans les manchons que les jeunes filles laissaient sur leurs chaises, quand elles s'agenouillaient près de leurs mères, bien des billets doux, dont elles nous rapportaient la réponse, dans les mêmes manchons, le dimanche suivant ! Mais, sous l'Empereur, il n'y avait point de messe militaire. Aucun moyen par conséquent d'approcher des filles *comme il faut* de cette petite ville où elles n'étaient pour nous que des rêves cachés, plus ou moins, sous des voiles, de loin aperçus ! Des dédommagements à cette perte sèche de la population la plus intéressante de la ville de ***, il n'y en avait pas... Les caravansérails que vous savez, et dont on ne

parle point en bonne compagnie, étaient des horreurs. Les cafés où l'on noie tant de nostalgies, en
ces oisivetés terribles des garnisons, étaient tels,
qu'il était impossible d'y mettre le pied, pour peu
qu'on respectât ses épaulettes... Il n'y avait pas non
plus, dans cette petite ville où le luxe s'est accru
maintenant comme partout, un seul hôtel où nous
puissions avoir une table passable d'officiers, sans
être volés comme dans un bois, si bien que beaucoup d'entre nous avaient renoncé à la vie collective
et s'étaient dispersés dans des pensions particuliè-
res, chez des bourgeois peu riches, qui leur louaient
des appartements le plus cher possible, et ajoutaient
ainsi quelque chose à la maigreur ordinaire de leurs
tables et à la médiocrité de leurs revenus.

» J'étais de ceux-là. Un de mes camarades qui
demeurait ici, à la *Poste aux chevaux*, où il avait
une chambre, car la *Poste aux chevaux* était dans
cette rue en ce temps-là — tenez ! à quelques portes
derrière nous, et peut-être, s'il faisait jour, verriez-
vous encore sur la façade de cette *Poste aux chevaux* le vieux soleil d'or à moitié sorti de son fond
de céruse, et qui faisait cadran avec son inscription : « AU SOLEIL LEVANT ! » — un de mes camarades
m'avait découvert un appartement dans son voisinage, — à cette fenêtre qui est perchée si haut, et
qui me fait l'effet, ce soir, d'être la mienne toujours,
comme si c'était hier ! Je m'étais laissé loger par lui.
Il était plus âgé que moi, depuis plus longtemps au
régiment, et il aimait à piloter dans ces premiers
moments et ces premiers détails de ma vie d'officier, mon inexpérience, qui était aussi de l'insou-
ciance ! Je vous l'ai dit, excepté la sensation de
l'uniforme sur laquelle j'appuie, parce que c'est encore
là une sensation dont votre génération à congrès de
la paix et à pantalonnades philosophiques et huma-

nitaires n'aura bientôt plus la moindre idée, et
l'espoir d'entendre ronfler le canon dans la première bataille où je devais perdre (passez-moi cette
expression soldatesque !) mon pucelage militaire,
tout m'était égal ! Je ne vivais que dans ces deux
idées, — dans la seconde surtout, parce qu'elle était
une espérance, et qu'on vit plus dans la vie qu'on
n'a pas que dans la vie qu'on a. Je m'aimais pour
demain, comme l'avare, et je comprenais très bien
les dévots qui s'arrangent sur cette terre comme on
s'arrange dans un coupe-gorge où l'on n'a qu'à passer une nuit. Rien ne ressemble plus à un moine
qu'un soldat, et j'étais soldat ! C'est ainsi que je
m'arrangeais de ma garnison. Hors les heures des
repas que je prenais avec les personnes qui me
louaient mon appartement et dont je vous parlerai
tout à l'heure, et celles du service et des manœuvres
de chaque jour, je vivais la plus grande partie de
mon temps chez moi, couché sur un grand diable
de canapé de maroquin bleu sombre, dont la fraîcheur me faisait l'effet d'un bain froid après l'exercice, et je ne m'en relevais que pour aller faire des
armes et quelques parties d'impériale chez mon
ami d'en face : Louis de Meung, lequel était moins
oisif que moi, car il avait ramassé parmi les grisettes de la ville une assez jolie petite fille, qu'il avait
prise pour maîtresse, et qui lui servait, disait-il, à
tuer le temps... Mais ce que je connaissais de la
femme ne me poussait pas beaucoup à imiter mon
ami Louis. Ce que j'en savais, je l'avais vulgairement appris, là où les élèves de Saint-Cyr l'apprennent les jours de sortie... Et puis, il y a des
tempéraments qui s'éveillent tard... Est-ce que vous
n'avez pas connu Saint-Rémy, le plus mauvais sujet
de toute une ville, célèbre par ses mauvais sujets,
que nous appelions « le Minotaure », non pas au

point de vue des cornes, quoiqu'il en portât, puisqu'il avait tué l'amant de sa femme, mais au point de vue de la consommation ?...

— Oui, je l'ai connu, — répondis-je, — mais vieux, incorrigible, se débauchant de plus en plus à chaque année qui lui tombait sur la tête. Pardieu ! si je l'ai connu, ce grand *rompu* de Saint-Rémy, comme on dit dans Brantôme !

— C'était en effet un homme de Brantôme, — reprit le vicomte. — Eh bien ! Saint-Rémy, à vingt-sept ans sonnés, n'avait encore touché ni à un verre ni à une jupe. Il vous le dira, si vous voulez ! À vingt-sept ans, il était, en fait de femmes, aussi innocent que l'enfant qui vient de naître, et quoiqu'il ne tétât plus sa nourrice, il n'avait pourtant jamais bu que du lait et de l'eau.

— Il a joliment rattrapé le temps perdu ! — fis-je.

— Oui, — dit le vicomte, — et moi aussi ! Mais j'ai eu moins de peine à le rattraper ! Ma première période de sagesse, à moi, ne dépassa guère le temps que je passai dans cette ville de *** ; et quoique je n'y eusse pas la virginité absolue dont parle Saint-Rémy, j'y vivais cependant, ma foi ! comme un vrai chevalier de Malte, que j'étais, attendu que je le suis *de berceau*... Saviez-vous cela ? J'aurais même succédé à un de mes oncles dans sa commanderie, sans la Révolution qui abolit l'Ordre, dont, tout aboli qu'il fût, je me suis quelquefois permis de porter le ruban. Une fatuité !

» Quant aux hôtes que je m'étais donnés, en louant leur appartement, — continua le vicomte de Brassard, — c'était bien tout ce que vous pouvez imaginer de plus bourgeois. Ils n'étaient que deux, le mari et la femme, tous deux âgés, n'ayant pas mauvais ton, au contraire. Dans leurs relations avec moi, ils avaient même cette politesse qu'on ne trouve plus, surtout dans leur classe, et qui est comme le parfum d'un temps évanoui. Je n'étais pas dans l'âge où l'on observe pour observer, et ils m'intéressaient trop peu pour que je pensasse à pénétrer dans le passé de ces deux vieilles gens à la vie desquels je me mêlais de la façon la plus superficielle deux heures par jour, — le midi et le soir, — pour dîner et souper avec eux. Rien ne transpirait de ce passé dans leurs conversations devant moi, lesquelles conversations trottaient d'ordinaire sur les choses et les personnes de la ville, qu'elles m'apprenaient à connaître et dont ils parlaient, le mari avec une pointe de médisance gaie, et la femme, très pieuse, avec plus de réserve, mais certainement non moins de plaisir. Je crois cependant avoir entendu dire au mari qu'il avait voyagé dans sa jeunesse pour le compte de je ne sais qui et de je ne sais quoi, et qu'il était revenu tard épouser sa femme... qui l'avait attendu. C'étaient, au demeurant, de très braves gens, aux mœurs très douces, et de très calmes destinées. La femme passait sa vie à tricoter des bas à côtes pour son mari, et le mari, timbré de musique, à racler sur son violon de l'ancienne musique de Viotti, dans une chambre à galetas au-dessus de la mienne... Plus riches, peut-être l'avaient-ils été. Peut-être quelque perte de fortune qu'ils voulaient cacher les avait-elle forcés à prendre chez eux un pensionnaire ; mais autrement que par le pensionnaire, on ne s'en apercevait pas. Tout dans leur logis respirait l'aisance de ces maisons de l'ancien temps, abondantes en linge qui sent bon, en argenterie bien pesante, et dont les meubles semblent des immeubles, tant on se met peu en peine de les renouveler ! Je m'y trouvais bien. La table était bonne, et je jouissais largement de la permission de la quitter dès que j'avais, comme disait la vieille Olive qui nous servait, « *les barbes torchées* », ce qui faisait bien de l'honneur de les appeler « *des barbes* » aux trois poils de chat de la moustache d'un gamin de sous-lieutenant, qui n'avait pas encore fini de grandir !

» J'étais donc là environ depuis un semestre, tout aussi tranquille que mes hôtes, auxquels je n'avais jamais entendu dire un seul mot ayant trait à l'existence de la personne que j'allais rencontrer chez eux, quand un jour, en descendant pour dîner à l'heure accoutumée, j'aperçus dans un coin de la salle à manger une grande personne qui, debout et sur la pointe des pieds, suspendait par les rubans son chapeau à une patère, comme une femme parfaitement chez elle et qui vient de rentrer. Cambrée à outrance, comme elle l'était, pour accrocher son chapeau à cette patère placée très haut, elle déployait la taille superbe d'une danseuse qui se renverse, et cette taille était prise (c'est le mot, tant elle était lacée !) dans le corselet luisant d'un spencer de soie verte à franges qui retombaient sur sa robe blanche, une de ces robes du temps d'alors, qui serraient aux hanches et qui n'avaient pas peur de les montrer, quand on en avait... Les bras encore en l'air, elle se retourna en m'entendant entrer, et elle imprima à sa nuque une torsion qui me fit voir son visage ; mais elle acheva son mouvement comme si je n'eusse pas été là, regarda si les rubans du chapeau n'avaient pas été froissés par elle en le suspendant, et cela accompli lentement, attentivement et presque impertinemment, car, après tout, j'étais là, debout, attendant, pour la saluer, qu'elle prît garde à moi, elle me fit enfin l'honneur de me regarder avec deux yeux noirs, très froids, auxquels ses cheveux, coupés à la Titus et ramassés en boucles sur le front, donnaient l'espèce de profondeur que cette coiffure donne au regard... Je ne savais qui ce pouvait être, à cette heure et à cette place. Il n'y avait jamais personne à dîner chez mes hôtes... Cependant elle venait probablement pour dîner. La table était mise, et il y avait quatre couverts... Mais mon étonnement de la voir là fut de beaucoup dépassé par l'étonnement de savoir qui elle était, quand je le sus... quand mes deux hôtes, entrant dans la salle, me la présentèrent comme leur fille qui sortait de pension et qui allait désormais vivre avec eux.

» Leur fille ! Il était impossible d'être moins la fille de gens comme eux que cette fille-là ! Non pas que les plus belles filles du monde ne puissent naître de toute espèce de gens. J'en ai connu... et vous aussi, n'est-ce pas ? Physiologiquement, l'être le plus laid peut produire l'être le plus beau. Mais elle ! entre elle et eux, il y avait l'abîme d'une race... D'ailleurs, physiologiquement, puisque je me permets ce grand mot pédant, qui est de votre temps, non du mien, on ne pouvait la remarquer que pour l'air qu'elle avait, et qui était singulier dans une jeune fille aussi jeune qu'elle, car c'était une espèce d'air impassible, très difficile à caractériser. Elle ne l'aurait pas eu qu'on aurait dit : « Voilà une belle fille ! » et on n'y aurait pas plus pensé qu'à toutes les belles filles qu'on rencontre par hasard, et dont on dit cela, pour n'y plus penser jamais après. Mais cet air... qui la séparait, non pas seulement de ses parents, mais de tous les autres, dont elle semblait n'avoir ni les passions, ni les sentiments, vous clouait... de surprise, sur place... L'*Infante à l'épagneul*, de Vélasquez, pourrait, si vous la connaissez, vous donner une idée de cet air-là, qui n'était ni fier, ni méprisant, ni dédaigneux, non ! mais tout simplement impassible, car l'air fier, méprisant, dédaigneux, dit aux gens qu'ils existent, puisqu'on prend la peine de les dédaigner ou de les mépriser, tandis que cet air-ci dit tranquillement : « Pour moi, vous n'existez même pas. » J'avoue que cette physionomie me fit faire, ce premier jour et bien d'autres, la question qui pour moi est encore aujourd'hui insoluble : comment cette grande fille-là était-elle sortie de ce gros bonhomme en redingote jaune vert et à gilet blanc, qui avait une figure couleur des confitures de sa femme, une loupe sur la nuque, laquelle débordait sa cravate de mousseline brodée, et qui bredouillait ?... Et si le mari n'embarrassait pas, car le mari n'embarrasse jamais dans ces sortes de questions, la mère me paraissait tout aussi impossible à expliquer. Mlle Albertine (c'était le nom de cette archiduchesse d'altitude, tombée du ciel chez ces bourgeois comme si le ciel avait voulu se moquer d'eux), Mlle Albertine, que ses parents appelaient Alberte pour s'épargner la longueur du nom, mais ce qui allait parfaitement mieux à sa figure et à toute sa personne, ne semblait pas plus la fille de l'un que de l'autre... À ce premier dîner, comme à ceux qui suivirent, elle me parut une jeune fille bien élevée, sans affectation, habituellement silencieuse, qui, quand elle parlait, disait en bons termes ce qu'elle avait à dire, mais qui n'outrepassait jamais cette ligne-là... Au reste, elle aurait eu tout l'esprit que j'ignorais qu'elle eût, qu'elle n'aurait guère trouvé l'occasion de le montrer dans les dîners que nous faisions. La présence de leur fille avait nécessairement modifié les commérages des deux vieilles gens. Ils avaient supprimé les petits scandales de la ville. Littéralement, on ne parlait plus à cette table que de choses aussi intéressantes que la pluie et le beau temps. Aussi Mlle Albertine ou Alberte, qui m'avait tant frappé d'abord par son air impassible, n'ayant absolument que cela à m'offrir, me blasa bientôt sur cet air-là... Si je l'avais rencontrée dans le monde pour lequel j'étais fait, et que j'aurais dû voir, cette impassibilité m'aurait très certainement piqué au vif... Mais, pour moi, elle n'était pas une fille à qui je puisse faire la cour... même des yeux. Ma position vis-à-vis d'elle, à moi en pension chez ses parents, était délicate, et un rien pouvait la fausser... Elle n'était pas assez près ou assez loin de moi dans la vie pour qu'elle pût m'être quelque chose... et j'eus bientôt répondu naturellement, et sans intention d'aucune sorte, par la plus complète indifférence, à son impassibilité.

» Et cela ne se démentit jamais, ni de son côté ni du mien. Il n'y eut entre nous que la politesse la plus froide, la plus sobre de paroles. Elle n'était pour moi qu'une image qu'à peine je voyais ; et moi, pour elle, qu'est-ce que j'étais ?... À table, — nous ne nous rencontrions jamais que là, — elle regardait plus le bouchon de la carafe ou le sucrier que ma personne... Ce qu'elle y disait, très correct, toujours fort bien dit, mais insignifiant, ne me donnait aucune clef du caractère qu'elle pouvait avoir. Et puis, d'ailleurs, que m'importait ?... J'aurais passé toute ma vie sans songer seulement à regarder dans cette calme et insolente fille, à l'air si déplacé d'Infante... Pour cela, il fallait la circonstance que je m'en vais vous dire, et qui m'atteignit comme la foudre, comme la foudre qui tombe, sans qu'il ait tonné[1] !

« Un soir, il y avait à peu près un mois que Mlle Alberte était revenue à la maison, et nous nous mettions à table pour souper. Je l'avais à côté de moi, et je faisais si peu d'attention à elle que je n'avais pas encore pris garde à ce détail de tous les jours qui aurait dû me frapper : qu'elle fût à table auprès de moi au lieu d'être entre sa mère et son père,

quand, au moment où je dépliais ma serviette sur
mes genoux... non, jamais je ne pourrai vous donner l'idée de cette sensation et de cet étonnement !
je sentis une main qui prenait hardiment la mienne
par-dessous la table. Je crus rêver... ou plutôt je ne
crus rien du tout... Je n'eus que l'incroyable sensation de cette main audacieuse, qui venait chercher
la mienne jusque sous ma serviette ! Et ce fut inouï
autant qu'inattendu ! Tout mon sang, allumé sous
cette prise, se précipita de mon cœur dans cette
main, comme soutiré par elle, puis remonta furieusement, comme chassé par une pompe, dans mon
cœur ! Je vis bleu... mes oreilles tintèrent. Je dus
devenir d'une pâleur affreuse. Je crus que j'allais
m'évanouir... que j'allais me dissoudre dans l'indicible volupté causée par la chair tassée de cette main,
un peu grande, et forte comme celle d'un jeune garçon, qui s'était fermée sur la mienne. — Et comme,
vous le savez, dans ce premier âge de la vie, la volupté
a son épouvante, je fis un mouvement pour retirer
ma main de cette folle main qui l'avait saisie, mais
qui, me la serrant alors avec l'ascendant du plaisir
qu'elle avait conscience de me verser, la garda
d'autorité, vaincue comme ma volonté, et dans
l'enveloppement le plus chaud, délicieusement étouffée... Il y a trente-cinq ans de cela, et vous me ferez
bien l'honneur de croire que ma main s'est un peu
blasée sur l'étreinte de la main des femmes ; mais
j'ai encore là, quand j'y pense, l'impression de celle-
ci étreignant la mienne avec un despotisme si inten-
sément passionné ! En proie aux mille frissonne-
ments que cette enveloppante main dardait à mon
corps tout entier, je craignis de trahir ce que j'éprouvais devant ce père et cette mère, dont la fille, sous
leurs yeux, osait... Honteux pourtant d'être moins
homme que cette fille hardie qui s'exposait à se per-

dre, et dont un incroyable sang-froid couvrait l'égarement, je mordis ma lèvre au sang dans un effort
surhumain, pour arrêter le tremblement du désir,
qui pouvait tout révéler à ces pauvres gens sans
défiance, et c'est alors que mes yeux cherchèrent
l'autre de ces deux mains que je n'avais jamais
remarquées, et qui, dans ce périlleux moment, tournait froidement le bouton d'une lampe qu'on venait
de mettre sur la table, car le jour commençait de
tomber... Je la regardai... C'était donc là la sœur de
cette main que je sentais pénétrant la mienne,
comme un foyer d'où rayonnaient et s'étendaient le
long de mes veines d'immenses lames de feu ! Cette
main, un peu épaisse, mais aux doigts longs et bien
tournés, au bout desquels la lumière de la lampe,
qui tombait d'aplomb sur elle, allumait des transpa-
rences roses, ne tremblait pas et faisait son petit
travail d'arrangement de la lampe, pour la faire aller,
avec une fermeté, une aisance et une gracieuse langueur de mouvement incomparables ! Cependant
nous ne pouvions pas rester ainsi... Nous avions
besoin de nos mains pour dîner... Celle de Mlle
Alberte quitta donc la mienne ; mais au moment où
elle la quitta, son pied, aussi expressif que sa main,
s'appuya avec le même aplomb, la même passion, la
même souveraineté, sur mon pied, et y resta tout le
temps que dura ce dîner trop court, lequel me donna
la sensation d'un de ces bains insupportablement
brûlants d'abord, mais auxquels on s'accoutume, et
dans lesquels on finit par se trouver si bien, qu'on
croirait volontiers qu'un jour les damnés pourraient
se trouver fraîchement et suavement dans les bra-
siers de leur enfer, comme les poissons dans leur
eau !... Je vous laisse à penser si je dînai ce jour-là,
et si je me mêlai beaucoup aux menus propos de
mes honnêtes hôtes, qui ne se doutaient pas, dans

leur placidité, du drame mystérieux et terrible qui se jouait alors sous la table. Ils ne s'aperçurent de rien ; mais ils pouvaient s'apercevoir de quelque chose, et positivement je m'inquiétais pour eux... pour eux, bien plus que pour moi et pour elle. J'avais l'honnêteté et la commisération de mes dix-sept ans... Je me disais : "Est-elle effrontée ? Est-elle folle ?" Et je la regardais du coin de l'œil, cette folle qui ne perdait pas une seule fois, durant le dîner, son air de Princesse en cérémonie, et dont le visage resta aussi calme que si son pied n'avait pas dit et fait toutes les folies que peut dire et faire un pied, — sur le mien ! J'avoue que j'étais encore plus surpris de son aplomb que de sa folie. J'avais beaucoup lu de ces livres légers où la femme n'est pas ménagée. J'avais reçu une éducation d'école militaire. Utopiquement du moins, j'étais le Lovelace de fatuité que sont plus ou moins tous les très jeunes gens qui se croient de jolis garçons, et qui ont pâturé des bottes de baisers derrière les portes et dans les escaliers, sur les lèvres des femmes de chambre de leurs mères. Mais ceci déconcertait mon petit aplomb de Lovelace de dix-sept ans. Ceci me paraissait plus fort que ce que j'avais lu, que tout ce que j'avais entendu dire sur le naturel dans le mensonge attribué aux femmes, — sur la force de masque qu'elles peuvent mettre à leurs plus violentes ou leurs plus profondes émotions. Songez donc ! elle avait dix-huit ans ! Les avait-elle même ?... Elle sortait d'une pension que je n'avais aucune raison pour suspecter, avec la moralité et la piété de la mère qui l'avait choisie pour son enfant. Cette absence de tout embarras, disons le mot, ce manque absolu de pudeur, cette domination aisée sur soi-même en faisant les choses les plus imprudentes, les plus dangereuses pour une jeune fille, chez laquelle pas un geste, pas un regard n'avait prévenu l'homme auquel elle se livrait par une si monstrueuse avance, tout cela me montait au cerveau et apparaissait nettement à mon esprit, malgré le bouleversement de mes sensations... Mais ni dans ce moment, ni plus tard, je ne m'arrêtai à philosopher là-dessus. Je ne me donnai pas d'horreur factice pour la conduite de cette fille d'une si effrayante précocité dans le mal. D'ailleurs, ce n'est pas à l'âge que j'avais, ni même beaucoup plus tard, qu'on croit dépravée la femme qui — au premier coup d'œil — se jette à vous ! On est presque disposé à trouver cela tout simple, au contraire, et si on dit : « La pauvre femme ! » c'est déjà beaucoup de modestie que cette pitié ! Enfin, si j'étais timide, je ne voulais pas être un niais ! La grande raison française pour faire sans remords tout ce qu'il y a de pis. Je savais, certes, à n'en pas douter, que ce que cette fille éprouvait pour moi n'était pas de l'amour. L'amour ne procède pas avec cette impudeur et cette impudence, et je savais parfaitement aussi que ce qu'elle me faisait éprouver n'en était pas non plus. Mais, amour ou non... ce que c'était, je le voulais !... Quand je me levai de table, j'étais résolu... La main de cette Alberte, à laquelle je ne pensais pas une minute avant qu'elle eût saisi la mienne, m'avait laissé, jusqu'au fond de mon être, le désir de m'enlacer tout entier à elle tout entière, comme sa main s'était enlacée à ma main !

» Je montai chez moi comme un fou et quand je me fus un peu froidi par la réflexion, je me demandai ce que j'allais faire pour *nouer* bel et bien une *intrigue*, comme on dit en province, avec une fille si diaboliquement provocante. Je savais à peu près — comme un homme qui n'a pas cherché à le savoir mieux — qu'elle ne quittait jamais sa mère ; — qu'elle travaillait habituellement près d'elle, à la même

chiffonnière, dans l'embrasure de cette salle à manger, qui leur servait de salon ; — qu'elle n'avait pas
d'amie en ville qui vînt la voir, et qu'elle ne sortait
guères que pour aller le dimanche à la messe et aux
vêpres avec ses parents. Hein ? ce n'était pas encou-
rageant, tout cela !... Je commençais à me repentir
de n'avoir pas un peu plus vécu avec ces deux bonnes gens que j'avais traités sans hauteur, mais avec
la politesse détachée et parfois distraite qu'on a pour
ceux qui ne sont que d'un intérêt très secondaire
dans la vie ; mais je me dis que je ne pouvais modi-
fier mes relations avec eux, sans m'exposer à leur
révéler ou à leur faire soupçonner ce que je voulais
leur cacher... Je n'avais, pour parler secrètement à
Mlle Alberte, que les rencontres sur l'escalier quand
je montais à ma chambre ou que j'en descendais ;
mais, sur l'escalier, on pouvait nous voir et nous
entendre... La seule ressource à ma portée, dans
cette maison si bien réglée et si étroite, où tout le
monde se touchait du coude, était d'écrire ; et puisque la main de cette fille hardie savait si bien chercher la mienne par-dessous la table, cette main ne
ferait sans doute pas beaucoup de cérémonies pour
prendre le billet que je lui donnerais, et je l'écrivis.
Ce fut le billet de la circonstance, le billet suppliant,
impérieux et enivré, d'un homme qui a déjà bu une
première gorgée de bonheur et qui en demande une
seconde... Seulement, pour le remettre, il fallait attendre le dîner du lendemain, et cela me parut long ;
mais enfin il arriva, ce dîner ! L'attisante main,
dont je sentais le contact sur ma main depuis vingt-
quatre heures, ne manqua pas de revenir chercher
la mienne, comme la veille, par-dessous la table.
Mlle Alberte sentit mon billet et le prit très bien,
comme je l'avais prévu. Mais ce que je n'avais pas
prévu, c'est qu'avec cet air d'Infante qui défiait tout

par sa hauteur d'indifférence, elle le plongea dans le cœur de son corsage, où elle releva une dentelle repliée, d'un petit mouvement sec, et tout cela avec un naturel et une telle prestesse, que sa mère qui, les yeux baissés sur ce qu'elle faisait, servait le potage, ne s'aperçut de rien, et que son imbécile de père, qui *lurait* toujours quelque chose en pensant à son violon, quand il n'en jouait pas, n'y vit que du feu.

— Nous n'y voyons jamais que cela, capitaine ! » interrompis-je gaîment, car son histoire me faisait l'effet de tourner un peu vite à une leste aventure de garnison ; mais je ne me doutais pas de ce qui allait suivre ! « Tenez ! pas plus tard que quelques jours, il y avait à l'Opéra dans une loge à côté de la mienne, une femme probablement dans le genre de votre demoiselle Alberte. Elle avait plus de dix-huit ans, par exemple ; mais je vous donne ma parole d'honneur que j'ai vu rarement de femme plus majestueuse de décence. Pendant qu'a duré toute la pièce, elle est restée assise et immobile comme sur une base de granit. Elle ne s'est retournée ni à droite, ni à gauche, une seule fois ; mais sans doute elle y voyait par les épaules, qu'elle avait très nues et très belles, car il y avait aussi, et dans ma loge à moi, par conséquent derrière nous deux, un jeune homme qui paraissait aussi indifférent qu'elle à tout ce qui n'était pas l'opéra qu'on jouait en ce moment. Je puis certifier que ce jeune homme n'a pas fait une seule des simagrées ordinaires que les hommes font aux femmes dans les endroits publics, et qu'on peut appeler des déclarations à distance. Seulement quand la pièce a été finie et que, dans l'espèce de tumulte général des loges qui se vident, la dame s'est levée, droite, dans sa loge, pour agrafer son burnous, je l'ai entendue dire à son mari, de la voix la plus conjugalement impérieuse et la plus claire : « Henri, ramassez mon capuchon ! » et alors, par-dessus le dos de Henri, qui s'est précipité la tête en bas, elle a étendu le bras et la main et pris un billet du jeune homme, aussi simplement qu'elle eût pris des mains de son mari son éventail ou son bouquet. Lui s'était relevé, le pauvre homme ! tenant le capuchon — un capuchon de satin ponceau, mais moins ponceau que son visage, et qu'il avait, au risque d'une apoplexie, repêché sous les petits bancs, comme il avait pu... Ma foi ! après avoir vu cela, je m'en suis allé, pensant qu'au lieu de le rendre à sa femme, il aurait pu tout aussi bien le garder pour lui, ce capuchon, afin de cacher sur sa tête ce qui, tout à coup, venait d'y pousser !

— Votre histoire est bonne, — dit le vicomte de Brassard assez froidement ; — dans un autre moment, peut-être en aurait-il joui davantage ; — mais laissez-moi vous achever la mienne[1]. J'avoue qu'avec une pareille fille, je ne fus pas inquiet deux minutes de la destinée de mon billet. Elle avait beau être pendue à la ceinture de sa mère, elle trouverait bien le moyen de me lire et de me répondre. Je comptais même, pour tout un avenir de conversation par écrit, sur cette petite poste de par-dessous la table que nous venions d'inaugurer, lorsque le lendemain, quand j'entrai dans la salle à manger avec la certitude, très caressée au fond de ma personne, d'avoir séance tenante une réponse très catégorique à mon billet de la veille, je crus avoir la berlue en voyant que le couvert avait été changé, et que Mlle Alberte était placée là où elle aurait dû toujours être, entre son père et sa mère... Et pourquoi ce changement ?... Que s'était-il donc passé que je ne savais pas ?... Le père ou la mère s'étaient-ils doutés de quelque chose ? J'avais Mlle Alberte en face de moi, et je la regardais avec cette intention fixe qui veut être comprise. Il y avait vingt-cinq points d'interrogation dans mes yeux ; mais les siens étaient aussi calmes, aussi muets, aussi indifférents qu'à l'ordinaire. Ils me regardaient comme s'ils ne me voyaient pas. Je n'ai jamais vu regards plus impatientants que ces longs regards tranquilles qui tombaient sur vous comme sur une chose. Je bouillais de curiosité, de contrariété, d'inquiétude, d'un tas de sentiments agités et déçus... et je ne comprenais pas comment cette femme, si sûre d'elle-même qu'on pouvait croire qu'au lieu de nerfs elle eût sous sa peau fine presque autant de muscles que moi, semblât ne pas oser me faire un signe d'intelligence qui m'avertît, — qui me fît penser, — qui me dît, si vite que ce pût être, que nous nous entendions, — que nous étions connivents et complices dans le même mystère, que ce fût de l'amour, que ce ne fût pas même de l'amour !... C'était à se demander si vraiment c'était bien la femme de la main et du pied sous la table, du billet pris et glissé la veille, si naturellement, dans son corsage, devant ses parents, comme si elle y eût glissé une fleur ! Elle en avait tant fait qu'elle ne devait pas être embarrassée de m'envoyer un regard. Mais non ! Je n'eus rien. Le dîner passa tout entier sans ce regard que je guettais, que j'attendais, que je voulais allumer au mien, et qui ne s'alluma pas ! « Elle aura trouvé quelque moyen de me répondre », me disais-je en sortant de table, et en remontant dans ma chambre, ne pensant pas qu'une telle personne pût reculer, après s'être si incroyablement avancée ; — n'admettant pas qu'elle pût rien craindre et rien ménager, quand il s'agissait de ses fantaisies, et parbleu ! franchement, ne pouvant pas croire qu'elle n'en eût au moins une pour moi !

» Si ses parents n'ont pas de soupçon, — me disais-
je encore, — si c'est le hasard qui a fait ce changement de couvert à table, demain je me retrouverai
auprès d'elle... » Mais le lendemain, ni les autres
jours, je ne fus placé auprès de Mlle Alberte, qui
continua d'avoir la même incompréhensible physionomie et le même incroyable ton dégagé pour dire
les riens et les choses communes qu'on avait l'habitude de dire à cette table de petits bourgeois. Vous
devinez bien que je l'observais comme un homme
intéressé à la chose. Elle avait l'air aussi peu con-
trarié que possible, quand je l'étais horriblement,
moi ! quand je l'étais jusqu'à la colère, — une colère
à me fendre en deux et qu'il fallait cacher ! Et cet
air, qu'elle ne perdait jamais, me mettait encore plus
loin d'elle que ce tour de table interposé entre nous !
J'étais si violemment exaspéré, que je finissais par
ne plus craindre de la compromettre en la regardant,
en lui appuyant sur ses grands yeux impénétrables,
et qui restaient glacés, la pesanteur menaçante et
enflammée des miens ! Était-ce un manège que sa
conduite ? Était-ce coquetterie ? N'était-ce qu'un
caprice après un autre caprice,... ou simplement
stupidité ? J'ai connu, depuis, de ces femmes tout
d'abord soulèvement de sens, puis après, tout stupidité ! « Si on savait le moment ! » disait Ninon. Le
moment de Ninon était-il déjà passé ? Cependant,
j'attendais toujours... quoi ? un mot, un signe, un
rien risqué, à voix basse, en se levant de table dans
le bruit des chaises qu'on dérange, et comme cela
ne venait pas, je me jetais aux idées folles, à tout ce
qu'il y avait au monde de plus absurde. Je me four-
rai dans la tête qu'avec toutes les impossibilités dont
nous étions entourés au logis, elle m'écrirait par la
poste ; — qu'elle serait assez fine, quand elle sortirait
avec sa mère, pour glisser un billet dans la boîte

aux lettres, et, sous l'empire de cette idée, je me
mangeais le sang régulièrement deux fois par jour,
une heure avant que le facteur passât par la maison... Dans cette heure-là je disais dix fois à la vieille
Olive, d'une voix étranglée : « Y a-t-il des lettres
pour moi, Olive ? » laquelle me répondait impertur-
bablement toujours : « Non, Monsieur, il n'y en a
pas. » Ah ! l'agacement finit par être trop aigu ! Le
désir trompé devint de la haine. Je me mis à haïr
cette Alberte, et, par haine de désir trompé, à expliquer sa conduite avec moi par les motifs qui pouvaient le plus me la faire mépriser, car la haine a soif
de mépris. Le mépris, c'est son nectar, à la haine !
« Coquine lâche, qui a peur d'une lettre ! » me
disais-je. Vous le voyez, j'en venais aux gros mots.
Je l'insultais dans ma pensée, ne croyant pas en
l'insultant la calomnier. Je m'efforçai même de ne
plus penser à elle que je criblais des épithètes les plus
militaires, quand j'en parlais à Louis de Meung, car
je lui en parlais ! car l'outrance où elle m'avait jeté
avait éteint en moi toute espèce de chevalerie, — et
j'avais raconté toute mon aventure à mon brave
Louis, qui s'était tirebouchonné sa longue moustache blonde en m'écoutant, et qui m'avait dit, sans
se gêner, car nous n'étions pas des moralistes dans
le 27e :

« Fais comme moi ! Un clou chasse l'autre. Prends
pour maîtresse une petite *cousette* de la ville, et ne
pense plus à cette sacrée fille-là ! »

» Mais je ne suivis point le conseil de Louis. Pour
cela, j'étais trop piqué au jeu. Si elle avait su que je
prenais une maîtresse, j'en aurais peut-être pris une
pour lui fouetter le cœur ou la vanité par la jalousie.
Mais elle ne le saurait pas. Comment pourrait-elle
le savoir ?... En amenant, si je l'avais fait, une maîtresse chez moi, comme Louis, à son *Hôtel de la*

Poste, c'était rompre avec les bonnes gens chez qui j'habitais, et qui m'auraient immédiatement prié d'aller chercher un autre logement que le leur ; et je ne voulais pas renoncer, si je ne pouvais avoir que cela, à la possibilité de retrouver la main ou le pied de cette damnante Alberte qui, après ce qu'elle avait osé, restait toujours la grande Mademoiselle Impassible.

« Dis plutôt impossible ! » disait Louis, qui se moquait de moi.

» Un mois tout entier se passa, et malgré mes résolutions de me montrer aussi oublieux qu'Alberte et aussi indifférent qu'elle, d'opposer marbre à marbre et froideur à froideur, je ne vécus plus que de la vie tendue de l'affût, — de l'affût que je déteste, même à la chasse ! Oui, Monsieur, ce ne fut plus qu'affût perpétuel dans mes journées ! Affût quand je descendais à dîner, et que j'espérais la trouver seule dans la salle à manger comme la première fois ! Affût au dîner, où mon regard ajustait de face ou de côté le sien qu'il rencontrait net et infernalement calme, et qui n'évitait pas plus le mien qu'il n'y répondait ! Affût après le dîner, car je restais maintenant un peu après dîner voir ces dames reprendre leur ouvrage, dans leur embrasure de croisée, guettant si *elle* ne laisserait pas tomber quelque chose, son dé, ses ciseaux, un chiffon, que je pourrais ramasser, et en les lui rendant toucher sa main, — cette main que j'avais maintenant à travers la cervelle ! Affût chez moi, quand j'étais remonté dans ma chambre, y croyant toujours entendre le long du corridor ce pied qui avait piétiné sur le mien, avec une volonté si absolue. Affût jusque dans l'escalier, où je croyais pouvoir la rencontrer, et où la vieille Olive me surprit un jour, à ma grande confusion, en sentinelle ! Affût à ma fenêtre — cette fenêtre que vous

voyez — où je me plantais quand elle devait sortir
avec sa mère, et d'où je ne bougeais pas avant
qu'elle fût rentrée, mais tout cela aussi vainement
que le reste ! Lorsqu'elle sortait, tortillée dans son
châle de jeune fille, — un châle à raies rouges et
blanches : je n'ai rien oublié ! semé de fleurs noires
et jaunes sur les deux raies, elle ne retournait pas
son torse insolent une seule fois, et lorsqu'elle ren-
trait, toujours aux côtés de sa mère, elle ne levait ni
la tête ni les yeux vers la fenêtre où je l'attendais !
Tels étaient les misérables exercices auxquels elle
m'avait condamné ! Certes, je sais bien que les femmes nous font tous plus ou moins valeter, mais
dans ces proportions-là ! ! Le vieux fat qui devrait
être mort en moi s'en révolte encore ! Ah ! je ne
pensais plus au bonheur de mon uniforme ! Quand
j'avais fait le service de la journée, — après l'exercice ou la revue, — je rentrais vite, mais non plus
pour lire des piles de mémoires ou de romans, mes
seules lectures dans ce temps-là. Je n'allais plus
chez Louis de Meung. Je ne touchais plus à mes
fleurets. Je n'avais pas la ressource du tabac qui
engourdit l'activité quand elle vous dévore, et que
vous avez, vous autres jeunes gens qui m'avez suivi
dans la vie ! On ne fumait pas alors au 27e, si ce n'est
entre soldats, au corps de garde, quand on jouait la
partie de brisque sur le tambour... Je restais donc
oisif de corps, à me ronger... je ne sais si c'était le
cœur, sur ce canapé qui ne me faisait plus le bon
froid que j'aimais dans ces six pieds carrés de
chambre, où je m'agitais comme un lionceau dans
sa cage, quand il sent la chair fraîche à côté.

» Et si c'était ainsi le jour, c'était aussi de même
une grande partie de la nuit. Je me couchais tard. Je
ne dormais plus. Elle me tenait éveillé, cette Alberte
d'enfer, qui me l'avait allumé dans les veines, puis

qui s'était éloignée comme l'incendiaire qui ne
retourne pas même la tête pour voir son feu flam-
ber derrière lui ! Je baissais, comme le voilà, ce
soir », — ici le vicomte passa son gant sur la glace de
la voiture placée devant lui, pour essuyer la vapeur
qui commençait d'y perler, « — ce même rideau
cramoisi, à cette même fenêtre, qui n'avait pas plus
de persiennes qu'elle n'en a maintenant, afin que les
voisins, plus curieux en province qu'ailleurs, ne
dévisageassent pas le fond de ma chambre. C'était
une chambre de ce temps-là, — une chambre de
l'Empire, parquetée en point de Hongrie, sans tapis,
où le bronze plaquait partout le merisier, d'abord
en tête de sphinx aux quatre coins du lit, et en pattes de lion sous ses quatre pieds, puis, sur tous les
tiroirs de la commode et du secrétaire, en camées
de faces de lion, avec des anneaux de cuivre pendant de leurs gueules verdâtres, et par lesquels on les
tirait quand on voulait les ouvrir. Une table carrée,
d'un merisier plus rosâtre que le reste de l'ameuble-
ment, à dessus de marbre gris, grillagée de cuivre,
était en face du lit, contre le mur, entre la fenêtre et
la porte d'un grand cabinet de toilette ; et, vis-à-vis
de la cheminée, le grand canapé de maroquin bleu
dont je vous ai déjà tant parlé... À tous les angles de
cette chambre d'une grande élévation et d'un large
espace, il y avait des encoignures en faux laque de
Chine, et sur l'une d'elles on voyait, mystérieux et
blanc, dans le noir du coin, un vieux buste de Niobé
d'après l'antique, qui étonnait là, chez ces bourgeois vulgaires[1]. Mais est-ce que cette incompréhensible Alberte n'étonnait pas bien plus ? Les murs
lambrissés, et peints à l'huile, d'un blanc jaune,
n'avaient ni tableaux, ni gravures. J'y avais seulement mis mes armes, couchées sur de longues pat-
tes-fiches en cuivre doré. Quand j'avais loué cette

grande calebasse d'appartement, — comme disait
élégamment le lieutenant Louis de Meung, qui ne
poétisait pas les choses, — j'avais fait placer au
milieu une grande table ronde que je couvrais de
cartes militaires, de livres et de papiers : c'était mon
bureau. J'y écrivais quand j'avais à écrire... Eh
bien ! un soir, ou plutôt une nuit, j'avais roulé le
canapé auprès de cette grande table, et j'y dessinais
à la lampe, non pas pour me distraire de l'unique
pensée qui me submergeait depuis un mois, mais
pour m'y plonger davantage, car c'était la tête de
cette énigmatique Alberte que je dessinais, c'était le
visage de cette diablesse de femme dont j'étais pos-
sédé, comme les dévots disent qu'on l'est du diable.
Il était tard. La rue, — où passaient chaque nuit deux
diligences en sens inverse, — comme aujourd'hui,
— l'une à minuit trois quarts et l'autre à deux heures et demie du matin, et qui toutes deux s'arrê-
taient à l'*Hôtel de la Poste* pour relayer, — la rue
était silencieuse comme le fond d'un puits. J'aurais
entendu voler une mouche ; mais si, par hasard, il y
en avait une dans ma chambre, elle devait dormir
dans quelque coin de vitre ou dans un des plis can-
nelés de ce rideau, d'une forte étoffe de soie croisée,
que j'avais ôté de sa patère et qui tombait devant la
fenêtre, perpendiculaire et immobile. Le seul bruit
qu'il y eût alors autour de moi, dans ce profond et
complet silence, c'était moi qui le faisais avec mon
crayon et mon estompe. Oui, c'était elle que je dessinais, et Dieu sait avec quelle caresse de main et
quelle préoccupation enflammée ! Tout à coup, sans
aucun bruit de serrure qui m'aurait averti, ma porte
s'entrouvrit en flûtant ce son des portes dont les
gonds sont secs, et resta à moitié entrebâillée, comme
si elle avait eu peur du son qu'elle avait jeté ! Je
relevai les yeux, croyant avoir mal fermé cette porte

qui, d'elle-même, inopinément, s'ouvrait en filant ce son plaintif, capable de faire tressaillir dans la nuit ceux qui veillent et de réveiller ceux qui dorment. Je me levai de ma table pour aller la fermer ; mais la porte entrouverte s'ouvrit plus grande et très doucement toujours, mais en recommençant le son aigu qui traîna comme un gémissement dans la maison silencieuse, et je vis, quand elle se fut ouverte de toute sa grandeur, Alberte ! — Alberte qui, malgré les précautions d'une peur qui devait être immense, n'avait pu empêcher cette porte maudite de crier[1] !

» Ah ! tonnerre de Dieu ! ils parlent de visions, ceux qui y croient ; mais la vision la plus surnaturelle ne m'aurait pas donné la surprise, l'espèce de coup au cœur que je ressentis et qui se répéta en palpitations insensées, quand je vis venir à moi, — de cette porte ouverte, — Alberte, effrayée au bruit que cette porte venait de faire en s'ouvrant, et qui allait recommencer encore, si elle la fermait ! Rappelez-vous toujours que je n'avais pas dix-huit ans ! Elle vit peut-être ma terreur à la sienne : elle réprima, par un geste énergique, le cri de surprise qui pouvait m'échapper, — qui me serait certainement échappé sans ce geste, — et elle referma la porte, non plus lentement, puisque cette lenteur l'avait fait crier, mais rapidement, pour éviter ce cri des gonds, — qu'elle n'évita pas, et qui recommença plus net, plus franc, d'une seule venue et suraigu ; — et, la porte fermée et l'oreille contre, elle écouta si un autre bruit, qui aurait été plus inquiétant et plus terrible, ne répondait pas à celui-là… Je crus la voir chanceler… Je m'élançai, et je l'eus bientôt dans les bras.

— Mais elle va bien, votre Alberte, — dis-je au capitaine.

— Vous croyez peut-être, — reprit-il, comme s'il n'avait pas entendu ma moqueuse observation, —

qu'elle y tomba, dans mes bras, d'effroi, de passion, de tête perdue, comme une fille poursuivie ou qu'on peut poursuivre, — qui ne sait plus ce qu'elle fait quand elle fait la dernière des folies, quand elle s'abandonne à ce démon que les femmes ont toutes — dit-on — quelque part, et qui serait le maître toujours, s'il n'y en avait pas deux autres aussi en elles, — la Lâcheté et la Honte, — pour contrarier celui-là ! Eh bien, non, ce n'était pas cela ! Si vous le croyiez, vous vous tromperiez... Elle n'avait rien de ces peurs vulgaires et osées... Ce fut bien plus elle qui me prit dans ses bras que je ne la pris dans les miens[1]... Son premier mouvement avait été de se jeter le front contre ma poitrine, mais elle le releva et me regarda, les yeux tout grands, — des yeux immenses ! — comme pour voir si c'était bien moi qu'elle tenait ainsi dans ses bras ! Elle était horriblement pâle, et comme je ne l'avais jamais vue pâle ; mais ses traits de Princesse n'avaient pas bougé. Ils avaient toujours l'immobilité et la fermeté d'une médaille. Seulement, sur sa bouche aux lèvres légèrement bombées errait je ne sais quel égarement, qui n'était pas celui de la passion heureuse ou qui va l'être tout à l'heure ! Et cet égarement avait quelque chose de si sombre dans un pareil moment, que, pour ne pas le voir, je plantai sur ces belles lèvres rouges et érectiles le robuste et foudroyant baiser du désir triomphant et roi ! La bouche s'entrouvrit... mais les yeux noirs, à la noirceur profonde, et dont les longues paupières touchaient presque alors mes paupières, ne se fermèrent point, — ne palpitèrent même pas ; — mais tout au fond, comme sur sa bouche, je vis passer de la démence ! Agrafée dans ce baiser de feu et comme enlevée par les lèvres qui pénétraient les siennes, aspirée par l'haleine qui la respirait, je la portai, toujours collée à moi, sur ce canapé de maroquin bleu, — mon gril de saint Laurent, depuis un mois que je m'y roulais en pensant à elle, — et dont le maroquin se mit voluptueusement à craquer sous son dos nu, car elle était à moitié nue. Elle sortait de son lit, et, pour venir, elle avait... le croirez-vous ? été obligée de traverser la chambre où son père et sa mère dormaient ! Elle l'avait traversée à tâtons, les mains en avant, pour ne pas se choquer à quelque meuble qui aurait retenti de son choc et qui eût pu les réveiller.

— Ah ! — fis-je, — on n'est pas plus brave à la tranchée. Elle était digne d'être la maîtresse d'un soldat !

— Et elle le fut dès cette première nuit-là, reprit le vicomte. — Elle le fut aussi violente que moi, et je vous jure que je l'étais ! Mais c'est égal... voici la revanche ! Elle ni moi ne pûmes oublier, dans les plus vifs de nos transports, l'épouvantable situation qu'elle nous faisait à tous les deux. Au sein de ce bonheur qu'elle venait chercher et m'offrir, elle était alors comme stupéfiée de l'acte qu'elle accomplissait d'une volonté pourtant si ferme, avec un acharnement si obstiné. Je ne m'en étonnai pas. Je l'étais bien, moi, stupéfié ! J'avais bien, sans le lui dire et sans le lui montrer, la plus effroyable anxiété dans le cœur, pendant qu'elle me pressait à m'étouffer sur le sien. J'écoutais, à travers ses soupirs, à travers ses baisers, à travers le terrifiant silence qui pesait sur cette maison endormie et confiante, une chose horrible : c'est si sa mère ne s'éveillait pas, si son père ne se levait pas ! Et jusque par-dessus son épaule, je regardais derrière elle si cette porte, dont elle n'avait pas ôté la clé, par peur du bruit qu'elle pouvait faire, n'allait pas s'ouvrir de nouveau et me montrer, pâles et indignées, ces deux têtes de Méduse, ces deux vieillards, que nous trompions avec une lâcheté si hardie, surgir tout à coup dans la nuit, images de l'hospitalité violée et de la Justice ! Jusqu'à ces voluptueux craquements du maroquin bleu, qui m'avaient sonné la diane de l'Amour, me faisaient tressaillir d'épouvante... Mon cœur contre le sien, qui semblait me répercuter ses battements... C'était enivrant et dégrisant tout à la fois, mais c'était terrible ! Je me fis à tout cela plus tard. À force de renouveler impunément cette imprudence sans nom, je devins tranquille dans cette imprudence. À force de vivre dans ce danger d'être surpris, je me blasai. Je n'y pensai plus. Je ne pensai plus qu'à être heureux. Dès cette première nuit formidable, qui aurait dû l'épouvanter des autres, elle avait décidé qu'elle viendrait chez moi de deux nuits en deux nuits, puisque je ne pouvais aller chez elle, — sa chambre de jeune fille n'ayant d'autre issue que dans l'appartement de ses parents, — et elle y vint régulièrement toutes les deux nuits ; mais jamais elle ne perdit la sensation, — la stupeur de la première fois ! Le temps ne produisit pas sur elle l'effet qu'il produisit sur moi. Elle ne se bronza pas au danger, affronté chaque nuit. Toujours elle restait, et jusque sur mon cœur, silencieuse, me parlant à peine avec la voix, car, d'ailleurs, vous vous doutez bien qu'elle était éloquente ; et lorsque plus tard le calme me prit, moi, à force de danger affronté et de réussite, et que je lui parlai, comme on parle à sa maîtresse, de ce qu'il y avait déjà de passé entre nous, — de cette froideur inexplicable et démentie, puisque je la tenais dans mes bras, et qui avait succédé à ses premières audaces ; quand je lui adressai enfin tous ces pourquoi insatiables de l'amour, qui n'est peut-être au fond qu'une curiosité, elle ne me répondit jamais que par de longues étreintes. Sa bouche

triste demeurait muette de tout... excepté de baisers ! Il y a des femmes qui vous disent : « Je me perds
pour vous » ; il y en a d'autres qui vous disent : « Tu
vas bien me mépriser » ; et ce sont là des manières
différentes d'exprimer la fatalité de l'amour. Mais
elle, non ! Elle ne disait mot... Chose étrange ! Plus
étrange personne ! Elle me produisait l'effet d'un
épais et dur couvercle de marbre qui brûlait, chauffé
par en dessous... Je croyais qu'il arriverait un
moment où le marbre se fendrait enfin sous la chaleur brûlante, mais le marbre ne perdit jamais sa
rigide densité. Les nuits qu'elle venait, elle n'avait ni
plus d'abandon, ni plus de paroles, et, je me per-
mettrai ce mot ecclésiastique, elle fut toujours aussi
difficile à confesser que la première nuit qu'elle était
venue. Je n'en tirai pas davantage... Tout au plus
un monosyllabe arraché, d'obsession, à ces belles
lèvres dont je raffolais d'autant plus que je les avais
vues plus froides et plus indifférentes pendant la
journée, et, encore, un monosyllabe qui ne faisait
pas grande lumière sur la nature de cette fille, qui
me paraissait plus sphinx, à elle seule, que tous les
Sphinx dont l'image se multipliait autour de moi,
dans cet appartement Empire[1].

— Mais, capitaine, — interrompis-je encore, — il
y eut pourtant une fin à tout cela ? Vous êtes un
homme fort, et tous les Sphinx sont des animaux
fabuleux. Il n'y en a point dans la vie, et vous finîtes
bien par trouver, que diable ! ce qu'elle avait dans
son giron, cette commère-là !

— Une fin ! Oui, il y eut une fin, — fit le vicomte
de Brassard en baissant brusquement la vitre du
coupé, comme si la respiration avait manqué à sa
monumentale poitrine et qu'il eût besoin d'air pour
achever ce qu'il avait à raconter. — Mais le giron,
comme vous dites, de cette singulière fille n'en fut

pas plus ouvert pour cela. Notre amour, notre relation, notre intrigue, — appelez cela comme vous
voudrez, — nous donna, ou plutôt *me* donna, à *moi*,
des sensations que je ne crois pas avoir éprouvées
jamais depuis avec des femmes plus aimées que
cette Alberte, qui ne m'aimait peut-être pas, que je
n'aimais peut-être pas ! ! Je n'ai jamais bien compris ce que j'avais pour elle et ce qu'elle avait pour
moi, et cela dura plus de six mois ! Pendant ces six
mois, tout ce que je compris, ce fut un genre de
bonheur dont on n'a pas l'idée dans la jeunesse. Je
compris le bonheur de ceux qui se cachent. Je compris la jouissance du mystère dans la complicité,
qui, même sans l'espérance de réussir, ferait encore
des conspirateurs incorrigibles[1]. Alberte, à la table de
ses parents comme partout, était toujours la Madame
Infante qui m'avait tant frappé le premier jour que
je l'avais vue. Son front néronien, sous ses cheveux
bleus à force d'être noirs, qui bouclaient durement
et touchaient ses sourcils, ne laissaient rien passer
de la nuit coupable, qui n'y étendait aucune rou-
geur. Et moi qui essayais d'être aussi impénétrable
qu'elle, mais qui, j'en suis sûr, aurais dû me trahir
dix fois si j'avais eu affaire à des observateurs, je
me rassasiais orgueilleusement et presque sensuelle-
ment, dans le plus profond de mon être, de l'idée
que toute cette superbe indifférence était bien à
moi et qu'elle avait pour moi toutes les bassesses de
la passion, si la passion pouvait jamais être basse !
Nul que nous sur la terre ne savait cela... et c'était
délicieux, cette pensée ! Personne, pas même mon
ami, Louis de Meung, avec lequel j'étais discret depuis
que j'étais heureux ! Il avait tout deviné, sans doute,
puisqu'il était aussi discret que moi. Il ne m'interro-
geait pas. J'avais repris avec lui, sans effort, mes
habitudes d'intimité, les promenades sur le Cours,

en grande ou en petite tenue, l'impériale, l'escrime et le punch ! Pardieu ! quand on sait que le bonheur viendra, sous la forme d'une belle jeune fille qui a comme une *rage de dents* dans le cœur, vous visiter régulièrement d'une nuit l'autre, à la même heure, cela simplifie joliment les jours !

— Mais ils dormaient donc comme les Sept Dormants, les parents de cette Alberte ? — fis-je railleusement, en coupant net les réflexions de l'ancien dandy par une plaisanterie, et pour ne pas paraître trop pris par son histoire, qui me prenait, car, avec les dandys, on n'a guère que la plaisanterie pour se faire un peu respecter.

— Vous croyez donc que je cherche des effets de conteur hors de la réalité ? — dit le vicomte. — Mais je ne suis pas romancier, moi ! Quelquefois Alberte ne venait pas. La porte, dont les gonds huilés étaient moelleux comme de la ouate maintenant, ne s'ouvrait pas de toute une nuit, et c'est qu'alors sa mère l'avait entendue et s'était écriée, ou c'est que son père l'avait aperçue, filant ou tâtonnant à travers la chambre. Seulement Alberte, avec sa tête d'acier, trouvait à chaque fois un prétexte. Elle était souffrante... Elle cherchait le sucrier sans flambeau, de peur de réveiller personne...

— Ces têtes d'acier-là ne sont pas si rares que vous avez l'air de le croire, capitaine ! — interrompis-je encore. J'étais contrariant. — Votre Alberte, après tout, n'était pas plus forte que la jeune fille qui recevait toutes les nuits, dans la chambre de sa grand-mère, endormie derrière ses rideaux, un amant entré par la fenêtre, et qui, n'ayant pas de canapé de maroquin bleu, s'établissait, à la bonne franquette, sur le tapis... Vous savez comme moi l'histoire. Un soir, apparemment poussé par la jeune fille trop heureuse, un soupir plus fort que les autres réveilla la grand-mère, qui cria de dessous ses rideaux un : « Qu'as-tu donc, petite ? » à la faire évanouir contre le cœur de son amant ; mais elle n'en répondit pas moins de sa place : « C'est mon busc qui me gêne, grand-maman, pour chercher mon aiguille tombée sur le tapis, et que je ne puis pas retrouver ![1] »

— Oui, je connais l'histoire, — reprit le vicomte de Brassard, que j'avais cru humilier, par une comparaison, dans la personne de son Alberte. — C'était, si je m'en souviens bien, une de Guise que la jeune fille dont vous me parlez. Elle s'en tira comme une fille de son nom ; mais vous ne dites pas qu'à partir de cette nuit-là elle ne rouvrit plus la fenêtre à son amant, qui était, je crois, monsieur de Noirmoutier, tandis qu'Alberte revenait le lendemain de ses accrocs terribles, et s'exposait de plus belle au danger bravé, comme si de rien n'était. Alors, je n'étais, moi, qu'un sous-lieutenant assez médiocre en mathématiques, et qui m'en occupais fort peu ; mais il était évident, pour qui sait faire le moindre calcul des probabilités, qu'un jour... une nuit... il y aurait un dénouement.

— Ah, oui ! — fis-je, me rappelant ses paroles d'avant son histoire, — le dénouement qui devait vous faire connaître la sensation de la peur, capitaine.

— Précisément, — répondit-il d'un ton plus grave et qui tranchait sur le ton léger que j'affectais. — Vous l'avez vu, n'est-ce pas ? depuis ma main prise sous la table jusqu'au moment où elle surgit la nuit, comme une apparition dans le cadre de ma porte ouverte, Alberte ne m'avait pas marchandé l'émotion. Elle m'avait fait passer dans l'âme plus d'un genre de frisson, plus d'un genre de terreur ; mais ce n'avait été encore que l'impression des balles qui sifflent

autour de vous et des boulets dont on sent le vent ;
on frissonne, mais on va toujours. Eh bien ! ce ne
fut plus cela. Ce fut de la peur, de la peur complète,
de la vraie peur, et non plus pour Alberte, mais pour
moi, et pour moi tout seul ! Ce que j'éprouvai, ce
fut positivement cette sensation qui doit rendre le
cœur aussi pâle que la face ; ce fut cette panique qui
fait prendre la fuite à des régiments tout entiers. Moi
qui vous parle, j'ai vu fuir tout Chamboran[1], bride
abattue et ventre à terre, l'héroïque Chamboran,
emportant, dans son flot épouvanté, son colonel et
ses officiers ! Mais à cette époque je n'avais encore
rien vu, et j'appris… ce que je croyais impossible.

» Écoutez donc… C'était une nuit. Avec la vie que
nous menions, ce ne pouvait être qu'une nuit… une
longue nuit d'hiver. Je ne dirai pas une de nos plus
tranquilles. Elles étaient toutes tranquilles, nos nuits.
Elles l'étaient devenues à force d'être heureuses. Nous
dormions sur ce canon chargé. Nous n'avions pas la
moindre inquiétude en faisant l'amour sur cette
lame de sabre posée en travers d'un abîme, comme le
pont de l'enfer des Turcs[2] ! Alberte était venue plus tôt
qu'à l'ordinaire, pour être plus longtemps. Quand
elle venait ainsi, ma première caresse, mon premier
mouvement d'amour était pour ses pieds, ses pieds
qui n'avaient plus alors ses brodequins verts ou
hortensia, ces deux coquetteries et mes deux délices, et qui, nus pour ne pas faire de bruit, m'arri-
vaient transis de froid des briques sur lesquelles elle
avait marché, le long du corridor qui menait de la
chambre de ses parents à ma chambre, placée à
l'autre bout de la maison. Je les réchauffais, ces pieds
glacés pour moi, qui peut-être ramassaient, pour
moi, en sortant d'un lit chaud, quelque horrible
maladie de poitrine… Je savais le moyen de les tié-
dir et d'y mettre du rose ou du vermillon, à ces

pieds pâles et froids ; mais cette nuit-là mon moyen
manqua... Ma bouche fut impuissante à attirer sur
ce cou-de-pied cambré et charmant la plaque de
sang que j'aimais souvent à y mettre, comme une
rosette ponceau... Alberte, cette nuit-là, était plus
silencieusement amoureuse que jamais. Ses étreintes avaient cette langueur et cette force qui étaient
pour moi un langage, et un langage si expressif que,
si je lui parlais toujours, moi, si je lui disais toutes
mes démences et toutes mes ivresses, je ne lui
demandais plus de me répondre et de me parler.
À ses étreintes, je l'entendais. Tout à coup, je ne
l'entendis plus. Ses bras cessèrent de me presser
sur son cœur, et je crus à une de ces pâmoisons
comme elle en avait souvent, quoique ordinairement elle gardât, en ses pâmoisons, la force crispée
de l'étreinte... Nous ne sommes pas des bégueules
entre nous. Nous sommes deux hommes, et nous
pouvons nous parler comme deux hommes... J'avais
l'expérience des spasmes voluptueux d'Alberte, et
quand ils la prenaient, ils n'interrompaient pas mes
caresses. Je restais comme j'étais, sur son cœur,
attendant qu'elle revînt à la vie consciente, dans
l'orgueilleuse certitude qu'elle reprendrait ses sens
sous les miens, et que la foudre qui l'avait frappée
la ressusciterait en la refrappant[1]... Mais mon expérience fut trompée. Je la regardai comme elle était,
liée à moi, sur le canapé bleu, épiant le moment où
ses yeux, disparus sous ses larges paupières, me
remontreraient leurs beaux orbes de velours noir et
de feu ; où ses dents, qui se serraient et grinçaient à
briser leur émail au moindre baiser appliqué brusquement sur son cou et traîné longuement sur ses
épaules, laisseraient, en s'entrouvrant, passer son
souffle. Mais ni les yeux ne revinrent, ni les dents
ne se desserrèrent... Le froid des pieds d'Alberte

était monté jusque dans ses lèvres et sous les miennes... Quand je sentis cet horrible froid, je me dres-
sai à mi-corps pour mieux la regarder ; je m'arrachai
en sursaut de ses bras, dont l'un tomba sur elle et
l'autre pendit à terre, du canapé sur lequel elle était
couchée. Effaré, mais lucide encore, je lui mis la
main sur le cœur... Il n'y avait rien ! rien au pouls,
rien aux tempes, rien aux artères carotides, rien
nulle part... que la mort qui était partout, et déjà
avec son épouvantable rigidité !

» J'étais sûr de la mort... et je ne voulais pas y
croire ! La tête humaine a de ces volontés stupides
contre la clarté même de l'évidence et du destin.
Alberte était morte. De quoi ?... Je ne savais. Je
n'étais pas médecin. Mais elle était morte ; et quoique je visse avec la clarté du jour de midi que ce
que je pourrais faire était inutile, je fis pourtant tout
ce qui me semblait si désespérément inutile. Dans
mon néant absolu de tout, de connaissances, d'ins-
truments, de ressources, je lui vidai sur le front
tous les flacons de ma toilette. Je lui frappai résolu-
ment dans les mains, au risque d'éveiller le bruit,
dans cette maison où le moindre bruit nous faisait
trembler. J'avais ouï dire à un de mes oncles, chef
d'escadron au 4e dragons, qu'il avait un jour sauvé
un de ses amis d'une apoplexie en le saignant vite
avec une de ces *flammes* dont on se sert pour sai-
gner les chevaux. J'avais des armes plein ma chambre. Je pris un poignard, et j'en labourai le bras
d'Alberte à la saignée. Je massacrai ce bras splendide d'où le sang ne coula même pas. Quelques
gouttes s'y coagulèrent. Il était figé. Ni baisers, ni
succions, ni morsures ne purent galvaniser ce cadavre raidi, devenu cadavre sous mes lèvres. Ne sachant
plus ce que je faisais, je finis par m'étendre dessus,
le moyen qu'emploient (disent les vieilles histoires)

les Thaumaturges ressusciteurs[1], n'espérant pas y
réchauffer la vie, mais agissant comme si je l'espérais ! Et ce fut sur ce corps glacé qu'une idée, qui
ne s'était pas dégagée du chaos dans lequel la bou-
leversante mort subite d'Alberte m'avait jeté,
m'apparut nettement... et que j'eus peur !

» Oh !... mais une peur... une peur immense !
Alberte était morte chez moi, et sa mort disait tout.
Qu'allais-je devenir ? Que fallait-il faire ?... À cette
pensée, je sentis la main, la main physique de cette
peur hideuse, dans mes cheveux qui devinrent des
aiguilles ! Ma colonne vertébrale se fondit en une
fange glacée, et je voulus lutter — mais en vain —
contre cette déshonorante sensation... Je me dis
qu'il fallait avoir du sang-froid... que j'étais un
homme après tout... que j'étais militaire. Je me mis
la tête dans mes mains, et quand le cerveau me tournait dans le crâne, je m'efforçai de raisonner la situation horrible dans laquelle j'étais pris... et d'arrêter,
pour les fixer et les examiner, toutes les idées qui
me fouettaient le cerveau comme une toupie cruelle,
et qui toutes allaient, à chaque tour, se heurter à ce
cadavre qui était chez moi, à ce corps inanimé
d'Alberte qui ne pouvait plus regagner sa chambre,
et que sa mère devait retrouver le lendemain dans
la *chambre de l'officier*, morte et déshonorée ! L'idée
de cette mère, à laquelle j'avais peut-être tué sa fille
en la déshonorant, me pesait plus sur le cœur que
le cadavre même d'Alberte... On ne pouvait pas
cacher la mort ; mais le déshonneur, prouvé par le
cadavre chez moi, n'y avait-il pas moyen de le
cacher ?... C'était la question que je me faisais, le
point fixe que je regardais dans ma tête. Difficulté
grandissant à mesure que je la regardais, et qui prenait les proportions d'une impossibilité absolue.
Hallucination effroyable ! par moments le cadavre

d'Alberte me semblait emplir toute ma chambre et ne pouvoir plus en sortir. Ah ! si la sienne n'avait pas été placée derrière l'appartement de ses parents, je l'aurais, à tout risque, reportée dans son lit ! Mais pouvais-je faire, moi, avec son corps mort dans mes bras, ce qu'elle faisait, elle, déjà si imprudemment, vivante, et m'aventurer ainsi à traverser une chambre que je ne connaissais pas, où je n'étais jamais entré, et où reposaient endormis du sommeil léger des vieillards le père et la mère de la malheureuse ?... Et cependant, l'état de ma tête était tel, la peur du lendemain et de ce cadavre chez moi me galopait avec tant de furie, que ce fut cette idée, cette témérité, cette folie de reporter Alberte chez elle qui s'empara de moi comme l'unique moyen de sauver l'honneur de la pauvre fille et de m'épargner la honte des reproches du père et de la mère, de me tirer enfin de cette ignominie. Le croirez-vous ? J'ai peine à le croire moi-même, quand j'y pense ! J'eus la force de prendre le cadavre d'Alberte et, le soulevant par les bras, de le charger sur mes épaules. Horrible chape, plus lourde, allez ! que celle des damnés dans l'enfer du Dante ! Il faut l'avoir portée, comme moi, cette chape d'une chair qui me faisait bouillonner le sang de désir il n'y avait qu'une heure, et qui maintenant me transissait !... Il faut l'avoir portée pour bien savoir ce que c'était ! J'ouvris ma porte ainsi chargé, et pieds nus comme elle, pour faire moins de bruit, je m'enfonçai dans le corridor qui conduisait à la chambre de ses parents, et dont la porte était au fond, m'arrêtant à chaque pas sur mes jambes défaillantes pour écouter le silence de la maison dans la nuit, que je n'entendais plus, à cause des battements de mon cœur ! Ce fut long. Rien ne bougeait... Un pas suivait un pas... Seulement, quand j'arrivai tout contre la terrible porte de la chambre de ses parents, — qu'il me fallait franchir et qu'elle n'avait pas, en venant, entièrement fermée pour la retrouver entrouverte au retour, et que j'entendis les deux respirations longues et tranquilles de ces deux pauvres vieux qui dormaient dans toute la confiance de la vie, je n'osai plus !... Je n'osai plus passer ce seuil noir et béant dans les ténèbres... Je reculai ; je m'enfuis presque avec mon fardeau ! Je rentrai chez moi de plus en plus épouvanté. Je replaçai le corps d'Alberte sur le canapé, et je recommençai, accroupi sur les genoux auprès d'elle, les suppliantes questions : « Que faire ? que devenir ?... » Dans l'écroulement qui se faisait en moi, l'idée insensée et atroce de jeter le corps de cette belle fille, ma maîtresse de six mois ! par la fenêtre, me sillonna l'esprit. Méprisez-moi ! J'ouvris la fenêtre... j'écartai le rideau que vous voyez là... et je regardai dans le trou d'ombre au fond duquel était la rue, car il faisait très sombre cette nuit-là. On ne voyait point le pavé. « On croira à un suicide », pensai-je, et je repris Alberte, et je la soulevai... Mais voilà qu'un éclair de bon sens croisa la folie ! « D'où se sera-t-elle tuée ? D'où sera-t-elle tombée si on la trouve sous ma fenêtre demain ?... » me demandai-je. L'impossibilité de ce que je voulais faire me souffleta ! J'allai refermer la fenêtre, qui grinça dans son espagnolette. Je retirai le rideau de la fenêtre, plus mort que vif de tous les bruits que je faisais. D'ailleurs, par la fenêtre, — sur l'escalier, — dans le corridor, — partout où je pouvais laisser ou jeter le cadavre, éternellement accusateur, la profanation était inutile. L'examen du cadavre révélerait tout, et l'œil d'une mère, si cruellement avertie, verrait tout ce que le médecin ou le juge voudrait lui cacher... Ce que j'éprouvais était insupportable, et l'idée d'en finir d'un coup de pistolet, en l'état lâche de mon âme *démoralisée* (un mot de l'Empereur que plus tard j'ai compris !), me traversa en regardant luire mes armes contre le mur de ma chambre. Mais que voulez-vous ?... Je serai franc : j'avais dix-sept ans, et j'aimais... mon épée. C'est par goût et sentiment de race que j'étais soldat. Je n'avais jamais vu le feu, et je voulais le voir. J'avais l'ambition militaire. Au régiment nous plaisantions de Werther, un héros du temps, qui nous faisait pitié, à nous autres officiers ! La pensée qui m'empêcha de me soustraire, en me tuant, à l'ignoble peur qui me tenait toujours, me conduisit à une autre qui me parut le salut même dans l'impasse où je me tordais ! « Si j'allais trouver le colonel ? » me dis-je. — Le colonel, c'est la paternité militaire, — et je m'habillai comme on s'habille quand bat la générale, dans une surprise... Je pris mes pistolets par une précaution de soldat. Qui savait ce qui pourrait arriver ?... J'embrassai une dernière fois, avec le sentiment qu'on a à dix-sept ans, — et on est toujours sentimental à dix-sept ans, — la bouche muette, et qui l'avait été toujours, de cette belle Alberte trépassée, et qui me comblait depuis six mois de ses plus enivrantes faveurs... Je descendis sur la pointe des pieds l'escalier de cette maison où je laissais la mort... Haletant comme un homme qui se sauve, je mis une heure (il me sembla que j'y mettais une heure !) à déverrouiller la porte de la rue et à tourner la grosse clé dans son énorme serrure, et après l'avoir refermée avec les précautions d'un voleur, je m'encourus, comme un fuyard, chez mon colonel.

» J'y sonnai comme au feu. J'y retentis comme une trompette, comme si l'ennemi avait été en train d'enlever le drapeau du régiment ! Je renversai tout, jusqu'à l'ordonnance qui voulut s'opposer à ce que j'entrasse à pareille heure dans la chambre de son maître, et une fois le colonel réveillé par la tempête du bruit que je faisais, je lui dis tout. Je me confessai d'un trait et à fond, rapidement et crânement, car les moments pressaient, le suppliant de me sauver…

» C'était un homme que le colonel ! Il vit d'un coup d'œil l'horrible gouffre dans lequel je me débattais… Il eut pitié du plus jeune de *ses enfants*, comme il m'appela, et je crois que j'étais alors assez dans un état à faire pitié ! Il me dit, avec le juron le plus français, qu'il fallait commencer par décamper immédiatement de la ville, et qu'il se chargerait de tout… qu'il verrait les parents dès que je serais parti, mais qu'il fallait partir, prendre la diligence qui allait relayer dans dix minutes à l'*Hôtel de la Poste*, gagner une ville qu'il me désigna et où il m'écrirait… Il me donna de l'argent, car j'avais oublié d'en prendre, m'appliqua cordialement sur les joues ses vieilles moustaches grises, et dix minutes après cette entrevue, je grimpais (il n'y avait plus que cette place) sur l'impériale de la diligence, qui faisait le même service que celle où nous sommes actuellement, et je passais au galop sous la fenêtre (je vous demande quels regards j'y jetai) de la funèbre chambre où j'avais laissé Alberte morte, et qui était éclairée comme elle l'est ce soir. »

Le vicomte de Brassard s'arrêta, sa forte voix un peu brisée. Je ne songeais plus à plaisanter. Le silence ne fut pas long entre nous.

« Et après ? — lui dis-je.

— Eh bien ! voilà — répondit-il, — il n'y a pas d'après[1] ! C'est cela qui a bien longtemps tourmenté ma curiosité exaspérée. Je suivis aveuglément les instructions du colonel. J'attendis avec impatience une lettre qui m'apprendrait ce qu'il avait fait et ce qui était arrivé après mon départ. J'attendis environ

un mois ; mais, au bout de ce mois, ce ne fut pas
une lettre que je reçus du colonel, qui n'écrivait
guère qu'avec son sabre sur la figure de l'ennemi ;
ce fut l'ordre d'un changement de corps. Il m'était
ordonné de rejoindre le 35e, qui allait entrer en campagne, et il fallait que sous vingt-quatre heures je
fusse arrivé au nouveau corps auquel j'appartenais.
Les immenses distractions d'une campagne, et de la
première ! les batailles auxquelles j'assistai, les fatigues et aussi les aventures de femmes que je mis par-
dessus celle-ci, me firent négliger d'écrire au colonel,
et me détournèrent du souvenir cruel de l'histoire
d'Alberte, sans pouvoir pourtant l'effacer. Je l'ai gardé
comme une balle qu'on ne peut extraire... Je me
disais qu'un jour ou l'autre je rencontrerais le colonel, qui me mettrait enfin au courant de ce que je
désirais savoir, mais le colonel se fit tuer à la tête
de son régiment à Leipsick... Louis de Meung s'était
aussi fait tuer un mois auparavant... C'est assez
méprisable, cela, — ajouta le capitaine, — mais
tout s'assoupit dans l'âme la plus robuste, et peut-
être parce qu'elle est la plus robuste... La curiosité
dévorante de savoir ce qui s'était passé après mon
départ finit par me laisser tranquille. J'aurais pu
depuis bien des années, et changé comme j'étais,
revenir sans être reconnu dans cette petite ville-ci et
m'informer du moins de ce qu'on savait, de ce qui y
avait filtré de ma tragique aventure. Mais quelque
chose qui n'est pas, certes, le respect de l'opinion,
dont je me suis moqué toute ma vie, quelque chose
qui ressemblait à cette peur que je ne voulais pas
sentir une seconde fois, m'en a toujours empêché. »

Il se tut encore, ce dandy qui m'avait raconté, sans
le moindre dandysme, une histoire d'une si triste
réalité. Je rêvais sous l'impression de cette histoire,
et je comprenais que ce brillant vicomte de Brassard,

la fleur non *des pois*, mais des plus fiers pavots rouges du dandysme, le buveur grandiose de *claret*, à la
manière anglaise, fût comme un autre, un homme
plus profond qu'il ne paraissait. Le mot me revenait
qu'il m'avait dit, en commençant, sur la *tache noire*
qui, pendant toute sa vie, avait meurtri ses plaisirs
de mauvais sujet[1]... quand tout à coup, pour m'étonner davantage encore, il me saisit le bras brusquement :

« Tenez ! — me dit-il, — voyez au rideau ! »

L'ombre svelte d'une taille de femme venait d'y
passer en s'y dessinant !

« L'ombre d'Alberte ! — fit le capitaine. — Le
hasard est par trop moqueur ce soir », ajouta-t-il avec
amertume.

Le rideau avait déjà repris son carré vide, rouge
et lumineux. Mais le charron, qui, pendant que le
vicomte parlait, avait travaillé à son écrou, venait de
terminer sa besogne. Les chevaux de relais étaient
prêts et piaffaient, se sabotant de feu. Le conducteur de la voiture, bonnet d'astrakan aux oreilles,
registre aux dents, prit les longes et s'enleva, et une
fois hissé sur sa banquette d'impériale, cria, de sa voix
claire, le mot du commandement, dans la nuit :

« Roulez[2] ! »

Et nous roulâmes, et nous eûmes bientôt dépassé
la mystérieuse fenêtre, que je vois toujours dans mes
rêves, avec son rideau cramoisi.

LE PLUS BEL AMOUR
DE DON JUAN

> Le meilleur régal du diable, c'est une
> innocence.
>
> (A[1].)

I

« Il vit donc toujours, ce vieux mauvais sujet ?

— Par Dieu ! s'il vit ! — et par l'ordre de Dieu,
Madame, fis-je en me reprenant, car je me souvins
qu'elle était dévote, — et de la paroisse de Sainte-
Clotilde encore, la paroisse des ducs ! — Le roi est
mort ! Vive le roi ! disait-on sous l'ancienne monar-
chie avant qu'elle fût cassée, cette vieille porcelaine
de Sèvres. Don Juan, lui, malgré toutes les démo-
craties, est un monarque qu'on ne cassera pas.

— Au fait, le diable est immortel ! dit-elle comme
une raison qu'elle se serait donnée.

— Il a même...

— Qui ?... le diable ?...

— Non, Don Juan... soupé, il y a trois jours, en
goguette. Devinez où ?...

— À votre affreuse Maison-d'Or[2], sans doute...

— Fi donc, Madame ! Don Juan n'y va plus… il n'y a rien là à fricasser pour sa grandesse. Le seigneur Don Juan a toujours été un peu comme ce fameux moine d'Arnaud de Brescia qui, racontent les Chroniques, ne vivait que du sang des âmes[1]. C'est avec cela qu'il aime à roser son vin de Champagne, et cela ne se trouve plus depuis longtemps dans le cabaret des cocottes !

— Vous verrez, — reprit-elle avec ironie, — qu'il aura soupé au couvent des Bénédictines, avec ces dames…

— De l'Adoration perpétuelle, oui, Madame ! Car l'adoration qu'il a inspirée une fois, ce diable d'homme ! me fait l'effet de durer toujours.

— Pour un catholique, je vous trouve profanant[2], — dit-elle lentement, mais un peu crispée, — et je vous prie de m'épargner le détail des soupers de vos coquines, si c'est une manière inventée par vous de m'en donner des nouvelles que de me parler, ce soir, de Don Juan.

— Je n'invente rien, Madame. Les coquines du souper en question, si ce sont des coquines, ne sont pas les miennes… malheureusement…

— Assez, Monsieur !

— Permettez-moi d'être modeste. C'étaient…

— Les *mille è trè*[3] ?… — fit-elle, curieuse, se ravisant, presque revenue à l'amabilité.

— Oh ! pas toutes, Madame… Une douzaine seulement. C'est déjà, comme cela, bien assez honnête…

— Et déshonnête aussi, — ajouta-t-elle.

— D'ailleurs, vous savez aussi bien que moi qu'il ne peut pas tenir beaucoup de monde dans le boudoir de la comtesse de Chiffrevas. On a pu y faire des choses grandes ; mais il est fort petit, ce boudoir…

— Comment ? — se récria-t-elle, étonnée. — C'est donc dans le boudoir qu'on aura soupé ?...

— Oui, Madame, c'est dans le boudoir. Et pourquoi pas ? On dîne bien sur un champ de bataille. On voulait donner un souper extraordinaire au seigneur Don Juan, et c'était plus digne de lui de le lui donner sur le théâtre de sa gloire, là où les souvenirs fleurissent à la place des orangers. Jolie idée, tendre et mélancolique ! Ce n'était pas le *bal des victimes* ; c'en était le souper.

— Et Don Juan ? — dit-elle, comme Orgon dit : « Et Tartufe ? » dans la pièce.

— Don Juan a fort bien pris la chose et très bien soupé,

> *Lui, tout seul, devant elles !*

dans la personne de quelqu'un que vous connaissez... et qui n'est pas moins que le comte Jules-Amédée-Hector de Ravila de Ravilès[1].

— Lui ! C'est bien, en effet, Don Juan », — dit-elle.

Et, quoiqu'elle eût passé l'âge de la rêverie, cette dévote à bec et à ongles, elle se mit à rêver au comte Jules-Amédée-Hector, — à cet homme de race Juan, — de cette antique race Juan éternelle, à qui Dieu n'a pas donné le monde, mais a permis au diable de le lui donner.

II

Ce que je venais de dire à la vieille marquise Guy de Ruy était l'exacte vérité. Il y avait trois jours à peine qu'une douzaine de femmes du vertueux faubourg Saint-Germain (qu'elles soient bien tranquilles, je ne les nommerai pas !), lesquelles, toutes les douze, selon les douairières du commérage, avaient été du *dernier bien* (vieille expression charmante) avec le comte Ravila de Ravilès, s'étaient prises de l'idée singulière de lui offrir à souper, — à *lui seul d'homme* — pour fêter... quoi ? elles ne le disaient pas. C'était hardi, qu'un tel souper ; mais les femmes, lâches 'individuellement, en troupe sont audacieuses. Pas une peut-être de ce souper féminin n'aurait osé l'offrir chez elle, en tête à tête, au comte Jules-Amédée-Hector ; mais ensemble, et s'épaulant toutes, les unes par les autres, elles n'avaient pas craint de faire la chaîne du baquet de Mesmer autour de cet homme magnétique et compromettant, le comte de Ravila de Ravilès...

« Quel nom !

— Un nom providentiel, Madame... » Le comte de Ravila de Ravilès, qui, par parenthèse, avait toujours obéi à la consigne de ce nom impérieux, était bien l'incarnation de tous les séducteurs dont il est parlé dans les romans et dans l'histoire, et la marquise Guy de Ruy, — une vieille mécontente, aux yeux bleus, froids et affilés, mais moins froids que son cœur et moins affilés que son esprit, — convenait elle-même que, dans ce temps, où la question des femmes perd chaque jour de son importance, s'il y avait quelqu'un qui pût rappeler Don Juan, à coup sûr ce devait être lui ! Malheureusement, c'était Don Juan au cinquième acte[1]. Le prince de Ligne ne pouvait faire entrer dans sa spirituelle tête qu'Alcibiade eût jamais eu cinquante ans. Or, par ce côté-là encore, le comte de Ravila allait continuer toujours Alcibiade. Comme d'Orsay, ce dandy taillé dans le bronze de Michel-Ange, qui fut beau jusqu'à sa dernière heure, Ravila avait eu cette beauté par-

ticulière à la race Juan, — à cette mystérieuse race qui
ne procède pas de père en fils, comme les autres,
mais qui apparaît çà et là, à de certaines distances,
dans les familles de l'humanité.

C'était la vraie beauté, — la beauté insolente,
joyeuse, impériale, *juanesque* enfin ; le mot dit tout
et dispense de la description ; et — avait-il fait un
pacte avec le diable ? — il l'avait toujours... Seulement, Dieu retrouvait son compte ; les griffes de tigre
de la vie commençaient à lui rayer ce front divin,
couronné des roses de tant de lèvres, et sur ses larges tempes impies apparaissaient les premiers cheveux blancs qui annoncent l'invasion prochaine des
Barbares et la fin de l'Empire... Il les portait, du
reste, avec l'impassibilité de l'orgueil surexcité par
la puissance ; mais les femmes qui l'avaient aimé
les regardaient parfois avec mélancolie. Qui sait ?
elles regardaient peut-être l'heure qu'il était pour
elles à ce front ? Hélas, pour elles comme pour lui,
c'était l'heure du terrible souper avec le froid Commandeur de marbre blanc, après lequel il n'y a plus
que l'enfer, — l'enfer de la vieillesse, en attendant
l'autre ! Et voilà pourquoi peut-être, avant de partager avec lui ce souper amer et suprême, elles pensè-
rent à lui offrir le leur et qu'elles en firent un chef-
d'œuvre.

Oui, un chef-d'œuvre de goût, de délicatesse, de
luxe patricien, de recherche, de jolies idées ; le plus
charmant, le plus délicieux, le plus friand, le plus
capiteux, et surtout le plus original des soupers.
Original ! Pensez donc ! C'est ordinairement la joie,
la soif de s'amuser qui donne à souper ; mais ici,
c'était le souvenir, c'était le regret, c'était presque le
désespoir, mais le désespoir en toilette, caché sous
des sourires ou sous des rires, et qui voulait encore
cette fête ou cette folie dernière, encore cette esca-

pade vers la jeunesse revenue pour une heure, encore
cette griserie, pour qu'il en fût fait à jamais !...

Les Amphitryonnes de cet incroyable souper, si
peu dans les mœurs trembleuses de la société à
laquelle elles appartenaient, durent y éprouver quelque chose de ce que Sardanapale ressentit sur son
bûcher, quand il y entassa, pour périr avec lui, ses
femmes, ses esclaves, ses chevaux, ses bijoux, toutes les opulences de sa vie. Elles, aussi, entassèrent
à ce souper brûlant toutes les opulences de la leur.
Elles y apportèrent tout ce qu'elles avaient de beauté,
d'esprit, de ressources, de parure, de puissance, pour
les verser, en une seule fois, en ce suprême flamboiement.

L'homme devant lequel elles s'enveloppèrent et se
drapèrent dans cette dernière flamme, était plus à
leurs yeux qu'aux yeux de Sardanapale toute l'Asie.
Elles furent coquettes pour lui comme jamais femmes ne le furent pour aucun homme, comme jamais
femmes ne le furent pour un salon plein ; et cette
coquetterie, elles l'embrasèrent de cette jalousie qu'on
cache dans le monde et qu'elles n'avaient point
besoin de cacher, car elles savaient toutes que cet
homme avait été à chacune d'elles, et la honte par-
tagée n'en est plus... C'était, parmi elles toutes, à
qui graverait le plus avant son épitaphe dans son
cœur.

Lui, il eut, ce soir-là, la volupté repue, souveraine,
nonchalante, dégustatrice du confesseur de nonnes
et du sultan. Assis comme un roi — comme le maître — au milieu de la table, en face de la comtesse
de Chiffrevas, dans ce boudoir fleur de pêcher ou
de... péché (on n'a jamais bien su l'orthographe de
la couleur de ce boudoir), le comte de Ravila
embrassait de ses yeux, bleu d'enfer, que tant de
pauvres créatures avaient pris pour le bleu du ciel,

ce cercle rayonnant de douze femmes, mises avec
génie, et qui, à cette table, chargée de cristaux, de
bougies allumées et de fleurs, étalaient, depuis le
vermillon de la rose ouverte jusqu'à l'or adouci de la
grappe ambrée, toutes les nuances de la maturité.

Il n'y avait pas là de ces jeunesses vert tendre, de
ces petites demoiselles qu'exécrait Byron, qui sentent la tartelette et qui, par la tournure, ne sont
encore que des épluchettes, mais tous étés splendi-
des et savoureux, plantureux automnes, épanouisse-
ments et plénitudes, seins éblouissants battant leur
plein majestueux au bord découvert des corsages,
et, sous les camées de l'épaule nue, des bras de tout
galbe, mais surtout des bras puissants, de ces biceps
de Sabines qui ont lutté avec les Romains, et qui
seraient capables de s'entrelacer, pour l'arrêter,
dans les rayons de la roue du char de la vie.

J'ai parlé d'idées. Une des plus charmantes de ce
souper avait été de le faire servir par des femmes de
chambre, pour qu'il ne fût pas dit que rien eût
dérangé l'harmonie d'une fête dont les femmes
étaient les seules reines, puisqu'elles en faisaient les
honneurs… Le seigneur Don Juan — branche de
Ravila — put donc baigner ses fauves regards dans
une mer de chairs lumineuses et vivantes comme
Rubens en met dans ses grasses et robustes peintu-
res, mais il put plonger aussi son orgueil dans l'éther
plus ou moins limpide, plus ou moins troublé de
tous ces cœurs. C'est qu'au fond, et malgré tout ce
qui pourrait empêcher de le croire, c'est un rude
spiritualiste que Don Juan ! Il l'est comme le démon
lui-même, qui aime les âmes encore plus que les
corps, et qui fait même cette traite-là de préférence
à l'autre, le négrier infernal !

Spirituelles, nobles, du ton le plus faubourg Saint-
Germain, mais ce soir-là hardies comme des pages

de la maison du Roi quand il y avait une maison du Roi et des pages, elles furent d'un étincellement d'esprit, d'un mouvement, d'une verve et d'un *brio* incomparables. Elles s'y sentirent supérieures à tout ce qu'elles avaient été dans leurs plus beaux soirs. Elles y jouirent d'une puissance inconnue qui se dégageait du fond d'elles-mêmes, et dont jusque-là elles ne s'étaient jamais doutées.

Le bonheur de cette découverte, la sensation des forces triplées de la vie ; de plus, les influences physiques, si décisives sur les êtres nerveux, l'éclat des lumières, l'odeur pénétrante de toutes ces fleurs qui se pâmaient dans l'atmosphère chauffée par ces beaux corps aux effluves trop forts pour elles, l'aiguillon des vins provocants, l'idée de ce souper qui avait justement le mérite piquant du péché que la Napolitaine demandait à son sorbet pour le trouver exquis[1], la pensée enivrante de la complicité dans ce petit crime d'un souper risqué, oui ! mais qui ne versa pas vulgairement dans le souper régence ; qui resta un souper faubourg Saint-Germain et XIXe siècle, et où de tous ces adorables corsages, doublés de cœurs qui avaient vu le feu et qui aimaient à l'agacer encore, pas une épingle ne tomba ; — toutes ces choses enfin, agissant à la fois, tendirent la harpe mystérieuse que toutes ces merveilleuses organisations portaient en elles, aussi fort qu'elle pouvait être tendue sans se briser, et elles arrivèrent à des octaves sublimes, à d'inexprimables diapasons... Ce dut être curieux, n'est-ce pas ? Cette page inouïe de ses Mémoires, Ravila l'écrira-t-il un jour ?... C'est une question, mais lui seul peut l'écrire... Comme je le dis à la marquise Guy de Ruy, je n'étais pas à ce souper, et si j'en vais rapporter quelques détails et l'histoire par laquelle il finit, c'est que je les tiens de Ravila lui-même, qui, fidèle à l'indiscrétion tradi-

tionnelle et caractéristique, de la race Juan, prit la
peine, un soir, de me les raconter[1].

III

Il était donc tard, — c'est-à-dire tôt ! Le matin
venait. Contre le plafond et à une certaine place des
rideaux de soie rose du boudoir, hermétiquement fer-
més, on voyait poindre et rondir une goutte d'opale,
comme un œil grandissant, l'œil du jour curieux qui
aurait regardé par là ce qu'on faisait dans ce boudoir enflammé. L'alanguissement commençait à
prendre les chevalières de cette Table Ronde, ces sou-
peuses, si animées il n'y avait qu'un moment. On
connaît ce moment-là de tous les soupers où la fatigue de l'émotion et de la nuit passée semble se pro-
jeter sur tout, sur les coiffures qui s'affaissent, les
joues vermillonnées ou pâlies qui brûlent, les regards
lassés dans les yeux cernés qui s'alourdissent, et
même jusque sur les lumières élargies et rampantes
des mille bougies des candélabres, ces bouquets de
feu aux tiges sculptées de bronze et d'or.

La conversation générale, longtemps faite d'entrain,
partie de volant où chacun avait allongé son coup
de raquette, s'était fragmentée, émiettée, et rien de
distinct ne s'entendait plus dans le bruit harmonieux
de toutes ces voix, aux timbres aristocratiques, qui
se mêlaient et babillaient comme les oiseaux, à
l'aube, sur la lisière d'un bois... quand l'une d'elles,
— une voix de tête, celle-là ! — impérieuse et presque impertinente, comme doit l'être une voix de
duchesse, dit tout à coup, par-dessus toutes les autres,
au comte de Ravila, ces paroles qui étaient sans

doute la suite et la conclusion d'une conversation, à voix basse, entre eux deux, que personne de ces femmes, qui causaient, chacune avec sa voisine, n'avait entendue :

« Vous qui passez pour le Don Juan de ce temps-ci, vous devriez nous raconter l'histoire de la conquête qui a le plus flatté votre orgueil d'homme aimé et que vous jugez, à cette lueur du moment présent, le plus bel amour de votre vie ?... »

Et la question, autant que la voix qui parlait, coupa nettement dans le bruit toutes ces conversations éparpillées et fit subitement le silence.

C'était la voix de la duchesse de ***. — Je ne lèverai pas son masque d'astérisques ; mais peut-être la reconnaîtrez-vous, quand je vous aurai dit que c'est la blonde la plus pâle de teint et de cheveux, et les yeux les plus noirs sous ses longs sourcils d'ambre, de tout le faubourg Saint-Germain. — Elle était assise, comme un juste à la droite de Dieu[1], à la droite du comte de Ravila, le dieu de cette fête, qui ne réduisait pas alors ses ennemis à lui servir de marche-pied ; mince et idéale comme une arabesque et comme une fée, dans sa robe de velours vert aux reflets d'argent, dont la longue traîne se tordait autour de sa chaise, et figurait assez bien la queue de serpent par laquelle se terminait la croupe charmante de Mélusine.

« C'est là une idée ! — fit la comtesse de Chiffrevas, comme pour appuyer, en sa qualité de maîtresse de maison, le désir et la motion de la duchesse, — oui, l'amour de tous les amours, inspirés ou sentis, que vous voudriez le plus recommencer, si c'était possible.

— Oh ! je voudrais les recommencer tous ! » fit Ravila avec cet inassouvissement d'Empereur romain qu'ont parfois ces blasés immenses. Et il leva son

verre de champagne, qui n'était pas la coupe bête et
païenne par laquelle on l'a remplacée, mais le verre
élancé et svelte de nos ancêtres, qui est le vrai verre
de champagne, — celui-là qu'on appelle une *flûte*,
peut-être à cause des célestes mélodies qu'il nous
verse souvent au cœur. — Puis il étreignit d'un regard
circulaire toutes ces femmes qui formaient autour
de la table une si magnifique ceinture. « Et cependant, — ajouta-t-il en replaçant son verre devant lui
avec une mélancolie étonnante pour un tel Nabu-
chodonosor qui n'avait encore mangé d'herbe que
les salades à l'estragon du café Anglais, — et cependant c'est la vérité, qu'il y en a *un* entre tous les
sentiments de la vie, qui rayonne toujours dans le
souvenir plus fort que les autres, à mesure que la
vie s'avance, et pour lequel on les donnerait tous !

— Le diamant de l'écrin, — dit la comtesse de
Chiffrevas songeuse, qui regardait peut-être dans
les facettes du sien.

— ... Et de la légende de mon pays, — reprit à
son tour la princesse Jable... qui est du pied des
monts Ourals, — ce fameux et fabuleux diamant,
rose d'abord, qui devient noir ensuite, mais qui reste
diamant, plus brillant encore noir que rose... » Elle
dit cela avec le charme étrange qui est en elle, cette
Bohémienne ! car c'est une Bohémienne, épousée
par amour par le plus beau prince de l'émigration
polonaise, et qui a l'air aussi princesse que si elle
était née sous les courtines des Jagellons[1].

Alors, ce fut une explosion ! « Oui, — firent-elles
toutes. — Dites-nous cela, comte ! » ajoutèrent-elles
passionnément, suppliantes déjà, avec les frémissements de la curiosité jusque dans les frisons de leurs
cous, par-derrière ; se tassant, épaule contre épaule ;
les unes la joue dans la main, le coude sur la table ;
les autres, renversées au dossier des chaises, l'éven-

tail déplié sur la bouche ; le fusillant toutes de leurs yeux émerillonnés et inquisiteurs.

« Si vous le voulez absolument…, — dit le comte, avec la nonchalance d'un homme qui sait que l'attente exaspère le désir.

— Absolument ! — dit la duchesse en regardant comme un despote turc aurait regardé le fil de son sabre — le fil d'or de son couteau de dessert.

— Écoutez donc », — acheva-t-il, toujours nonchalant.

Elles se fondaient d'attention, en le regardant. Elles le buvaient et le mangeaient des yeux. Toute histoire d'amour intéresse les femmes ; mais qui sait ? peut-être le charme de celle-ci était-il, pour chacune d'elles, la pensée que l'histoire qu'il allait raconter pouvait être la sienne… Elles le savaient trop gentilhomme et de trop grand monde pour n'être pas sûres qu'il sauverait les noms et qu'il épaissirait, quand il le faudrait, les détails par trop transparents ; et cette idée, cette certitude leur faisait d'autant plus désirer l'histoire. Elles en avaient mieux que le désir ; elles en avaient l'espérance.

Leur vanité se trouvait des *rivales* dans ce souvenir évoqué comme le plus beau souvenir de la vie d'un homme, qui devait en avoir de si beaux et de si nombreux ! Le vieux sultan allait jeter une fois de plus le mouchoir… que nulle main ne ramasserait, mais que celle à qui il serait jeté sentirait tomber silencieusement dans son cœur…

Or voici, avec ce qu'elles croyaient, le petit tonnerre inattendu qu'il fit passer sur tous ces fronts écoutants[1] :

IV

« J'ai ouï dire souvent à des moralistes, grands expérimentateurs de la vie, — dit le comte de Ravila, — que le plus fort de tous nos amours n'est ni le premier, ni le dernier, comme beaucoup le croient ; c'est le second. Mais en fait d'amour, tout est vrai et tout est faux, et, du reste, cela n'aura pas été pour moi... Ce que vous me demandez, Mesdames, et ce que j'ai, ce soir, à vous raconter, remonte au plus bel instant de ma jeunesse. Je n'étais plus précisément ce qu'on appelle un jeune homme, mais j'étais un homme jeune, et, comme disait un vieil oncle à moi, chevalier de Malte, pour désigner cette époque de la vie, « j'avais fini mes caravanes »[1]. En pleine force donc, je me trouvais en pleine *relation* aussi, comme on dit si joliment en Italie, avec une femme que vous connaissez toutes et que vous avez toutes admirée... »

Ici le regard que se jetèrent en même temps, chacune à toutes les autres, ce groupe de femmes qui aspiraient les paroles de ce vieux serpent, fut quelque chose qu'il faut avoir vu, car c'est inexprimable.

« Cette femme était bien, — continua Ravila, — tout ce que vous pouvez imaginer de plus distingué, dans tous les sens que l'on peut donner à ce mot. Elle était jeune, riche, d'un nom superbe, belle, spirituelle, d'une large intelligence d'artiste, et naturelle avec cela, comme on l'est dans votre monde, quand on l'est... D'ailleurs, n'ayant, dans ce monde-là, d'autre prétention que celle de me plaire et de se dévouer ; que de me paraître la plus tendre des maîtresses et la meilleure des amies.

» Je n'étais pas, je crois, le premier homme qu'elle

eût aimé... Elle avait déjà aimé une fois, et ce n'était pas son mari ; mais ç'avait été vertueusement, platoniquement, utopiquement, de cet amour qui exerce le cœur plus qu'il ne le remplit[1] ; qui en prépare les forces pour un autre amour qui doit toujours bientôt le suivre ; de cet amour d'essai, enfin, qui ressemble à la messe blanche que disent les jeunes prêtres pour s'exercer à dire, sans se tromper, la vraie messe, la messe consacrée... Lorsque j'arrivai dans sa vie, elle n'en était encore qu'à la messe blanche. C'est moi qui fus la véritable messe, et elle la dit alors avec toutes les cérémonies de la chose et somptueusement, comme un cardinal[2]. »

À ce mot-là, le plus joli rond de sourires tourna sur ces douze délicieuses bouches attentives, comme une ondulation circulaire sur la surface limpide d'un lac... Ce fut rapide, mais ravissant !

« C'était vraiment un être à part ! — reprit le comte. — J'ai vu rarement plus de bonté vraie, plus de pitié, plus de sentiments excellents, jusque dans la passion qui, comme vous le savez, n'est pas toujours bonne. Je n'ai jamais vu moins de manège, moins de pruderie et de coquetterie, ces deux choses si souvent emmêlées dans les femmes, comme un écheveau dans lequel la griffe du chat aurait passé... Il n'y avait point de chat en celle-ci... Elle était ce que ces diables de faiseurs de livres, qui nous empoisonnent de leurs manières de parler, appelleraient une nature primitive, parée par la civilisation ; mais elle n'en avait que les luxes charmants, et pas une seule de ces petites corruptions qui nous paraissent encore plus charmantes que ces luxes...

— Était-elle brune ? — interrompit tout à coup et à brûle-pourpoint la duchesse, impatientée de toute cette métaphysique[3].

— Ah ! vous n'y voyez pas assez clair ! — dit Ravila

finement. — Oui, elle était brune, brune de cheveux jusqu'au noir le plus jais, le plus miroir d'ébène que j'aie jamais vu reluire sur la voluptueuse convexité lustrée d'une tête de femme, mais elle était blonde de teint, — et c'est au teint et non aux cheveux qu'il faut juger si on est brune ou blonde, — ajouta le grand observateur, qui n'avait pas étudié les femmes seulement pour en faire des portraits. — C'était une blonde aux cheveux noirs... »

Toutes les têtes blondes de cette table, qui ne l'étaient, elles, que de cheveux, firent un mouvement imperceptible. Il était évident que pour elles l'intérêt de l'histoire diminuait déjà.

« Elle avait les cheveux de la Nuit, — reprit Ravila, — mais sur le visage de l'Aurore, car son visage resplendissait de cette fraîcheur incarnadine, éblouissante et rare, qui avait résisté à tout dans cette vie nocturne de Paris dont elle vivait depuis des années, et qui brûle tant de roses à la flamme de ses candélabres. Il semblait que les siennes s'y fussent seulement embrasées, tant sur ses joues et sur ses lèvres le carmin en était presque lumineux ! Leur double éclat s'accordait bien, du reste, avec le rubis qu'elle portait habituellement sur le front, car, dans ce temps-là, on se coiffait en *ferronnière*, ce qui faisait dans son visage, avec ses deux yeux incendiaires dont la flamme empêchait de voir la couleur, comme un triangle de trois rubis ! Élancée, mais robuste, majestueuse même, taillée pour être la femme d'un colonel de cuirassiers, — son mari n'était alors chef d'escadron que dans la cavalerie légère, — elle avait, toute grande dame qu'elle fût, la santé d'une paysanne qui boit du soleil par la peau, et elle avait aussi l'ardeur de ce soleil bu, autant dans l'âme que dans les veines, — oui, présente et toujours prête... Mais voici où l'étrange commençait ! Cet être puis-

sant et ingénu, cette nature purpurine et pure comme
le sang qui arrosait ses belles joues et rosait ses bras,
était... le croirez-vous ? maladroite aux caresses... »

Ici quelques yeux se baissèrent, mais se relevè-
rent, malicieux...

« Maladroite aux caresses comme elle était imprudente dans la vie, — continua Ravila, qui ne pesa
pas plus que cela sur le renseignement. — Il fallait
que l'homme qu'elle aimait lui enseignât incessamment deux choses qu'elle n'a jamais apprises, du
reste... à ne pas se perdre vis-à-vis d'un monde toujours armé et toujours implacable, et à pratiquer
dans l'intimité le grand art de l'amour, qui empêche
l'amour de mourir. Elle avait cependant l'amour ;
mais l'art de l'amour lui manquait... C'était le contraire de tant de femmes qui n'en ont que l'art ! Or,
pour comprendre et appliquer la politique du *Prince*,
il faut être déjà Borgia. Borgia précède Machiavel.
L'un est le poète ; l'autre, le critique. Elle n'était nullement Borgia. C'était une honnête femme amoureuse,
naïve, malgré sa colossale beauté, comme la petite
fille du dessus de porte, qui, ayant soif, veut prendre
dans sa main de l'eau de la fontaine, et qui, haletante, laisse tout tomber à travers ses doigts, et reste
confuse...

» C'était presque joli, du reste, que le contraste de
cette confusion et de cette gaucherie avec cette
grande femme passionnée, qui, à la voir dans le
monde, eût trompé tant d'observateurs, — qui avait
tout de l'amour, même le bonheur, mais qui n'avait
pas la puissance de le rendre comme on le lui donnait. Seulement je n'étais pas alors assez contem-
plateur pour me contenter de ce *joli d'artiste*, et
c'est même la raison qui, à certains jours, la rendait
inquiète, jalouse et violente, — tout ce qu'on est
quand on aime, et elle aimait ! — Mais, jalousie,

inquiétude, violence, tout cela mourait dans l'inépuisable bonté de son cœur, au premier mal qu'elle
voulait ou qu'elle croyait faire, maladroite à la blessure comme à la caresse ! Lionne, d'une espèce inconnue, qui s'imaginait avoir des griffes, et qui, quand
elle voulait les allonger, n'en trouvait jamais dans
ses magnifiques pattes de velours. C'est avec du
velours qu'elle égratignait !

— Où va-t-il en venir ? — dit la comtesse de Chiffrevas à sa voisine, — car, vraiment, ce ne peut pas
être là le plus bel amour de Don Juan ! »

Toutes ces compliquées ne pouvaient croire à
cette simplicité !

« Nous vivions donc, — dit Ravila, — dans une intimité qui avait parfois des orages, mais qui n'avait pas
de déchirements, et cette intimité n'était, dans cette
ville de province qu'on appelle Paris, un mystère pour
personne... La marquise... elle était marquise... »

Il y en avait trois à cette table, et brunes de cheveux aussi. Mais elles ne cillèrent pas. Elles savaient
trop que ce n'était pas d'elles qu'il parlait... Le seul
velours qu'elles eussent, à toutes les trois, était sur
la lèvre supérieure de l'une d'elles, — lèvre voluptueusement estompée, qui, pour le moment, je vous
jure, exprimait pas mal de dédain.

« ... Et marquise trois fois, comme les pachas peuvent être pachas à trois queues ! continua Ravila, à
qui la verve venait. La marquise était de ces femmes qui ne savent rien cacher et qui, quand elles le
voudraient, ne le pourraient pas. Sa fille même, une
enfant de treize ans, malgré son innocence, ne s'apercevait que trop du sentiment que sa mère avait pour
moi. Je ne sais quel poète a demandé ce que pen-
sent de nous les filles dont nous avons aimé les
mères. Question profonde ! que je me suis souvent
faite quand je surprenais le regard d'espion, noir et

menaçant, embusqué sur moi, du fond des grands yeux sombres de cette fillette. Cette enfant, d'une réserve farouche, qui le plus souvent quittait le salon quand je venais et qui se mettait le plus loin possible de moi quand elle était obligée d'y rester, avait pour ma personne une horreur presque convulsive[1]... qu'elle cherchait à cacher en elle, mais qui, plus forte qu'elle, la trahissait... Cela se révélait dans d'imperceptibles détails, mais dont pas un ne m'échappait. La marquise, qui n'était pourtant pas une observatrice, me disait sans cesse : « Il faut prendre garde, mon ami. Je crois ma fille jalouse de vous... »

» J'y prenais garde beaucoup plus qu'elle.

» Cette petite aurait été le diable en personne, je l'aurais bien défiée de lire dans mon jeu... Mais le jeu de sa mère était transparent. Tout se voyait dans le miroir pourpre de ce visage, si souvent troublé ! À l'espèce de haine de la fille, je ne pouvais m'empêcher de penser qu'elle avait surpris le secret de sa mère à quelque émotion exprimée, dans quelque regard trop noyé, involontairement, de tendresse. C'était, si vous voulez le savoir, une enfant chétive, parfaitement indigne du moule splendide d'où elle était sortie, laide, même de l'aveu de sa mère, qui ne l'en aimait que davantage ; une petite topaze brûlée... que vous dirai-je ? une espèce de maquette en bronze, mais avec des yeux noirs... Une magie ! Et qui, depuis[2]... »

Il s'arrêta après cet éclair... comme s'il avait voulu l'éteindre et qu'il en eût trop dit... L'intérêt était revenu général, perceptible, tendu, à toutes les physionomies, et la comtesse avait dit même entre ses belles dents le mot de l'impatience éclairée : « Enfin[3] ! »

V

« Dans les commencements de ma liaison avec sa mère, — reprit le comte de Ravila, — j'avais eu avec cette petite fille toutes les familiarités caressantes qu'on a avec tous les enfants... Je lui apportais des sacs de dragées. Je l'appelais « petite masque », et très souvent, en causant avec sa mère, je m'amusais à lui lisser son bandeau sur la tempe, — un bandeau de cheveux malades, noirs, avec des reflets d'amadou, — mais « la petite masque », dont la grande bouche avait un joli sourire pour tout le monde, recueillait, repliait son sourire pour moi, fronçait âprement ses sourcils, et, à force de se crisper, devenait d'une « petite masque » un vrai masque ridé de cariatide humiliée, qui semblait, quand ma main passait sur son front, porter le poids d'un entablement sous ma main.

» Aussi bien, en voyant cette maussaderie toujours retrouvée à la même place et qui semblait une hostilité, j'avais fini par laisser là cette sensitive, couleur de souci, qui se rétractait si violemment au contact de la moindre caresse... et je ne lui parlais même plus ! « Elle sent bien que vous la volez, — me disait la marquise. — Son instinct lui dit que vous lui prenez une portion de l'amour de sa mère. » Et quelquefois, elle ajoutait dans sa droiture : « C'est ma conscience que cette enfant, et mon remords, sa jalousie. »

» Un jour, ayant voulu l'interroger sur cet éloignement profond qu'elle avait pour moi, la marquise n'en avait obtenu que ces réponses brisées, têtues, stupides, qu'il faut tirer, avec un tire-bouchon d'interrogations répétées, de tous les enfants qui ne veulent rien dire... « Je n'ai rien... je ne sais pas », et voyant la dureté de ce petit bronze, elle avait cessé de lui faire des questions, et, de lassitude, elle s'était détournée...

» J'ai oublié de vous dire que cette enfant bizarre était très dévote, d'une dévotion sombre, espagnole, moyen âge, superstitieuse. Elle tordait autour de son maigre corps toutes sortes de scapulaires et se plaquait sur sa poitrine, unie comme le dos de la main, et autour de son cou bistré, des tas de croix, de bonnes Vierges et de Saint-Esprits ! « Vous êtes malheureusement un impie, — me disait la marquise. — Un jour, en causant, vous l'aurez peut-être scandalisée. Faites attention à tout ce que vous dites devant elle, je vous en supplie. N'aggravez pas mes torts aux yeux de cet enfant envers qui je me sens déjà si coupable ! » Puis, comme la conduite de cette petite ne changeait point, ne se modifiait point : « Vous finirez par la haïr, — ajoutait la marquise inquiète, — et je ne pourrai pas vous en vouloir. » Mais elle se trompait : je n'étais qu'indifférent pour cette maussade fillette, quand elle ne m'impatientait pas.

» J'avais mis entre nous la politesse qu'on a entre grandes personnes, et entre grandes personnes qui ne s'aiment point. Je la traitais avec cérémonie, l'appelant gros comme le bras : « Mademoiselle », et elle me renvoyait un « Monsieur » glacial. Elle ne voulait rien faire devant moi qui pût la mettre, je ne dis pas en valeur, mais seulement en dehors d'elle-même... Jamais sa mère ne put la décider à me montrer un de ses dessins, ni à jouer devant moi un air de piano. Quand je l'y surprenais, étudiant avec beaucoup d'ardeur et d'attention, elle s'arrêtait court, se levait du tabouret et ne jouait plus...

» Une seule fois, sa mère l'exigeant (il y avait du

monde), elle se plaça devant l'instrument ouvert avec
un de ces airs *victime* qui, je vous assure, n'avait rien
de doux, et elle commença je ne sais quelle parti-
tion avec des doigts abominablement contrariés.
J'étais debout à la cheminée, et je la regardais obli-
quement. Elle avait le dos tourné de mon côté, et il
n'y avait pas de glace devant elle dans laquelle elle
pût voir que je la regardais... Tout à coup son dos
(elle se tenait habituellement mal, et sa mère lui disait
souvent : « Si tu te tiens toujours ainsi, tu finiras
par te donner une maladie de poitrine »), tout à coup
son dos se redressa, comme si je lui avais cassé
l'épine dorsale avec mon regard comme avec une
balle ; et abattant violemment le couvercle du piano,
qui fit un bruit effroyable en tombant, elle se sauva
du salon... On alla la chercher ; mais ce soir-là, on
ne put jamais l'y faire revenir.

» Eh bien, il paraît que les hommes les plus fats
ne le sont jamais assez, car la conduite de cette téné-
breuse enfant, qui m'intéressait si peu, ne me donna
rien à penser sur le sentiment qu'elle avait pour
moi. Sa mère, non plus. Sa mère, qui était jalouse
de toutes les femmes de son salon, ne fut pas plus
jalouse que je n'étais fat avec cette petite fille, qui
finit par se révéler dans un de ces faits que la marquise, l'expansion même dans l'intimité, pâle encore
de la terreur qu'elle avait ressentie, et riant aux éclats
de l'avoir éprouvée, eut l'imprudence de me raconter. »

Il avait souligné, par inflexion, le mot d'*imprudence*
comme eût fait le plus habile acteur et en homme
qui savait que tout l'intérêt de son histoire ne tenait
plus qu'au fil de ce mot-là !

Mais cela suffisait apparemment, car ces douze
beaux visages de femmes s'étaient renflammés d'un
sentiment aussi intense que les visages des Chéru-

bins devant le trône de Dieu. Est-ce que le sentiment de la curiosité chez les femmes n'est pas aussi
intense que le sentiment de l'adoration chez les
Anges ?... Lui, les regarda tous, ces visages de Chéru-
bins qui ne finissaient pas aux épaules, et les trouvant à point, sans doute, pour ce qu'il avait à leur
dire[1], il reprit vite et ne s'arrêta plus :

« Oui, elle riait aux éclats, la marquise, rien que
d'y penser ! — me dit-elle à quelque temps de là,
lorsqu'elle me rapporta la chose : mais elle n'avait
pas toujours ri ! — « Figurez-vous, — me conta-t-elle
(je tâcherai de me rappeler ses propres paroles), —
que j'étais assise là où nous sommes maintenant. »

» — (C'était sur une de ces causeuses qu'on appelait des *dos-à-dos*, le meuble le mieux inventé
pour se bouder et se raccommoder sans changer de
place.) —

« Mais vous n'étiez pas où vous voilà, heureusement ! quand on m'annonça... devinez qui ?... vous
ne le devineriez jamais... M. le curé de Saint-Germain-des-Prés. Le connaissez-vous ?... Non ! Vous
n'allez jamais à la messe, ce qui est très mal... Comment pourriez-vous donc connaître ce pauvre vieux
curé qui est un saint, et qui ne met le pied chez
aucune femme de sa paroisse, sinon quand il s'agit
d'une quête pour ses pauvres ou pour son église ? Je
crus tout d'abord que c'était pour cela qu'il venait.

» Il avait dans le temps fait faire sa première
communion à ma fille, et elle, qui communiait souvent, l'avait gardé pour confesseur. Pour cette raison, bien des fois, depuis ce temps-là, je l'avais
invité à dîner, mais en vain. Quand il entra, il était
extrêmement troublé, et je vis sur ses traits, d'ordinaire si placides, un embarras si peu dissimulé et si
grand, qu'il me fut impossible de le mettre sur le
compte de la timidité toute seule, et que je ne pus

m'empêcher de lui dire pour première parole :
« Eh ! mon Dieu ! qu'y a-t-il, monsieur le curé ?

« — Il y a, — me dit-il, — Madame, que vous voyez
l'homme le plus embarrassé qu'il y ait au monde.
Voilà plus de cinquante ans que je suis dans le saint
ministère, et je n'ai jamais été chargé d'une com-
mission plus délicate et que je comprisse moins que
celle que j'ai à vous faire... » —

« Et il s'assit, me demanda de faire fermer ma
porte tout le temps de notre entretien. Vous sentez
bien que toutes ces solennités m'effrayaient un
peu... Il s'en aperçut.

« — Ne vous effrayez pas à ce point, Madame, —
reprit-il ; — vous avez besoin de tout votre sang-
froid pour m'écouter et pour me faire comprendre,
à moi, la chose inouïe dont il s'agit, et qu'en vérité
je ne puis admettre... Mademoiselle votre fille, de la
part de qui je viens, est, vous le savez comme moi,
un ange de pureté et de piété. Je connais son âme.
Je la tiens dans mes mains depuis son âge de sept ans,
et je suis persuadé qu'elle se trompe... à force d'innocence peut-être... Mais, ce matin, elle est venue me
déclarer en confession qu'elle était, vous ne le croirez pas, Madame, ni moi non plus, mais il faut bien
dire le mot... enceinte ! » —

« Je poussai un cri...

« — J'en ai poussé un comme vous dans mon
confessionnal, ce matin, reprit le curé, à cette déclaration faite par elle avec toutes les marques du désespoir le plus sincère et le plus affreux ! Je sais à fond
cette enfant. Elle ignore tout de la vie et du péché...
C'est certainement de toutes les jeunes filles que je
confesse celle dont je répondrais le plus devant Dieu.
Voilà tout ce que je puis vous dire ! Nous sommes,
nous autres prêtres, les chirurgiens des âmes, et il
nous faut les accoucher des hontes qu'elles dissimu-

lent, avec des mains qui ne les blessent ni ne les tachent. Je l'ai donc, avec toutes les précautions possibles, interrogée, questionnée, pressée de questions, cette enfant au désespoir, mais qui, une fois la chose dite, la faute avouée, qu'elle appelle un crime et sa damnation éternelle, car elle se croit damnée, la pauvre fille ! ne m'a plus répondu et s'est obstinément renfermée dans un silence qu'elle n'a rompu que pour me supplier de venir vous trouver, Madame, et de vous apprendre son crime, — car il faut bien que maman le sache, — a-t-elle dit, — et jamais je n'aurai la force de le lui avouer ! »

« J'écoutais le curé de Saint-Germain-des-Prés. Vous vous doutez bien avec quel mélange de stupéfaction et d'anxiété ! Comme lui et encore plus que lui, je croyais être sûre de l'innocence de ma fille ; mais les innocents tombent souvent, même par innocence... Et ce qu'elle avait dit à son confesseur n'était pas impossible... Je n'y croyais pas... Je ne voulais pas y croire ; mais cependant ce n'était pas impossible !... Elle n'avait que treize ans, mais elle était une femme, et cette précocité même m'avait effrayée... Une fièvre, un transport de curiosité me saisit.

« — Je veux et je vais tout savoir ! — dis-je à ce bonhomme de prêtre, ahuri devant moi et qui, en m'écoutant, débordait d'embarras son chapeau. — Laissez-moi, monsieur le curé. Elle ne parlerait pas devant vous. Mais je suis sûre qu'elle me dira tout... que je lui arracherai tout, et que nous comprendrons alors ce qui est maintenant incompréhensible ! » —

« Et le prêtre s'en alla là-dessus, — et dès qu'il fut parti, je montai chez ma fille, n'ayant pas la patience de la faire demander et de l'attendre.

« Je la trouvai devant le crucifix de son lit, pas agenouillée, mais prosternée, pâle comme une morte, les yeux secs, mais très rouges, comme des yeux qui ont beaucoup pleuré. Je la pris dans mes bras, l'assis près de moi, puis sur mes genoux, et je lui dis que je ne pouvais pas croire ce que venait de m'apprendre son confesseur.

« Mais elle m'interrompit pour m'assurer avec des navrements de voix et de physionomie que c'était vrai, ce qu'il avait dit, et c'est alors que, de plus en plus inquiète et étonnée, je lui demandai le nom de celui qui...

« Je n'achevai pas... Ah ! ce fut le moment terrible ! Elle se cacha la tête et le visage sur mon épaule... mais je voyais le ton de feu de son cou, par-derrière, et je la sentais frissonner. Le silence qu'elle avait opposé à son confesseur, elle me l'opposa. C'était un mur.

« — Il faut que ce soit quelqu'un bien au-dessous de toi, puisque tu as tant de honte ?... » — lui dis-je, pour la faire parler en la révoltant, car je la savais orgueilleuse.

« Mais c'était toujours le même silence, le même engloutissement de sa tête sur mon épaule. Cela dura un temps qui me parut infini, quand tout à coup elle me dit sans se soulever : « Jure-moi que tu me pardonneras, maman. »

« Je lui jurai tout ce qu'elle voulut, au risque d'être cent fois parjure, je m'en souciais bien ! Je m'impatientais. Je bouillais... Il me semblait que mon front allait éclater et laisser échapper ma cervelle...

« — Eh bien ! c'est M. de Ravila », fit-elle d'une voix basse ; et elle resta comme elle était dans mes bras.

« Ah ! l'effet de ce nom, Amédée ! Je recevais d'un seul coup, en plein cœur, la punition de la grande faute de ma vie ! Vous êtes, en fait de femmes, un homme si terrible, vous m'avez fait craindre de telles rivalités, que l'horrible « pourquoi pas ? » dit à propos de l'homme qu'on aime et dont on doute, se leva en moi... Ce que j'éprouvais, j'eus la force de le cacher à cette cruelle enfant, qui avait peut-être deviné l'amour de sa mère.

« — M. de Ravila ! — fis-je, avec une voix qui me semblait dire tout, — mais tu ne lui parles jamais ? — Tu le fuis, — j'allais ajouter, car la colère commençait ; je la sentais venir... Vous êtes donc bien faux tous les deux ? — Mais je réprimai cela... Ne fallait-il pas que je susse les détails, un par un, de cette horrible séduction ?... Et je les lui demandai avec une douceur dont je crus mourir, quand elle m'ôta de cet étau, de ce supplice, en me disant naïvement :

« — Mère, c'était un soir. Il était dans le grand fauteuil qui est au coin de la cheminée, en face de la causeuse. Il y resta longtemps, puis il se leva, et moi j'eus le malheur d'aller m'asseoir après lui dans ce fauteuil qu'il avait quitté. Oh ! maman !... c'est comme si j'étais tombée dans du feu[1]. Je voulais me lever, je ne pus pas... le cœur me manqua ! et je sentis... tiens ! là, maman, que ce que j'avais... c'était un enfant !... »

La marquise avait ri, dit Ravila, quand elle lui avait raconté cette histoire ; mais aucune des douze femmes qui étaient autour de cette table ne songea à rire, — ni Ravila non plus.

« Et voilà, Mesdames, croyez-le, si vous voulez, — ajouta-t-il en forme de conclusion, — le plus bel amour que j'aie inspiré de ma vie ! »

Et il se tut, elles aussi. Elles étaient pensives... L'avaient-elles compris ?

Lorsque Joseph était esclave chez Mme Putiphar, il était si beau, dit le Koran, que, de rêverie, les femmes qu'il servait à table se coupaient les doigts avec

leurs couteaux, en le regardant. Mais nous ne sommes plus au temps de Joseph, et les préoccupations
qu'on a au dessert sont moins fortes.

« Quelle grande bête, avec tout son esprit, que
votre marquise, pour vous avoir dit pareille chose ! »
fit la duchesse, qui se permit d'être cynique, mais qui
ne se coupa rien du tout avec le couteau d'or qu'elle
tenait toujours à la main.

La comtesse de Chiffrevas regardait attentivement
dans le fond d'un verre de vin du Rhin, en cristal
émeraude, mystérieux comme sa pensée.

« Et la petite masque ? — demanda-t-elle.

— Oh, elle était morte, bien jeune et mariée en
province, quand sa mère me raconta cette histoire,
répondit Ravila[1].

— Sans cela !... » fit la duchesse songeuse[2].

LE BONHEUR DANS LE CRIME

> Dans ce temps délicieux, quand on
> raconte une histoire vraie, c'est à croire
> que le Diable a dicté[1]...

J'étais un des matins de l'automne dernier à me promener au Jardin des Plantes, en compagnie du docteur Torty, certainement une de mes plus vieilles connaissances[2]. Lorsque je n'étais qu'un enfant, le docteur Torty exerçait la médecine dans la ville de V... ; mais après environ trente ans de cet agréable exercice, et *ses* malades étant morts, — ses *fermiers* comme il les appelait, lesquels lui avaient rapporté plus que bien des fermiers ne rapportent à leurs maîtres, sur les meilleures terres de Normandie, — il n'en avait pas repris d'autres ; et déjà sur l'âge et fou d'indépendance, comme un animal qui a toujours marché sur son bridon et qui finit par le casser, il était venu s'engloutir dans Paris, — là même, dans le voisinage du Jardin des Plantes, rue Cuvier, je crois, — ne faisant plus la médecine que pour son plaisir personnel, qui, d'ailleurs, était grand à en faire, car il était médecin dans le sang et jusqu'aux ongles, et fort médecin, et grand observateur, en plus, de bien d'autres cas que de cas simplement physiologiques et pathologiques...

L'avez-vous quelquefois rencontré, le docteur Torty ? C'était un de ces esprits hardis et vigoureux qui ne chaussent point de mitaines, par la très bonne et proverbiale raison que : « chat ganté ne prend pas de souris », et qu'il en avait immensément pris, et qu'il en voulait toujours prendre, ce matois de fine et forte race ; espèce d'homme qui me plaisait beaucoup à moi, et je crois bien (je me connais !) par les côtés surtout qui déplaisaient le plus aux autres. En effet, il déplaisait assez généralement quand on se portait bien, ce brusque original de docteur Torty ; mais ceux à qui il déplaisait le plus, une fois malades, lui faisaient des salamalecs, comme les sauvages en faisaient au fusil de Robinson qui pouvait les tuer, non pour les mêmes raisons que les sauvages, mais spécialement pour les raisons contraires : il pouvait les sauver ! Sans cette considération prépondérante, le docteur n'aurait jamais gagné vingt mille livres de rente dans une petite ville aristocratique, dévote et bégueule, qui l'aurait parfaitement mis à la porte cochère de ses hôtels, si elle n'avait écouté que ses opinions et ses antipathies[1]. Il s'en rendait compte, du reste, avec beaucoup de sang-froid, et il en plaisantait. « Il fallait, — disait-il railleusement pendant le bail de trente ans qu'il avait fait à V..., — qu'ils choisissent entre moi et l'Extrême-Onction, et, tout dévots qu'ils étaient, ils me prenaient encore de préférence aux Saintes Huiles. » Comme vous voyez, il ne se gênait pas, le docteur. Il avait la plaisanterie légèrement sacrilège. Franc disciple de Cabanis en philosophie médicale, il était, comme son vieux camarade Chaussier, de l'école de ces médecins terribles par un matérialisme absolu, et comme Dubois — le premier des Dubois[2]

— par un cynisme qui descend toutes choses et
tutoierait des duchesses et des dames d'honneur
d'impératrice et les appellerait « mes petites mères »,
ni plus ni moins que des marchandes de poisson.
Pour vous donner une simple idée du cynisme du
docteur Torty, c'est lui qui me disait un soir, au cercle des Ganaches, en embrassant somptueusement
d'un regard de propriétaire le quadrilatère éblouissant de la table ornée de ses cent vingt convives :
« C'est moi qui les fais tous !... » Moïse n'eût pas été
plus fier, en montrant la baguette avec laquelle il
changeait des rochers en fontaines. Que voulez-vous,
Madame[1] ? Il n'avait pas la bosse du respect, et même
il prétendait que là où elle est sur le crâne des
autres hommes, il y avait un trou sur le sien. Vieux,
ayant passé la soixante-dizaine, mais carré, robuste
et noueux comme son nom, d'un visage sardonique
et, sous sa perruque châtain clair, très lisse, très
lustrée et à cheveux très courts, d'un œil pénétrant,
vierge de lunettes, vêtu presque toujours en habit
gris ou de ce brun qu'on appela longtemps *fumée de
Moscou*, il ne ressemblait ni de tenue ni d'allure à
messieurs les médecins de Paris, corrects, cravatés
de blanc, comme du suaire de leurs morts ! C'était
un autre homme. Il avait, avec ses gants de daim,
ses bottes à forte semelle et à gros talons qu'il faisait retentir sous son pas très ferme, quelque chose
d'alerte et de cavalier, et cavalier est bien le mot,
car il était resté (combien d'années sur trente !), le
charivari[2] boutonné sur la cuisse, et à cheval, dans
des chemins à casser en deux des Centaures, — et
on devinait bien tout cela à la manière dont il cam-
brait encore son large buste, vissé sur des reins qui
n'avaient pas bougé, et qui se balançait sur de fortes jambes sans rhumatismes, arquées comme celles d'un ancien postillon. Le docteur Torty avait été

une espèce de Bas-de-Cuir équestre, qui avait vécu
dans les fondrières du Cotentin, comme le Bas-de-
Cuir de Cooper dans les forêts de l'Amérique. Natu-
raliste qui se moquait, comme le héros de Cooper, des
lois sociales, mais qui, comme l'homme de Fenimore,
ne les avait pas remplacées par l'idée de Dieu, il
était devenu un de ces impitoyables observateurs
qui ne peuvent pas ne point être des misanthropes.
C'est fatal. Aussi l'était-il. Seulement il avait eu le
temps, pendant qu'il faisait boire la boue des mauvais chemins au ventre sanglé de son cheval, de se
blaser sur les autres fanges de la vie. Ce n'était nullement un misanthrope à l'Alceste. Il ne s'indignait
pas vertueusement. Il ne s'encolérait pas. Non ! il
méprisait l'homme aussi tranquillement qu'il prenait sa prise de tabac, et même il avait autant de
plaisir à le mépriser qu'à la prendre.

Tel exactement il était, ce docteur Torty, avec
lequel je me promenais.

Il faisait, ce jour-là, un de ces temps d'automne,
gais et clairs, à arrêter les hirondelles qui vont partir. Midi sonnait à Notre-Dame, et son grave bourdon
semblait verser, par-dessus la rivière verte et moirée
aux piles des ponts, et jusque par-dessus nos têtes,
tant l'air ébranlé était pur ! de longs frémissements
lumineux. Le feuillage roux des arbres du jardin
s'était, par degrés, essuyé du brouillard bleu qui les
noie en ces vaporeuses matinées d'octobre, et un
joli soleil d'arrière-saison nous chauffait agréablement
le dos, dans sa ouate d'or, au docteur et à moi, pendant que nous étions arrêtés, à regarder la fameuse
panthère noire, qui est morte, l'hiver d'après, comme
une jeune fille, de la poitrine. Il y avait çà et là,
autour de nous, le public ordinaire du Jardin des
Plantes, ce public spécial de gens du peuple, de soldats et de bonnes d'enfants, qui aiment à badauder

devant la grille des cages et qui s'amusent beaucoup
à jeter des coquilles de noix et des pelures de mar-
rons aux bêtes engourdies ou dormant derrière leurs
barreaux. La panthère devant laquelle nous étions,
en rôdant, arrivés, était, si vous vous en souvenez,
de cette espèce particulière à l'île de Java, le pays
du monde où la nature est le plus intense et semble
elle-même quelque grande tigresse, inapprivoisable
à l'homme, qui le fascine et qui le mord dans toutes
les productions de son sol terrible et splendide. À
Java, les fleurs ont plus d'éclat et plus de parfum, les
fruits plus de goût, les animaux plus de beauté et
plus de force que dans aucun autre pays de la terre,
et rien ne peut donner une idée de cette violence de
vie à qui n'a pas reçu les poignantes et mortelles
sensations d'une contrée tout à la fois enchantante
et empoisonnante, tout ensemble Armide et Locuste[1] !
Étalée nonchalamment sur ses élégantes pattes
allongées devant elle, la tête droite, ses yeux d'émeraude immobiles, la panthère était un magnifique
échantillon des redoutables productions de son pays.
Nulle tache fauve n'étoilait sa fourrure de velours
noir, d'un noir si profond et si mat que la lumière,
en y glissant, ne la lustrait même pas, mais s'y absor-
bait, comme l'eau s'absorbe dans l'éponge qui la
boit... Quand on se retournait de cette forme idéale
de beauté souple, de force terrible au repos, de dédain
impassible et royal, vers les créatures humaines qui
la regardaient timidement, qui la contemplaient,
yeux ronds et bouche béante, ce n'était pas l'humanité qui avait le beau rôle, c'était la bête. Et elle était
si supérieure, que c'en était presque humiliant ! J'en
faisais la réflexion tout bas au docteur, quand deux
personnes scindèrent tout à coup le groupe amon-
celé devant la panthère et se plantèrent justement
en face d'elle : « Oui, — me répondit le docteur, —

mais voyez maintenant ! Voici l'équilibre rétabli entre les espèces ! »

C'étaient un homme et une femme, tous deux de haute taille, et qui, dès le premier regard que je leur jetai, me firent l'effet d'appartenir aux rangs élevés du monde parisien. Ils n'étaient jeunes ni l'un ni l'autre, mais néanmoins parfaitement beaux. L'homme devait s'en aller vers quarante-sept ans et davantage, et la femme vers quarante et plus... Ils avaient donc, comme disent les marins revenus de la Terre de Feu, *passé la ligne*, la ligne fatale, plus formidable que celle de l'équateur, qu'une fois passée on ne repasse plus sur les mers de la vie ! Mais ils paraissaient peu se soucier de cette circonstance. Ils n'avaient au front, ni nulle part, de mélancolie... L'homme, élancé et aussi patricien dans sa redingote noire strictement boutonnée, comme celle d'un officier de cavalerie, que s'il avait porté un de ces costumes que le Titien donne à ses portraits, ressemblait par sa tournure brusquée, son air efféminé et hautain, ses moustaches aiguës comme celles d'un chat et qui à la pointe commençaient à blanchir, à un mignon du temps de Henri III[1] ; et pour que la ressemblance fût plus complète, il portait des cheveux courts, qui n'empêchaient nullement de voir briller à ses oreilles deux saphirs d'un bleu sombre, qui me rappelèrent les deux émeraudes que Sbogar portait à la même place[2]... Excepté ce détail *ridicule* (comme aurait dit le monde) et qui montrait assez de dédain pour les goûts et les idées du jour, tout était simple et *dandy* comme l'entendait Brummell, c'est-à-dire *irremarquable*, dans la tenue de cet homme qui n'attirait l'attention que par lui-même, et qui l'aurait confisquée tout entière, s'il n'avait pas eu au bras la femme, qu'en ce moment, il y avait... Cette femme, en effet, prenait encore plus le regard

que l'homme qui l'accompagnait, et elle le captivait
plus longtemps. Elle était grande comme lui. Sa
tête atteignait presque à la sienne. Et, comme elle
était aussi tout en noir, elle faisait penser à la grande
Isis noire du Musée Égyptien, par l'ampleur de ses
formes, la fierté mystérieuse et la force. Chose
étrange ! dans le rapprochement de ce beau couple,
c'était la femme qui avait les muscles, et l'homme
qui avait les nerfs[1]... Je ne la voyais alors que de
profil ; mais, le profil, c'est l'écueil de la beauté ou
son attestation la plus éclatante. Jamais, je crois, je
n'en avais vu de plus pur et de plus altier. Quant à
ses yeux, je n'en pouvais juger, fixés qu'ils étaient
sur la panthère, laquelle, sans doute, en recevait une
impression magnétique et désagréable, car, immobile déjà, elle sembla s'enfoncer de plus en plus
dans cette immobilité rigide, à mesure que la femme,
venue pour la voir, la regardait ; et — comme les
chats à la lumière qui les éblouit — sans que sa tête
bougeât d'une ligne, sans que la fine extrémité de sa
moustache, seulement, frémît, la panthère, après
avoir clignoté quelque temps, et comme n'en pouvant
pas supporter davantage, rentra lentement, sous les
coulisses tirées de ses paupières, les deux étoiles
vertes de ses regards. Elle se claquemurait.

— Eh ! eh ! panthère contre panthère ! — fit le docteur à mon oreille ; — mais le satin est plus fort que
le velours.

Le satin, c'était la femme, qui avait une robe de
cette étoffe miroitante — une robe à longue traîne.
Et il avait vu juste, le docteur ! Noire, souple, d'arti-
culation aussi puissante, aussi royale d'attitude, —
dans son espèce, d'une beauté égale, et d'un charme
encore plus inquiétant, — la femme, l'inconnue,
était comme une panthère humaine, dressée devant
la panthère animale qu'elle éclipsait ; et la bête

venait de le sentir, sans doute, quand elle avait fermé
les yeux. Mais la femme — si c'en était un — ne se
contenta pas de ce triomphe. Elle manqua de générosité. Elle voulut que sa rivale la vît qui l'humiliait,
et rouvrît les yeux pour la voir[1]. Aussi, défaisant
sans mot dire les douze boutons du gant violet qui
moulait son magnifique avant-bras, elle ôta ce gant,
et, passant audacieusement sa main entre les barreaux de la cage, elle en fouetta le museau court de
la panthère, qui ne fit qu'un mouvement... mais quel
mouvement !... et d'un coup de dents, rapide comme
l'éclair !... Un cri partit du groupe où nous étions.
Nous avions cru le poignet emporté : Ce n'était que
le gant. La panthère l'avait englouti. La formidable
bête outragée avait rouvert des yeux affreusement
dilatés, et ses naseaux froncés vibraient encore...

— Folle ! — dit l'homme, en saisissant ce beau
poignet, qui venait d'échapper à la plus coupante des
morsures.

Vous savez comme parfois on dit : « Folle !... » Il
le dit ainsi ; et il le baisa, ce poignet, avec emportement.

Et, comme il était de notre côté, elle se retourna
de trois quarts pour le regarder baisant son poignet
nu, et je vis ses yeux, à elle... ces yeux qui fascinaient
des tigres, et qui étaient à présent fascinés par un
homme ; ses yeux, deux larges diamants noirs, taillés
pour toutes les fiertés de la vie, et qui n'exprimaient
plus en le regardant que toutes les adorations de
l'amour !

Ces yeux-là étaient et disaient tout un poème.
L'homme n'avait pas lâché le bras, qui avait dû sentir l'haleine fiévreuse de la panthère, et, le tenant
replié sur son cœur, il entraîna la femme dans la
grande allée du jardin, indifférent aux murmures et
aux exclamations du groupe populaire, — encore

ému du danger que l'imprudente venait de courir, — et qu'il retraversa tranquillement. Ils passèrent auprès de nous, le docteur et moi, mais leurs visages tournés l'un vers l'autre, se serrant flanc contre flanc, comme s'ils avaient voulu se pénétrer, entrer, lui dans elle, elle dans lui, et ne faire qu'un seul corps à eux deux, en ne regardant rien qu'eux-mêmes. C'étaient, aurait-on cru à les voir ainsi passer, des créatures supérieures, qui n'apercevaient pas même à leurs orteils la terre sur laquelle ils marchaient, et qui traversaient le monde dans leur nuage, comme, dans Homère, les Immortels !

De telles choses sont rares à Paris, et, pour cette raison, nous restâmes à le voir filer, ce maître-couple, — la femme étalant sa traîne noire dans la poussière du jardin, comme un paon, dédaigneux jusque de son plumage.

Ils étaient superbes, en s'éloignant ainsi, sous les rayons du soleil de midi, dans la majesté de leur entrelacement, ces deux êtres... Et voilà comme ils regagnèrent l'entrée de la grille du jardin et remontèrent dans un coupé, étincelant de cuivres et d'attelage, qui les attendait.

— Ils oublient l'univers ! — fis-je au docteur, qui comprit ma pensée.

— Ah ! ils s'en soucient bien de l'univers ! — répondit-il, de sa voix mordante. — Ils ne voient rien du tout dans la création, et, ce qui est bien plus fort, ils passent même auprès de leur médecin sans le voir.

— Quoi, c'est vous, docteur ! — m'écriai-je, — mais alors vous allez me dire ce qu'ils sont, mon cher docteur.

Le docteur fit ce qu'on appelle un temps, voulant faire un effet, car en tout il était rusé, le compère !

— Eh bien, c'est Philémon et Baucis, — me dit-il simplement. — Voilà !

— Peste ! — fis-je, — un Philémon et une Baucis d'une fière tournure et ressemblant peu à l'antique. Mais, docteur, ce n'est pas leur nom... Comment les appelez-vous ?

— Comment ! — répondit le docteur, — dans votre monde, où je ne vais point, vous n'avez jamais entendu parler du comte et de la comtesse Serlon de Savigny comme d'un modèle fabuleux d'amour conjugal ?

— Ma foi, non, — dis-je ; — on parle peu d'amour conjugal dans le monde où je vais, docteur.

— Hum ! hum ! c'est bien possible, — fit le docteur, répondant bien plus à sa pensée qu'à la mienne. — Dans ce monde-là, qui est aussi le leur, on se passe beaucoup de choses plus ou moins correctes. Mais, outre qu'ils ont une raison pour ne pas y aller, et qu'ils habitent presque toute l'année leur vieux château de Savigny, dans le Cotentin, il a couru autrefois de tels bruits sur eux, qu'au faubourg Saint-Germain, où l'on a encore un reste de solidarité nobiliaire, on aime mieux se taire que d'en parler.

— Et quels étaient ces bruits ?... Ah ! voilà que vous m'intéressez, docteur ! Vous devez en savoir quelque chose. Le château de Savigny n'est pas très loin de la ville de V..., où vous avez été médecin.

— Eh ! ces bruits... — dit le docteur (il prit pensivement une prise de tabac). — Enfin, on les a crus faux ! Tout ça est passé... Mais, malgré tout, quoique les mariages d'inclination et les bonheurs qu'ils donnent soient en province l'idéal de toutes les mères de famille, romanesques et vertueuses, elles n'ont pas pu beaucoup, — celles que j'ai connues, — parler à mesdemoiselles leurs filles de celui-là !

— Et, cependant, Philémon et Baucis, disiez-vous, docteur ?...

— Baucis ! Baucis ! Hum ! Monsieur... — interrompit le docteur Torty, en passant brusquement son index en crochet sur toute la longueur de son nez de perroquet (un de ses gestes), ne trouvez-vous pas, voyons, qu'elle a moins l'air d'une Baucis que d'une lady Macbeth, cette gaillarde-là[1] ?...

— Docteur, mon cher et adorable docteur, — repris-je, avec toutes sortes de câlineries dans la voix, — vous allez me dire tout ce que vous savez du comte et de la comtesse de Savigny ?...

— Le médecin est le confesseur des temps modernes, — fit le docteur, avec un ton solennellement goguenard. — Il a remplacé le prêtre, monsieur, et il est obligé au secret de la confession comme le prêtre...

Il me regarda malicieusement, car il connaissait mon respect et mon amour pour les choses du catholicisme, dont il était l'ennemi. Il cligna l'œil. Il me crut attrapé.

— Et il va le tenir... comme le prêtre ! — ajouta-t-il, avec éclat, et en riant de son rire le plus cynique. — Venez par ici. Nous allons causer.

Et il m'emmena dans la grande allée d'arbres qui borde, par ce côté, le Jardin des Plantes et le boulevard de l'Hôpital... Là, nous nous assîmes sur un banc à dossier vert, et il commença[2] :

« Mon cher, c'est là une histoire qu'il faut aller chercher déjà loin, comme une balle perdue sous des chairs revenues ; car l'oubli, c'est comme une chair de choses vivantes qui se reforme par-dessus les événements et qui empêche d'en voir rien, d'en soupçonner rien au bout d'un certain temps, même la place. C'était dans les premières années qui suivirent la Restauration. Un régiment de la Garde passa par la ville de V... ; et, ayant été obligés d'y rester deux jours pour je ne sais quelle raison militaire, les officiers de ce régiment s'avisèrent de donner un

assaut d'armes, en l'honneur de la ville. La ville, en
effet, avait bien tout ce qu'il fallait pour que ces
officiers de la Garde lui fissent honneur et fête. Elle
était, comme on disait alors, — plus royaliste que le
Roi. Proportion gardée avec sa dimension (ce n'est
guère qu'une ville de cinq à six mille âmes), elle foi-
sonnait de noblesse. Plus de trente jeunes gens de
ses meilleures familles servaient alors, soit aux Gar-
des-du-Corps, soit à ceux de Monsieur, et les officiers
du régiment en passage à V... les connaissaient
presque tous. Mais, la principale raison qui décida
de cette martiale fête d'un assaut, fut la réputation
d'une ville qui s'était appelée « *la bretteuse* » et qui
était encore, dans ce moment-là, la ville la plus
bretteuse de France. La Révolution de 1789 avait eu
beau enlever aux nobles le droit de porter l'épée, à
V... ils prouvaient que s'ils ne la portaient plus, ils
pouvaient toujours s'en servir. L'assaut donné par
les officiers fut très brillant. On y vit accourir toutes
les fortes lames du pays, et même tous les amateurs, plus jeunes d'une génération, qui n'avaient pas
cultivé, comme on le cultivait autrefois, un art aussi
compliqué et aussi difficile que l'escrime ; et tous
montrèrent un tel enthousiasme pour ce maniement
de l'épée, la gloire de nos pères, qu'un ancien prévôt
du régiment, qui avait fait trois ou quatre fois son
temps et dont le bras était couvert de chevrons,
s'imagina que ce serait une bonne place pour y finir
ses jours qu'une salle d'armes qu'on ouvrirait à V... ;
et le colonel, à qui il communiqua et qui approuva
son dessein, lui délivra son congé et l'y laissa. Ce prévôt, qui s'appelait Stassin en son nom de famille, et
La Pointe-au-corps en son surnom de guerre, avait
eu là tout simplement une idée de génie. Depuis
longtemps, il n'y avait plus à V... de salle d'armes
correctement tenue ; et c'était même une de ces

choses dont on ne parlait qu'avec mélancolie entre
ces nobles, obligés de donner eux-mêmes des leçons
à leurs fils ou de les leur faire donner par quelque
compagnon revenu du service, qui savait à peine ou
qui savait mal ce qu'il enseignait. Les habitants de
V... se piquaient d'être difficiles. Ils avaient réellement le feu sacré. Il ne leur suffisait pas de tuer leur
homme ; ils voulaient le tuer savamment et artiste-
ment, par principes. Il fallait, avant tout, pour eux,
qu'un homme, comme ils disaient, fût beau sous les
armes, et ils n'avaient qu'un profond mépris pour
ces robustes maladroits, qui peuvent être très dangereux sur le terrain, mais qui ne sont pas au strict
et vrai mot, ce qu'on appelle « des tireurs ». *La Pointe-
au-corps*, qui avait été un très bel homme dans sa
jeunesse, et qui l'était encore, — qui, au camp de
Hollande, et bien jeune alors, avait battu à plate
couture tous les autres prévôts et remporté un prix de
deux fleurets et de deux masques montés en argent,
— était, lui, justement un de ces tireurs comme les
écoles n'en peuvent produire, si la nature ne leur a
préparé d'exceptionnelles organisations. Naturellement, il fut l'admiration de V..., et bientôt mieux.
Rien n'égalise comme l'épée. Sous l'ancienne monar-
chie, les rois anoblissaient les hommes qui leur
apprenaient à la tenir. Louis XV, si je m'en souviens
bien, n'avait-il pas donné à Danet, son maître, qui
nous a laissé un livre sur l'escrime, quatre de ses
fleurs de lys, entre deux épées croisées, pour mettre
dans son écusson ?... Ces gentilshommes de province, qui sentaient encore à plein nez leur monar-
chie, furent en peu de temps de pair à compagnon
avec le vieux prévôt, comme s'il eût été l'un des leurs.

» Jusque-là, c'était bien, et il n'y avait qu'à féli-
citer Stassin, dit *La Pointe-au-corps*, de sa bonne
fortune ; mais, malheureusement, ce vieux prévôt

n'avait pas qu'un cœur de maroquin rouge sur le plastron capitonné de peau blanche dont il couvrait sa poitrine, quand il donnait magistralement sa leçon... Il se trouva qu'il en avait un autre par-dessous, lequel se mit à faire des siennes dans cette ville de V..., où il était venu chercher le havre de grâce de sa vie. Il paraît que le cœur d'un soldat est toujours fait avec de la poudre. Or, quand le temps a séché la poudre, elle n'en prend que mieux. À V..., les femmes sont si généralement jolies, que l'étincelle était partout pour la poudre séchée de mon vieux prévôt. Aussi, son histoire se termina-t-elle comme celle d'un grand nombre de vieux soldats. Après avoir roulé dans toutes les contrées de l'Europe, et pris le menton et la taille de toutes les filles que le diable avait mises sur son chemin, l'ancien soldat du premier Empire consomma sa dernière fredaine en épousant, à cinquante ans passés, avec toutes les formalités et les sacrements de la chose, — à la municipalité et à l'église, — une grisette de V... ; laquelle, bien entendu — je connais les grisettes de ce pays-là ; j'en ai assez accouché pour les connaî-tre ! — lui campa un enfant, bel et bien au bout de ses neuf mois, jour pour jour ; et cet enfant, qui était une fille, n'est rien moins, mon cher, que la femme à l'air de déesse qui vient de passer, en nous frisant insolemment du vent de sa robe, et sans prendre plus garde à nous que si nous n'avions pas été là !

— La comtesse de Savigny ! — m'écriai-je.

— Oui, la comtesse de Savigny, tout au long, elle-même ! Ah ! il ne faut pas regarder aux origines, pas plus pour les femmes que pour les nations ; il ne faut regarder au berceau de personne. Je me rappelle avoir vu à Stockholm celui de Charles XII, qui res-semblait à une mangeoire de cheval grossièrement coloriée en rouge, et qui n'était pas même d'aplomb sur ses quatre piquets. C'est de là qu'il était sorti, cette tempête ! Au fond, tous les berceaux sont des cloaques dont on est obligé de changer le linge plusieurs fois par jour ; et cela n'est jamais poétique, pour ceux qui croient à la poésie, que lorsque l'enfant n'y est plus. »

Et, pour appuyer son axiome, le docteur, à cette place de son récit, frappa sa cuisse d'un de ses gants de daim, qu'il tenait par le doigt du milieu ; et le daim claqua sur la cuisse, de manière à prouver à ceux qui comprennent la musique que le bonhomme était encore rudement musclé.

Il attendit. Je n'avais pas à le contrarier dans sa philosophie. Voyant que je ne disais rien, il continua :

« Comme tous les vieux soldats, du reste, qui aiment jusqu'aux enfants des autres, *La Pointe-au-corps* dut raffoler du sien. Rien d'étonnant à cela. Quand un homme déjà sur l'âge a un enfant, il l'aime mieux que s'il était jeune, car la vanité, qui double tout, double aussi le sentiment paternel. Tous les vieux roquentins que j'ai vus, dans ma vie, avoir tardivement un enfant, adoraient leur progéniture, et ils en étaient comiquement fiers comme d'une action d'éclat. Persuasion de jeunesse, que la nature, qui se moquait d'eux, leur coulait au cœur ! Je ne connais qu'un bonheur plus grisant et une fierté plus drôle : c'est quand, au lieu d'un enfant, un vieillard, d'un coup, en fait deux ! *La Pointe-au-corps* n'eut pas cet orgueil paternel de deux jumeaux ; mais il est vrai de dire qu'il y avait de quoi tailler deux enfants dans le sien. Sa fille — vous venez de la voir ; vous savez donc si elle a tenu ses promesses ! — était un merveilleux enfant pour la force et la beauté. Le premier soin du vieux prévôt fut de lui chercher un parrain parmi tous ces nobles, qui hantaient perpétuellement sa salle d'armes ; et il choisit, entre tous, le comte d'Avice, le doyen de tous ces batteurs de fer et de pavé, qui, pendant l'émigration, avait été lui-même prévôt à Londres, à plusieurs guinées la leçon. Le comte d'Avice de Sortôville-en-Beaumont, déjà chevalier de Saint-Louis et capitaine de dragons avant la Révolution, — pour le moins, alors, septuagénaire, — *boutonnait* encore les jeunes gens et leur donnait ce qu'on appelle, en termes de salle, « de superbes *capotes* ». C'était un vieux narquois, qui avait des railleries en action féroces. Ainsi, par exemple, il aimait à passer son carrelet à la flamme d'une bougie, et quand il en avait, de cette façon, durci la lame, il appelait ce dur fleuret, — qui ne pliait plus et vous cassait le sternum ou les côtes, lorsqu'il vous touchait, — du nom insolent de « chasse-coquin ». Il prisait beaucoup *La Pointe-au-corps*, qu'il tutoyait. « La fille d'un homme comme toi — lui disait-il — ne doit se nommer que comme l'épée d'un preux. Appelons-la Haute-Claire ! » Et ce fut le nom qu'il lui donna. Le curé de V... fit bien un peu la grimace à ce nom inaccoutumé, que n'avaient jamais entendu les fonts de son église ; mais, comme le parrain était monsieur le comte d'Avice et qu'il y aura toujours, malgré les libéraux et leurs piailleries, des accointances indestructibles entre la noblesse et le clergé ; comme, d'un autre côté, on voit dans le calendrier romain une sainte nommée Claire, le nom de l'épée d'Olivier passa à l'enfant, sans que la ville de V... s'en émût beaucoup. Un tel nom semblait annoncer une destinée. L'ancien prévôt, qui aimait son métier presque autant que sa fille, résolut de lui apprendre et de lui laisser son talent pour dot. Triste dot ! maigre pitance ! avec les mœurs modernes, que le pauvre diable de maître d'armes ne prévoyait pas ! Dès que l'enfant put donc se tenir debout, il commença de la plier aux exercices de l'escrime ; et comme c'était un marmot solide que cette fillette, avec des attaches et des articulations d'acier fin, il la développa d'une si étrange manière, qu'à dix ans, elle semblait en avoir déjà quinze, et qu'elle faisait admirablement sa partie avec son père et les plus forts tireurs de la ville de V... On ne parlait partout que de la petite Hauteclaire Stassin, qui, plus tard, devait devenir *Mademoiselle Hauteclaire Stassin*. C'était surtout, comme vous vous en doutez, de la part des jeunes demoiselles de la ville, dans la société de laquelle, tout bien qu'il fût avec les pères, la fille de Stassin, dit *La Pointe-au-corps*, ne pouvait décemment aller, une incroyable, ou plutôt une très croyable curiosité, mêlée de dépit et d'envie. Leurs pères et leurs frères en parlaient avec étonnement et admiration devant elles, et elles auraient voulu voir de près cette saint Georges femelle, dont la beauté, disaient-ils, égalait le talent d'escrime. Elles ne la voyaient que de loin et à distance. J'arrivais alors à V..., et j'ai été souvent le témoin de ces curiosités ardentes. *La Pointe-au-corps*, qui avait, sous l'Empire, servi dans les hussards, et qui, avec sa salle d'armes, gagnait gros d'argent, s'était permis d'acheter un cheval pour donner des leçons d'équitation à sa fille ; et comme il dressait aussi à l'année de jeunes chevaux pour les habitués de sa salle, il se promenait souvent à cheval, avec Hauteclaire, dans les routes qui rayonnent de la ville et qui l'environnent. Je les y ai rencontrés maintes fois, en revenant de mes visites de médecin, et c'est dans ces rencontres que je pus surtout juger de l'intérêt, prodigieusement enflammé, que cette grande jeune fille, si hâtivement développée, excitait dans les autres jeunes filles du pays. J'étais

toujours par voies et chemins en ce temps-là, et je
m'y croisais fréquemment avec les voitures de leurs
parents, allant en visite, avec elles, à tous les châteaux d'alentour. Eh bien ; vous ne pourrez jamais
vous figurer avec quelle avidité, et même avec quelle
impudence, je les voyais se pencher et se précipiter
aux portières dès que Mlle Hauteclaire Stassin apparaissait, trottant ou galopant dans la perspective
d'une route, brodequin à botte avec son père. Seulement, c'était à peu près inutile ; le lendemain,
c'étaient presque toujours des déceptions et des
regrets qu'elles m'exprimaient dans mes visites du
matin à leurs mères, car elles n'avaient jamais bien
vu que la tournure de cette fille, faite pour l'amazone,
et qui la portait comme vous — qui venez de la voir
— pouvez le supposer, mais dont le visage était toujours plus ou moins caché dans un voile gros bleu
trop épais[1]. Mlle Hauteclaire Stassin n'était guère
connue que des hommes de la ville de V... Toute la
journée le fleuret à la main, et la figure sous les
mailles de son masque d'armes qu'elle n'ôtait pas
beaucoup pour eux, elle ne sortait guère de la salle
de son père, qui commençait à s'enrudir et qu'elle
remplaçait souvent pour la leçon. Elle se montrait
très rarement dans la rue, — et les femmes comme il
faut ne pouvaient la voir que là, ou encore le dimanche à la messe ; mais, le dimanche à la messe, comme
dans la rue, elle était presque aussi masquée que
dans la salle de son père, la dentelle de son voile
noir étant encore plus sombre et plus serrée que les
mailles de son masque de fer. Y avait-il de l'affectation dans cette manière de se montrer ou de se
cacher, qui excitait les imaginations curieuses ?...
Cela était bien possible ; mais qui le savait ? qui pouvait le dire ? Et cette jeune fille, qui continuait le
masque par le voile, n'était-elle pas encore plus

impénétrable de caractère que de visage, comme la suite ne l'a que trop prouvé[1] ?

» Il est bien entendu, mon très cher, que je suis obligé de passer rapidement sur tous les détails de cette époque, pour arriver plus vite au moment où réellement cette histoire commence. Mlle Hauteclaire avait environ dix-sept ans. L'ancien beau, *La Pointe-au-corps*, devenu tout à fait un bonhomme, veuf de sa femme, et tué moralement par la Révolution de Juillet, laquelle fit partir les nobles en deuil pour leurs châteaux et vida sa salle, tracassait vainement ses gouttes qui n'avaient pas peur de ses *appels* du pied, et s'en allait au grand trot vers le cimetière. Pour un médecin qui avait le diagnostic, c'était sûr... Cela se voyait. Je ne lui en promettais pas pour longtemps, quand, un matin, fut amené à sa salle d'armes, — par le vicomte de Taillebois et le chevalier de Mesnilgrand, — un jeune homme du pays élevé au loin, et qui revenait habiter le château de son père, mort récemment. C'était le comte Serlon de Savigny, le *prétendu* (disait la ville de V... dans son langage de petite ville) de Mlle Delphine de Cantor. Le comte de Savigny était certainement un des plus brillants et des plus piaffants jeunes gens de cette époque de jeunes gens qui piaffaient tous, car il y avait (à V... comme ailleurs) de la vraie jeunesse, dans ce vieux monde. À présent, il n'y en a plus. On lui avait beaucoup parlé de la fameuse Hauteclaire Stassin, et il avait voulu voir ce miracle. Il la trouva ce qu'elle était, — une admirable jeune fille, piquante et provocante en diable dans ses chausses de soie tricotées, qui mettaient en relief ses formes de Pallas de Velletri, et dans son corsage de maroquin noir, qui pinçait, en craquant, sa taille robuste et découplée, — une de ces tailles que les Circassiennes n'obtiennent qu'en emprisonnant leurs jeunes filles dans une ceinture de cuir, que le développement seul de leur corps doit briser. Hauteclaire Stassin était sérieuse comme une Clorinde. Il la regarda donner sa leçon, et il lui demanda de croiser le fer avec elle. Mais il ne fut point le Tancrède de la situation, le comte de Savigny[1] ! Mlle Hauteclaire Stassin plia à plusieurs reprises son épée en faucille sur le cœur du beau Serlon, et elle ne fut pas touchée une seule fois.

« — On ne peut pas vous toucher, mademoiselle, — lui dit-il, avec beaucoup de grâce. — Serait-ce un augure[2] ?... »

» L'amour-propre, dans ce jeune homme, était-il, dès ce soir-là, vaincu par l'amour ?

» C'est à partir de ce soir-là, du reste, que le comte de Savigny vint, tous les jours, prendre une leçon d'armes à la salle de *La Pointe-au-corps*. Le château du comte n'était qu'à la distance de quelques lieues. Il les avait bientôt avalées, soit à cheval, soit en voiture, et personne ne le remarqua dans ce nid bavard d'une petite ville où l'on épinglait les plus petites choses du bout de la langue, mais où l'amour de l'escrime expliquait tout. Savigny ne fit de confidences à personne. Il évita même de venir prendre sa leçon aux mêmes heures que les autres jeunes gens de la ville. C'était un garçon qui ne manquait pas de profondeur, ce Savigny... Ce qui se passa entre lui et Hauteclaire, s'il se passa quelque chose, aucun, à cette époque, ne l'a su ou ne s'en douta. Son mariage avec Mlle Delphine de Cantor, arrêté par les parents des deux familles, il y avait des années, et trop avancé pour ne pas se conclure, s'accomplit trois mois après le retour du comte de Savigny ; et même ce fut là pour lui une occasion de vivre tout un mois à V..., près de sa fiancée, chez laquelle il passait, en coupe réglée, toutes les journées, mais d'où, le soir, il s'en allait très régulièrement prendre sa leçon...

» Comme tout le monde, Mlle Hauteclaire entendit, à l'église paroissiale de V..., proclamer les bans du comte de Savigny et de Mlle de Cantor ; mais, ni son attitude, ni sa physionomie, ne révélèrent qu'elle prît à ces déclarations publiques un intérêt quelconque. Il est vrai que nul des assistants ne se mit à l'affût pour l'observer. Les observateurs n'étaient pas nés encore sur cette question, qui sommeillait, d'une liaison possible entre Savigny et la belle Hauteclaire. Le mariage célébré, la comtesse alla s'établir à son château, fort tranquillement, avec son mari, lequel ne renonça pas pour cela à ses habitudes citadines et vint à la ville tous les jours. Beaucoup de châtelains des environs faisaient comme lui, d'ailleurs. Le temps s'écoula. Le vieux *La Pointe-au-corps* mourut. Fermée quelques instants, sa salle se rouvrit. Mlle Hauteclaire Stassin annonça qu'elle continuerait les leçons de son père ; et, loin d'avoir moins d'élèves par le fait de cette mort, elle en eut davantage. Les hommes sont tous les mêmes. L'étrangeté leur déplaît, d'homme à homme, et les blesse ; mais si l'étrangeté porte des jupes, ils en raffolent. Une femme qui fait ce que fait un homme, le ferait-elle beaucoup moins bien, aura toujours sur l'homme, en France, un avantage marqué. Or, Mlle Hauteclaire Stassin, pour ce qu'elle faisait, le faisait beaucoup mieux. Elle était devenue beaucoup plus forte que son père. Comme démonstratrice, à la leçon, elle était incomparable, et comme beauté de jeu, splendide. Elle avait des coups irrésistibles, — de ces coups qui ne s'apprennent pas plus que le coup d'archet ou le démanché du violon, et qu'on ne peut mettre, par enseignement, dans la main de personne. Je ferraillais un peu dans ce temps, comme tout ce monde dont j'étais entouré, et j'avoue qu'en ma qualité d'amateur, elle me charmait avec de certaines passes. Elle avait, entre autres, un dégagé de quarte en tierce qui ressemblait à de la magie. Ce n'était plus là une épée qui vous frappait, c'était une balle ! L'homme le plus rapide à la parade ne fouettait que le vent, même quand elle l'avait prévenu qu'elle allait dégager, et la botte lui arrivait, inévitable, au défaut de l'épaule et de la poitrine. On n'avait pas rencontré de fer ! J'ai vu des tireurs devenir fous de ce coup, qu'ils appelaient de l'escamotage, et ils en auraient avalé leur fleuret de fureur ! Si elle n'avait pas été femme, on lui aurait diablement cherché querelle pour ce coup-là. À un homme, il aurait rapporté vingt duels.

» Du reste, même à part ce talent phénoménal si peu fait pour une femme, et dont elle vivait noblement, c'était vraiment un être très intéressant que cette jeune fille pauvre, sans autre ressource que son fleuret, et qui, par le fait de son état, se trouvait mêlée aux jeunes gens les plus riches de la ville, parmi lesquels il y en avait de très mauvais sujets et de très fats, sans que sa fleur de bonne renommée en souffrît. Pas plus à propos de Savigny qu'à propos de personne, la réputation de Mlle Hauteclaire Stassin ne fut effleurée... « Il paraît pourtant que c'est une honnête fille », disaient les femmes comme il faut, — comme elles l'auraient dit d'une actrice. Et moi-même, puisque j'ai commencé à vous parler de moi, moi-même, qui me piquais d'observation, j'étais, sur le chapitre de la vertu de Hauteclaire, de la même opinion que toute la ville. J'allais quelquefois à la salle d'armes, et avant et après le mariage de M. de Savigny, je n'y avais jamais vu qu'une jeune fille grave, qui faisait sa fonction avec simplicité. Elle était, je dois le dire, très imposante, et elle avait mis tout le monde sur le pied du respect avec elle, n'étant, elle, ni familière, ni abandonnée avec qui que ce fût. Sa physionomie, extrêmement fière, et qui n'avait pas alors cette expression passionnée dont vous venez d'être si frappé, ne trahissait ni chagrin, ni préoccupation, ni rien enfin de nature à faire prévoir, même de la manière la plus lointaine, la chose étonnante qui, dans l'atmosphère d'une petite ville, tranquille et routinière, fit l'effet d'un coup de canon et cassa les vitres...

« Mademoiselle Hauteclaire Stassin a disparu ! »

» Elle avait disparu : pourquoi ?... comment ?... où était-elle allée ? On ne savait. Mais, ce qu'il y avait de certain, c'est qu'elle avait disparu. Ce ne fut d'abord qu'un cri, suivi d'un silence, mais le silence ne dura pas longtemps. Les langues partirent. Les langues, longtemps retenues, — comme l'eau dans une vanne et qui, l'écluse levée, se précipite et va faire tourner la roue du moulin avec furie, — se mirent à écumer et à bavarder sur cette disparition inattendue, subite, incroyable, que rien n'expliquait, car Mlle Hauteclaire avait disparu sans dire un mot ou laisser un mot à personne. Elle avait disparu, comme on disparaît quand on veut réellement disparaître, — ce n'étant pas disparaître que de laisser derrière soi une chose quelconque, grosse comme rien, dont les autres peuvent s'emparer pour expliquer qu'on a disparu. — Elle avait disparu de la plus radicale manière. Elle avait fait, non pas ce qu'on appelle *un trou à la lune*, car elle n'avait pas laissé plus une dette qu'autre chose derrière elle ; mais elle avait fait ce qu'on peut très bien appeler un trou dans le vent. Le vent souffla, et ne la rendit pas. Le moulin des langues, pour tourner à vide, n'en tourna par moins, et se mit à moudre cruellement cette réputation qui n'avait jamais donné barre sur elle. On la reprit alors, on l'épluscha, on la passa au crible, on la carda... Comment, et avec qui, cette fille si correcte et si fière s'en était-elle allée ?... Qui l'avait enlevée ? car, bien sûr, elle avait été enlevée... Nulle réponse à cela. C'était à rendre folle une petite ville de fureur, et, positivement, V... le devint. Que de motifs pour être en colère ! D'abord, ce qu'on ne savait pas, on le perdait. Puis, on perdait l'esprit sur le compte d'une jeune fille qu'on croyait connaître et qu'on ne connaissait pas, puisqu'on l'avait jugée incapable de disparaître *comme ça...* Puis, encore, on perdait une jeune fille qu'on avait cru voir vieillir ou se marier, comme les autres jeunes filles de la ville — internées dans cette case d'échiquier d'une ville de province, comme des chevaux dans l'entrepont d'un bâtiment. Enfin, on perdait, en perdant Mlle Stassin, qui n'était plus alors que *cette Stassin*, une salle d'armes célèbre à la ronde, qui était la distinction, l'ornement et l'honneur de la ville, sa cocarde sur l'oreille, son drapeau au clocher. Ah ! c'était dur, que toutes ces pertes ! Et que de raisons, en une seule, pour faire passer sur la mémoire de cette irréprochable Hauteclaire, le torrent plus ou moins fangeux de toutes les suppositions ! Aussi y passèrent-elles... Excepté quelques vieux hobereaux à l'esprit grand seigneur, qui, comme son parrain, le comte d'Avice, l'avaient vue enfant, et qui, d'ailleurs, ne s'émouvant pas de grand-chose, regardaient comme tout simple qu'elle eût trouvé une chaussure meilleure à son pied que cette sandale de maître d'armes qu'elle y avait mise, Hauteclaire Stassin, en disparaissant, n'eut personne pour elle. Elle avait, en s'en allant, offensé l'amour-propre de tous ; et même ce furent les jeunes gens qui lui gardèrent le plus rancune et s'acharnèrent le plus contre elle, parce qu'elle n'avait disparu avec aucun d'eux.

» Et ce fut longtemps leur grand grief et leur grande anxiété. Avec qui était-elle partie ?... Plusieurs de ces jeunes gens allaient tous les ans vivre un mois ou deux d'hiver à Paris, et deux ou trois d'entre eux prétendirent l'y avoir vue et reconnue, — au spectacle, — ou, aux Champs-Élysées, à cheval, — accompagnée ou seule, — mais ils n'en étaient pas bien sûrs. Ils ne pouvaient l'affirmer. C'était elle, et ce pouvait bien n'être pas elle ; mais la préoccupation y était... Tous, ils ne pouvaient s'empêcher de penser à cette fille, qu'ils avaient admirée et qui, en disparaissant, avait mis en deuil cette ville d'épée dont elle était la grande artiste, la *diva* spéciale, le rayon. Après que le rayon se fut éteint, c'est-à-dire, en d'autres termes, après la disparition de cette fameuse Hauteclaire, la ville de V... tomba dans la langueur de vie et la pâleur de toutes les petites villes qui n'ont pas un centre d'activité dans lequel les passions et les goûts convergent... L'amour des armes s'y affaiblit. Animée naguère par toute cette martiale jeunesse, la ville de V... devint triste. Les jeunes gens qui, quand ils habitaient leurs châteaux, venaient tous les jours ferrailler, échangèrent le fleuret pour le fusil. Ils se firent chasseurs et restèrent sur leurs terres ou dans leurs bois, le comte de Savigny comme tous les autres. Il vint de moins en moins à V..., et si je l'y rencontrai quelquefois, ce fut dans la famille de sa femme, dont j'étais le médecin. Seulement, ne soupçonnant d'aucune façon, à cette époque, qu'il pût y avoir quelque chose entre lui et cette Hauteclaire qui avait si brusquement disparu, je n'avais nulle raison pour lui parler de cette disparition subite, sur laquelle le silence, fils des langues fatiguées, commençait de s'étendre ; — et lui non plus ne me parlait jamais de Hauteclaire et des temps où nous nous étions rencontrés chez

elle, et ne se permettait de faire à ces temps-là, même
de loin, la moindre allusion.

— Je vous entends venir, avec vos *petits sabots de
bois*, — fis-je au docteur, en me servant d'une expression du pays dont il me parlait, et qui est le mien.
— C'était lui qui l'avait enlevée !

— Eh bien ! pas du tout, — dit le docteur ; — c'était
mieux que cela ! Vous ne vous douteriez jamais de
ce que c'était...

» Outre qu'en province, surtout, un enlèvement
n'est pas chose facile au point de vue du secret, le
comte de Savigny, depuis son mariage, n'avait pas
bougé de son château de Savigny.

» Il y vivait, au su de tout le monde, dans l'intimité d'un mariage qui ressemblait à une lune de
miel indéfiniment prolongée, — et comme tout se
cite et se cote en province, on le citait et on le cotait,
Savigny, comme un de ces maris qu'il faut brûler,
tant ils sont rares (plaisanterie de province), pour
en jeter la cendre sur les autres. Dieu sait combien
de temps j'aurais été dupe, moi-même, de cette
réputation, si, un jour, — plus d'un an après la disparition de Hauteclaire Stassin, — je n'avais été
appelé, en termes pressants, au château de Savigny,
dont la châtelaine était malade. Je partis immédiatement, et, dès mon arrivée, je fus introduit auprès
de la comtesse, qui était effectivement très souffrante
d'un mal vague et compliqué, plus dangereux qu'une
maladie sévèrement caractérisée. C'était une de ces
femmes de vieille race, épuisée, élégante, distinguée,
hautaine, et qui, du fond de leur pâleur et de leur
maigreur, semblent dire : « Je suis vaincue du temps,
comme ma race ; je me meurs, mais je vous
méprise ![1] » et, le diable m'emporte, tout plébéien
que je suis, et quoique ce soit peu philosophique, je
ne puis m'empêcher de trouver cela beau. La com-

tesse était couchée sur un lit de repos, dans une
espèce de parloir à poutrelles noires et à murs
blancs, très vaste, très élevé, et orné de choses d'art
ancien qui faisaient le plus grand honneur au goût
des comtes de Savigny. Une seule lampe éclairait
cette grande pièce, et sa lumière, rendue plus mystérieuse par l'abat-jour vert qui la voilait, tombait
sur le visage de la comtesse, aux pommettes incen-
diées par la fièvre. Il y avait quelques jours déjà
qu'elle était malade, et Savigny — pour la veiller
mieux — avait fait dresser un petit lit dans le parloir, auprès du lit de sa bien-aimée moitié. C'est
quand la fièvre, plus tenace que tous ses soins, avait
montré un acharnement sur lequel il ne comptait
pas, qu'il avait pris le parti de m'envoyer chercher.
Il était là, le dos au feu, debout, l'air sombre et
inquiet, à me faire croire qu'il aimait passionnément
sa femme et qu'il la croyait en danger. Mais l'inquiétude dont son front était chargé n'était pas pour
elle, mais pour une autre, que je ne soupçonnais
pas au château de Savigny, et dont la vue m'étonna
jusqu'à l'éblouissement. C'était Hauteclaire ! »

— Diable ! voilà qui est osé ! — dis-je au docteur.

— Si osé, — reprit-il, — que je crus rêver en la
voyant ! La comtesse avait prié son mari de sonner
sa femme de chambre, à qui elle avait demandé avant
mon arrivée une potion que je venais précisément
de lui conseiller ; — et, quelques secondes après, la
porte s'était ouverte :

« Eulalie, et ma potion ? — dit, d'un ton bref, la
comtesse impatiente.

» — La voici, Madame ! » fit une voix que je crus
reconnaître, et qui n'eut pas plutôt frappé mon oreille
que je vis émerger de l'ombre qui noyait le pourtour
profond du parloir, et s'avancer au bord du cercle
lumineux tracé par la lampe autour du lit, Haute-

claire Stassin ; — oui, Hauteclaire elle-même ! —
tenant, dans ses belles mains, un plateau d'argent
sur lequel fumait le bol demandé par la comtesse.
C'était à couper la respiration qu'une telle vue !
Eulalie !... Heureusement, ce nom d'Eulalie prononcé si naturellement me dit tout, et fut comme le
coup d'un marteau de glace qui me fit rentrer dans
un sang-froid que j'allais perdre, et dans mon attitude
passive de médecin et d'observateur. Hauteclaire,
devenue Eulalie et la femme de chambre de la comtesse de Savigny[1] !... Son déguisement — si tant est
qu'une femme pareille pût se déguiser — était complet. Elle portait le costume des grisettes de la ville
de V..., et leur coiffe qui ressemble à un casque, et
leurs longs tire-bouchons de cheveux tombant le
long des joues, — ces espèces de tire-bouchons que
les prédicateurs appelaient, dans ce temps-là, des
serpents, pour en dégoûter les jolies filles, sans avoir
jamais pu y parvenir. — Et elle était là-dessous
d'une beauté pleine de réserve, et d'une noblesse
d'yeux baissés, qui prouvait qu'elles font bien tout
ce qu'elles veulent de leurs satanés corps, ces couleuvres de femelles, quand elles ont le plus petit intérêt à cela... M'étant rattrapé du reste, et sûr de moi-
même comme un homme qui venait de se mordre
la langue pour ne pas laisser échapper un cri de
surprise, j'eus cependant la petite faiblesse de vouloir lui montrer, à cette fille audacieuse, que je la
reconnaissais ; et, pendant que la comtesse buvait
sa potion, le front dans son bol, je lui plantai, à elle,
mes deux yeux dans ses yeux, comme si j'y avais
enfoncé deux pattefiches ; mais ses yeux — de
biche, pour la douceur, ce soir-là — furent plus fer-
mes que ceux de la panthère, qu'elle vient, il n'y a
qu'un moment, de faire baisser. Elle ne sourcilla pas.
Un petit tremblement, presque imperceptible, avait

seulement passé dans les mains qui tenaient le plateau. La comtesse buvait très lentement, et quand
elle eut fini :

« — C'est bien, — dit-elle. — Remportez cela. »

» Et Hauteclaire-Eulalie se retourna, avec cette
tournure que j'aurais reconnue entre les vingt mille
tournures des filles d'Assuérus, et elle remporta le
plateau. J'avoue que je demeurai un instant sans
regarder le comte de Savigny, car je sentais ce que
mon regard pouvait être pour lui dans un pareil
moment ; mais quand je m'y risquai, je trouvai le
sien fortement attaché sur moi, et qui passait alors
de la plus horrible anxiété à l'expression de la délivrance. Il venait de voir que *j'avais vu*, mais il voyait
aussi que *je ne voulais rien voir* de ce que j'avais vu,
et il respirait. Il était sûr d'une impénétrable discrétion, qu'il expliquait probablement (mais cela m'était
bien égal !) par l'intérêt du médecin qui ne se souciait pas de perdre un client comme lui, tandis qu'il
n'y avait là que l'intérêt de l'observateur, qui ne
voulait pas qu'on lui fermât la porte d'une maison
où il y avait, à l'insu de toute la terre, de pareilles
choses à observer.

» Et je m'en revins, le doigt sur ma bouche, bien
résolu de ne souffler mot à personne de ce dont
personne dans le pays ne se doutait. Ah ! les plaisirs
de l'observateur ! ces plaisirs impersonnels et solitaires de l'observateur, que j'ai toujours mis au-dessus de tous les autres, j'allais pouvoir me les donner
en plein, dans ce coin de campagne, en ce vieux
château isolé, où, comme médecin, je pouvais venir
quand il me plairait... — Heureux d'être délivré
d'une inquiétude, Savigny m'avait dit : « Jusqu'à nou-
vel ordre, docteur, venez tous les jours. » Je pourrais
donc étudier, avec autant d'intérêt et de suite qu'une
maladie, le mystère d'une situation qui, racontée à

n'importe qui, aurait semblé impossible... Et comme déjà, dès le premier jour que je l'entrevis, ce mystère excita en moi la faculté ratiocinante, qui est le bâton d'aveugle du savant et surtout du médecin, dans la curiosité acharnée de leurs recherches, je commençai immédiatement de raisonner cette situation pour l'éclairer... Depuis combien de temps existait-elle ?... Datait-elle de la disparition de Hauteclaire ?... Y avait-il déjà plus d'un an que la chose durait et que Hauteclaire Stassin était femme de chambre chez la comtesse de Savigny ? Comment, excepté moi, qu'il avait bien fallu faire venir, personne n'avait-il vu ce que j'avais vu, moi, si aisément et si vite ?... Toutes questions qui montèrent à cheval et s'en vinrent, en croupe à V... avec moi, accompagnées de bien d'autres qui se levèrent et que je ramassai sur ma route. Le comte et la comtesse de Savigny, qui passaient pour s'adorer, vivaient, il est vrai, assez retirés de toute espèce de monde. Mais, enfin, une visite pouvait, de temps en temps, tomber au château. Il est vrai encore que si c'était une visite d'hommes, Hauteclaire pouvait ne pas paraître. Et si c'était une visite de femmes, ces femmes de V..., pour la plupart, ne l'avaient jamais assez bien vue pour la reconnaître, cette fille bloquée, pendant des années, par ses leçons, au fond d'une salle d'armes, et qui, aperçue de loin, à cheval ou à l'église, portait des voiles qu'elle épaississait à dessein, — car Hauteclaire (je vous l'ai dit) avait toujours eu cette fierté des êtres très fiers, que trop de curiosité offense, et qui se cachent d'autant plus qu'ils se sentent la cible de plus de regards. Quant aux gens de M. de Savigny, avec lesquels elle était bien obligée de vivre, s'ils étaient de V... ils ne la connaissaient pas, et peut-être n'en étaient-ils point... Et c'est ainsi que je répondais, tout en trottant, à ces premières questions, qui, au bout d'un certain temps et d'un certain chemin, rencontraient leurs réponses, et qu'avant d'être descendu de la selle, j'avais déjà construit tout un édifice de suppositions, plus ou moins plausibles, pour expliquer ce qui, à un autre qu'un raisonneur comme moi, aurait été inexplicable. La seule chose peut-être que je n'expliquais pas si bien, c'est que l'éclatante beauté de Hauteclaire n'eût pas été un obstacle à son entrée dans le service de la comtesse de Savigny, qui aimait son mari et qui devait en être jalouse. Mais, outre que les patriciennes de V..., aussi fières pour le moins que les femmes des paladins de Charlemagne, ne supposaient pas (grave erreur ; mais elles n'avaient pas lu *Le Mariage de Figaro* !) que la plus belle fille de chambre fût plus pour leurs maris que le plus beau laquais n'était pour elles, je finis par me dire, en quittant l'étrier, que la comtesse de Savigny avait ses raisons pour se croire aimée, et qu'après tout ce sacripant de Savigny était bien de taille, si le doute la prenait, à ajouter à ces raisons-là.

— Hum ! — fis-je sceptiquement au docteur, que je ne pus m'empêcher d'interrompre, — tout cela est bel et bon, mon cher docteur, mais n'ôtait pas à la situation son imprudence.

» Certes, non ! — répondit-il ; — mais, si c'était l'imprudence même qui fît la situation ? — ajouta ce grand connaisseur en nature humaine. — Il est des passions que l'imprudence allume, et qui, sans le danger qu'elles provoquent, n'existeraient pas. Au XVIᵉ siècle, qui fut un siècle aussi passionné que peut l'être une époque, la plus magnifique cause d'amour fut le danger même de l'amour. En sortant des bras d'une maîtresse, on risquait d'être poignardé ; ou le mari vous empoisonnait dans le manchon de sa femme, baisé par vous et sur lequel vous aviez fait toutes les bêtises d'usage ; et, bien loin d'épouvanter l'amour, ce danger incessant l'agaçait, l'allumait et le rendait irrésistible ! Dans nos plates mœurs modernes, où la loi a remplacé la passion, il est évident que l'article du Code qui s'applique au mari coupable d'avoir, — comme elle dit grossièrement, la loi, — introduit « la concubine dans le domicile conjugal », est un danger assez ignoble ; mais pour les âmes nobles, ce danger, de cela seul qu'il est ignoble, est d'autant plus grand ; et Savigny, en s'y exposant, y trouvait peut-être la seule anxieuse volupté qui enivre vraiment les âmes fortes[1].

» Le lendemain, vous pouvez le croire, — continua le docteur Torty, — j'étais au château de bonne heure ; mais ni ce jour, ni les suivants, je n'y vis rien qui ne fût le train de toutes les maisons où tout est normal et régulier. Ni du côté de la malade, ni du côté du comte, ni même du côté de la fausse Eulalie, qui faisait naturellement son service comme si elle avait été exclusivement élevée pour cela, je ne remarquai quoi que ce soit qui pût me renseigner sur le secret que j'avais surpris. Ce qu'il y avait de certain, c'est que le comte de Savigny et Hauteclaire Stassin jouaient la plus effroyablement impudente des comédies avec la simplicité d'acteurs consommés, et qu'ils s'entendaient pour la jouer. Mais ce qui n'était pas si certain, et ce que je voulais savoir d'abord, c'est si la comtesse était réellement leur dupe, et si, au cas où elle l'était, il serait possible qu'elle le fût longtemps. C'est donc sur la comtesse que je concentrai mon attention. J'eus d'autant moins de peine à la pénétrer qu'elle était ma malade, et, par le fait de sa maladie, le point de mire de mes observations. C'était, comme je vous l'ai dit, une vraie femme de V..., qui ne savait *rien de rien* que ceci : c'est qu'elle était noble, et qu'en dehors de la noblesse, le monde

n'était pas digne d'un regard... Le sentiment de leur
noblesse est la seule passion des femmes de V...
dans la haute classe, — dans toutes les classes, fort
peu passionnées. Mlle Delphine de Cantor, élevée
aux Bénédictines où, sans nulle vocation religieuse,
elle s'était horriblement ennuyée, en était sortie pour
s'ennuyer dans sa famille, jusqu'au moment où elle
épousa le comte de Savigny, qu'elle aima, ou crut
aimer, avec la facilité des jeunes filles ennuyées à
aimer le premier venu qu'on leur présente. C'était
une femme blanche, molle de tissus, mais dure d'os,
au teint de lait dans lequel eût surnagé du son, car
les petites taches de rousseur dont il était semé
étaient certainement plus foncées que ses cheveux,
d'un roux très doux. Quand elle me tendit son bras
pâle, veiné comme une nacre bleuâtre, un poignet
fin et de race, où le pouls à l'état normal battait languissamment, elle me fit l'effet d'être mise au monde
et créée pour être victime... pour être broyée sous
les pieds de cette fière Hauteclaire, qui s'était cour-
bée devant elle jusqu'au rôle de servante. Seulement,
cette idée, qui naissait d'abord en la regardant, était
contrariée par un menton qui se relevait, à l'extrémité de ce mince visage, un menton de Fulvie sur
les médailles romaines, égaré au bas de ce minois
chiffonné, et aussi par un front obstinément bombé,
sous ces cheveux sans rutilance. Tout cela finissait
par embarrasser le jugement. Pour les pieds de
Hauteclaire, c'est peut-être *de là* que viendrait l'obstacle ; — étant impossible qu'une situation comme
celle que j'entrevoyais dans cette maison, — de présent, tranquille, — n'aboutît pas à quelque éclat
affreux... En vue de cet éclat futur, je me mis donc
à ausculter doublement cette petite femme, qui ne
pouvait pas rester lettre close pour son médecin
bien longtemps. Qui confesse le corps tient vite le

cœur. S'il y avait des causes morales ou immorales
à la souffrance actuelle de la comtesse, elle aurait
beau se rouler en boule avec moi, et rentrer en elle
ses impressions et ses pensées, il faudrait bien
qu'elle les allongeât. Voilà ce que je me disais ; mais,
vous pouvez vous fier à moi, je la tournai et la
retournai vainement avec ma serre de médecin. Il
me fut évident, au bout de quelques jours, qu'elle
n'avait pas le moindre soupçon de la complicité de
son mari et de Hauteclaire dans le crime domestique dont sa maison était le silencieux et discret
théâtre... Était-ce, de sa part, défaut de sagacité ?
mutisme de sentiments jaloux ? Qu'était-ce ?... Elle
avait une réserve un peu hautaine avec tout le monde,
excepté avec son mari. Avec cette fausse Eulalie qui
la servait, elle était impérieuse, mais douce. Cela
peut sembler contradictoire. Cela ne l'est point. Cela
n'est que vrai. Elle avait le commandement bref,
mais qui n'élève jamais la voix, d'une femme faite
pour être obéie et qui est sûre de l'être... Elle l'était
admirablement. Eulalie, cette effrayante Eulalie, insi-
nuée, glissée chez elle, je ne savais comment, l'enve-
loppait de ces soins qui s'arrêtent juste à temps
avant d'être une fatigue pour qui les reçoit, et montrait dans les détails de son service une souplesse et
une entente du caractère de sa maîtresse qui tenait
autant du génie de la volonté que du génie de l'intelligence... Je finis même par parler à la comtesse de
cette Eulalie, que je voyais si naturellement circuler
autour d'elle pendant mes visites, et qui me donnait
le froid dans le dos que donnerait un serpent qu'on
verrait se dérouler et s'étendre, sans faire le moindre bruit, en s'approchant du lit d'une femme endormie... Un soir que la comtesse lui demanda d'aller
chercher je ne sais plus quoi, je pris occasion de sa
sortie et de la rapidité, à pas légers, avec laquelle

elle l'exécuta, pour risquer un mot qui fît peut-être jour :

« — Quels pas de velours ! dis-je, en la regardant sortir. Vous avez là, madame la comtesse, une femme de chambre d'un bien agréable service, à ce que je crois. Me permettez-vous de vous demander où vous l'avez prise ? Est-ce qu'elle est de V..., par hasard, cette fille-là ?

» — Oui, elle me sert fort bien, répondit indifféremment la comtesse, qui se regardait alors dans un petit miroir à main, encadré dans du velours vert et entouré de plumes de paon, avec cet air impertinent qu'on a toujours quand on s'occupe de tout autre chose que de ce qu'on vous dit. J'en suis on ne peut plus contente. Elle n'est pas de V... ; mais vous dire d'où elle est, je n'en sais plus rien. Demandez à M. de Savigny, si vous tenez à le savoir, docteur, car c'est lui qui me l'a amenée quelque temps après notre mariage. Elle avait servi, me dit-il en me la présentant, chez une vieille cousine à lui, qui venait de mourir, et elle était restée sans place. Je l'ai prise de confiance, et j'ai bien fait. C'est une perfection de femme de chambre. Je ne crois pas qu'elle ait un défaut.

» — Moi, je lui en connais un, madame la comtesse, — dis-je en affectant la gravité.

» — Ah ! et lequel ? — fit-elle languissamment, avec le désintérêt de ce qu'elle disait, et en regardant toujours dans sa petite glace, où elle étudiait attentivement ses lèvres pâles.

» — Elle est trop belle, — dis-je ; — elle est réellement trop belle pour une femme de chambre. Un de ces jours, on vous l'enlèvera.

» — Vous croyez ? — fit-elle, toujours se regardant, et toujours distraite de ce que je disais.

» — Et ce sera, peut-être, un homme comme il faut

et de votre monde qui s'en amourachera, madame la comtesse ! Elle est assez belle pour tourner la tête à un duc. »

» Je prenais la mesure de mes paroles tout en les prononçant. C'était là un coup de sonde ; mais si je ne rencontrais rien, je ne pouvais pas en donner un de plus.

» — Il n'y a pas de duc à V..., — répondit la comtesse, dont le front resta aussi poli que la glace qu'elle tenait à la main. Et, d'ailleurs, toutes ces filles-là, docteur, ajouta-t-elle en lissant un de ses sourcils, quand elles veulent partir, ce n'est pas l'affection que vous avez pour elles qui les en empêche. Eulalie a le service charmant, mais elle abuserait comme les autres de l'affection que l'on aurait pour elle, et je me garde bien de m'y attacher. »

» Et il ne fut plus question d'Eulalie ce jour-là. La comtesse était absolument abusée. Qui ne l'aurait été, du reste ? Moi-même, — qui de prime abord l'avais reconnue, cette Hauteclaire vue tant de fois, à une simple longueur d'épée, dans la salle d'armes de son père, — il y avait des moments où j'étais tenté de croire à Eulalie. Savigny avait beaucoup moins qu'elle, lui qui aurait dû l'avoir davantage, la liberté, l'aisance, le naturel dans le mensonge ; mais elle ! ah ! elle s'y mouvait et elle y vivait comme le plus flexible des poissons vit et se meut dans l'eau. Il fallait, certes, qu'elle l'aimât, et l'aimât étrangement, pour faire ce qu'elle faisait, pour avoir tout planté là d'une existence exceptionnelle, qui pouvait flatter sa vanité en fixant sur elle les regards d'une petite ville, — pour elle l'univers, — où plus tard elle pouvait trouver, parmi les jeunes gens, ses admirateurs et ses adorateurs, quelqu'un qui l'épouserait par amour et la ferait entrer dans cette société plus élevée, dont elle ne connaissait que les hommes. Lui, l'aimant, jouait certainement moins gros jeu qu'elle. Il avait, en dévouement, la position inférieure. Sa fierté d'homme devait souffrir de ne pouvoir épargner à sa maîtresse l'indignité d'une situation humiliante. Il y avait même, dans tout cela, une inconséquence avec le caractère impétueux qu'on attribuait à Savigny. S'il aimait Hauteclaire au point de lui sacrifier sa jeune femme, il aurait pu l'enlever et aller vivre avec elle en Italie, — cela se faisait déjà très bien en ce temps-là ! — sans passer par les abominations d'un concubinage honteux et caché. Était-ce donc lui qui aimait le moins ?... Se laissait-il plutôt aimer par Hauteclaire, plus aimer par elle qu'il ne l'aimait ?... Était-ce elle qui, d'elle-même, était venue le forcer jusque dans les gardes du domicile conjugal ? Et lui, trouvant la chose audacieuse et piquante, laissait-il faire cette Putiphar d'une espèce nouvelle, qui, à toute heure, lui avivait la tentation ?... Ce que je voyais ne me renseignait pas beaucoup sur Savigny et Hauteclaire... Complices — ils l'étaient bien, parbleu ! — dans un adultère quelconque ; mais les sentiments qu'il y avait au fond de cet adultère, quels étaient-ils ?... Quelle était la situation respective de ces deux êtres l'un vis-à-vis de l'autre ?... Cette inconnue de mon algèbre, je tenais à la dégager[1]. Savigny était irréprochable pour sa femme ; mais lorsque Hauteclaire-Eulalie était là, il avait, pour moi qui l'ajustais du coin de l'œil, des précautions qui attestaient un esprit bien peu tranquille. Quand, dans le tous-les-jours de la vie, il demandait un livre, un journal, un objet quelconque à la femme de chambre de sa femme, il avait des manières de prendre cet objet qui eussent tout révélé à une autre femme que cette petite pensionnaire, élevée aux Bénédictines, et qu'il avait épousée... On voyait que sa main avait peur de rencontrer celle de Hau-

teclaire, comme si, la touchant par hasard, il lui
eût été impossible de ne pas la prendre. Hauteclaire
n'avait point de ces embarras, de ces précautions
épouvantées... Tentatrice comme elles le sont toutes, qui tenteraient Dieu dans son ciel, s'il y en avait
un, et le Diable dans son enfer, elle semblait vouloir
agacer, tout ensemble, et le désir et le danger. Je la
vis une ou deux fois, — le jour où ma visite tombait
pendant le dîner, que Savigny faisait pieusement
auprès du lit de sa femme. C'était elle qui servait,
les autres domestiques n'entrant point dans l'appartement de la comtesse. Pour mettre les plats sur la
table, il fallait se pencher un peu par-dessus l'épaule
de Savigny, et je la surpris qui, en les y mettant,
frottait des pointes de son corsage la nuque et les
oreilles du comte, qui devenait tout pâle... et qui
regardait si sa femme ne le regardait pas. Ma foi !
j'étais jeune encore dans ce temps, et le tapage des
molécules dans l'organisation, qu'on appelle la violence des sensations, me semblait la seule chose qui
valût la peine de vivre. Aussi m'imaginais-je qu'il
devait y avoir de fameuses jouissances dans ce concubinage caché avec une fausse servante, sous les
yeux affrontés d'une femme qui pouvait tout deviner. Oui, le concubinage dans la maison conjugale,
comme dit ce vieux Prudhomme de Code, c'est à ce
moment-là que je le compris !

» Mais excepté les pâleurs et les transes réprimées
de Savigny, je ne voyais rien du roman qu'ils faisaient entre eux, en attendant le drame et la catastrophe... selon moi inévitables. Où en étaient-ils
tous les deux ? C'était là le secret de leur roman,
que je voulais arracher. Cela me prenait la pensée
comme la griffe de sphinx d'un problème, et cela
devint si fort que, de l'observation, je tombai dans
l'espionnage, qui n'est que de l'observation à tout

prix. Hé hé ! un goût vif, bientôt nous déprave... Pour savoir ce que j'ignorais, je me permis bien de petites bassesses, très indignes de moi, et que je jugeais telles, et que je me permis néanmoins. Ah ! l'habitude de la sonde, mon cher ! Je la jetais partout. Lorsque, dans mes visites au château, je mettais mon cheval à l'écurie, je faisais jaser les domestiques sur les maîtres, sans avoir l'air d'y toucher. Je mouchardais (oh ! je ne m'épargne pas le mot) pour le compte de ma propre curiosité. Mais les domestiques étaient tout aussi trompés que la comtesse. Ils prenaient Hauteclaire de très bonne foi pour une des leurs, et j'en aurais été pour mes frais de curiosité sans un hasard qui, comme toujours, en fit plus, en une fois, que toutes mes combinaisons, et m'en apprit plus que tous mes espionnages.

» Il y avait plus de deux mois que j'allais voir la comtesse, dont la santé ne s'améliorait pas et présentait de plus en plus les symptômes de cette débilitation si commune maintenant, et que les médecins de ce temps énervé ont appelée du nom d'anémie. Savigny et Hauteclaire continuaient de jouer, avec la même perfection, la très difficile comédie que mon arrivée et ma présence en ce château n'avaient pas déconcertée. Néanmoins, on eût dit qu'il y avait un peu de fatigue dans les acteurs. Serlon avait maigri, et j'avais entendu dire à V... : « Quel bon mari que ce M. de Savigny ! Il est déjà tout changé de la maladie de sa femme. Quelle belle chose donc que de s'aimer ! » Hauteclaire, à la beauté immobile, avait les yeux battus, pas battus comme on les a quand ils ont pleuré, car ces yeux-là n'ont peut-être jamais pleuré de leur vie ; mais ils l'étaient comme quand on a beaucoup veillé, et n'en brillaient que plus ardents, du fond de leur cercle violâtre. Cette maigreur de Savigny, du reste, et ces yeux cernés de

Hauteclaire, pouvaient venir d'autre chose que de la vie compressive qu'ils s'étaient imposée. Ils pouvaient venir de tant de choses, dans ce milieu souterrainement volcanisé ! J'en étais à regarder ces marques trahissantes à leurs visages, m'interrogeant tout bas et ne sachant trop que me répondre, quand un jour, étant allé faire ma tournée de médecin dans les alentours, je revins le soir par Savigny. Mon intention était d'entrer au château, comme à l'ordinaire ; mais un accouchement très laborieux d'une femme de la campagne m'avait retenu fort tard, et, quand je passai par le château, l'heure était beaucoup trop avancée pour que j'y pusse entrer. Je ne savais pas même l'heure qu'il était. Ma montre de chasse s'était arrêtée. Mais la lune, qui avait commencé de descendre de l'autre côté de sa courbe dans le ciel, marquait, à ce vaste cadran bleu, un peu plus de minuit, et touchait presque, de la pointe inférieure de son croissant, la pointe des hauts sapins de Savigny, derrière lesquels elle allait disparaître...

» ... Êtes-vous allé parfois à Savigny ? — fit le docteur, en s'interrompant tout à coup et en se tournant vers moi. — Oui, — reprit-il, à mon signe de tête. — Eh bien ! vous savez qu'on est obligé d'entrer dans ce bois de sapins et de passer le long des murs du château, qu'il faut doubler comme un cap, pour prendre la route qui mène directement à V... Tout à coup, dans l'épaisseur de ce bois noir où je ne voyais goutte de lumière ni n'entendais goutte de bruit, voilà qu'il m'en arriva un à l'oreille que je pris pour celui d'un battoir, — le battoir de quelque pauvre femme, occupée le jour aux champs, et qui profitait du clair de lune pour laver son linge à quelque lavoir ou à quelque fossé... Ce ne fut qu'en avançant vers le château, qu'à ce claquement régu-

lier se mêla un autre bruit qui m'éclaira sur la nature
du premier. C'était un cliquetis d'épées qui se croi-
sent, et se frottent, et s'agacent. Vous savez comme
on entend tout dans le silence et l'air fin des nuits,
comme les moindres bruits y prennent des précisions de distinctibilité singulière ! J'entendais, à ne
pouvoir m'y méprendre, le froissement animé du
fer. Une idée me passa dans l'esprit ; mais, quand je
débouchai du bois de sapins du château, blêmi par
la lune, et dont une fenêtre était ouverte :

« — Tiens ! — fis-je, admirant la force des goûts
et des habitudes, — voilà donc toujours leur manière
de faire l'amour ! »

» Il était évident que c'était Serlon et Hauteclaire
qui faisaient des armes à cette heure. On entendait
les épées comme si on les avait vues. Ce que j'avais
pris pour le bruit des battoirs c'étaient les *appels du
pied* des tireurs. La fenêtre ouverte l'était dans le
pavillon le plus éloigné, des quatre pavillons, de celui
où se trouvait la chambre de la comtesse. Le château endormi, morne et blanc sous la lune, était
comme une chose morte... Partout ailleurs que dans
ce pavillon, choisi à dessein, et dont la porte-fenê-
tre, ornée d'un balcon, donnait sous des persiennes
à moitié fermées, tout était silence et obscurité ;
mais c'était de ces persiennes, à moitié fermées et
zébrées de lumière sur le balcon, que venait ce double bruit des appels du pied et du grincement des
fleurets. Il était si clair, il arrivait si net à l'oreille,
que je préjugeai avec raison, comme vous allez voir,
qu'ayant très chaud (on était en juillet), ils avaient
ouvert la porte du balcon sous les persiennes. J'avais
arrêté mon cheval sur le bord du bois, écoutant leur
engagement qui paraissait très vif, intéressé par cet
assaut d'armes entre amants qui s'étaient aimés les
armes à la main et qui continuaient de s'aimer ainsi,

quand, au bout d'un certain temps, le cliquetis
des fleurets et le claquement des appels du pied
cessèrent[1]. Les persiennes de la porte vitrée du balcon furent poussées et s'ouvrirent, et je n'eus que le
temps, pour ne pas être aperçu dans cette nuit claire,
de faire reculer mon cheval dans l'ombre du bois de
sapins. Serlon et Hauteclaire vinrent s'accouder sur
la rampe en fer du balcon. Je les discernais à mer-
veille. La lune tomba derrière le petit bois, mais la
lumière d'un candélabre, que je voyais derrière eux
dans l'appartement, mettait en relief leur double sil-
houette. Hauteclaire était vêtue, si cela s'appelle
vêtue, comme je l'avais vue tant de fois, donnant ses
leçons à V..., lacée dans ce gilet d'armes de peau de
chamois qui lui faisait comme une cuirasse, et les
jambes moulées par ces chausses en soie qui en
prenaient si juste le contour musclé. Savigny portait à peu près le même costume. Sveltes et robustes
tous deux, ils apparaissaient sur le fond lumineux,
qui les encadrait, comme deux belles statues de la
Jeunesse et de la Force. Vous venez tout à l'heure
d'admirer dans ce jardin l'orgueilleuse beauté de l'un
et de l'autre, que les années n'ont pas détruite encore.
Eh bien ! aidez-vous de cela pour vous faire une
idée de la magnificence du couple que j'apercevais
alors, à ce balcon, dans ces vêtements serrés qui
ressemblaient à une nudité. Ils parlaient, appuyés à
la rampe, mais trop bas pour que j'entendisse leurs
paroles ; mais les attitudes de leurs corps les disaient
pour eux. Il y eut un moment où Savigny laissa
tomber passionnément son bras autour de cette
taille d'amazone qui semblait faite pour toutes les
résistances et qui n'en fit pas... Et, la fière Hauteclaire
se suspendant presque en même temps au cou de
Serlon, ils formèrent, à eux deux, ce fameux et
voluptueux groupe de Canova qui est dans toutes les

mémoires, et ils restèrent ainsi sculptés bouche à
bouche le temps, ma foi, de boire, sans s'interrompre et sans reprendre, au moins une bouteille de
baisers ! Cela dura bien soixante pulsations comp-
tées à ce pouls qui allait plus vite qu'à présent, et que
ce spectacle fit aller plus vite encore...

« Oh ! oh ! — fis-je, quand je débusquai de mon
bois et qu'ils furent rentrés, toujours enlacés l'un à
l'autre, dans l'appartement dont ils abaissèrent les
rideaux, de grands rideaux sombres. — Il faudra bien
qu'un de ces matins ils se confient à moi. Ce n'est
pas seulement eux qu'ils auront à cacher. » En voyant
ces caresses et cette intimité qui me révélaient tout,
j'en tirais, en médecin, les conséquences. Mais leur
ardeur devait tromper mes prévisions. Vous savez
comme moi que les êtres qui s'aiment trop (le cynique docteur dit un autre mot) ne font pas d'enfants.
Le lendemain matin, j'allai à Savigny. Je trouvai
Hauteclaire redevenue Eulalie, assise dans l'embrasure d'une des fenêtres du long corridor qui abou-
tissait à la chambre de sa maîtresse, une masse de
linge et de chiffons sur une chaise devant elle, occupée à coudre et à tailler là-dedans, elle, la tireuse
d'épée de la nuit ! S'en douterait-on ? pensai-je, en
l'apercevant avec son tablier blanc et ces formes
que j'avais vues, comme si elles avaient été nues,
dans le cadre éclairé du balcon, noyées alors dans
les plis d'une jupe qui ne pouvait pas les engloutir...
Je passai, mais sans lui parler, car je ne lui parlais
que le moins possible, ne voulant pas avoir avec elle
l'air de savoir ce que je savais et ce qui aurait peut-
être filtré à travers ma voix ou mon regard. Je me
sentais bien moins comédien qu'elle, et je me crai-
gnais... D'ordinaire, lorsque je passais le long de ce
corridor où elle travaillait toujours, quand elle n'était
pas de service auprès de la comtesse, elle m'enten-

dait si bien venir, elle était si sûre que c'était moi,
qu'elle ne relevait jamais la tête. Elle restait inclinée
sous son casque de batiste empesée, ou sous cette
autre coiffe normande qu'elle portait aussi à certains
jours, et qui ressemble au hennin d'Isabeau de
Bavière, les yeux sur son travail et les joues voilées
par ces longs tire-bouchons d'un noir bleu qui pen-
daient sur leur ovale pâle, n'offrant à ma vue que la
courbe d'une nuque estompée par d'épais frisons,
qui s'y tordaient comme les désirs qu'ils faisaient
naître[1]. Chez Hauteclaire, c'est surtout l'animal qui
est superbe. Nulle femme plus qu'elle n'eut peut-
être ce genre de beauté-là... Les hommes, qui, entre
eux, se disent tout, l'avaient bien souvent remarquée.
À V..., quand elle y donnait des leçons d'armes, les
hommes l'appelaient entre eux : Mademoiselle Ésaü...
Le Diable apprend aux femmes ce qu'elles sont, ou
plutôt elles l'apprendraient au Diable, s'il pouvait
l'ignorer... Hauteclaire, si peu coquette pourtant,
avait en écoutant, quand on lui parlait, des façons
de prendre et d'enrouler autour de ses doigts les
longs cheveux frisés et tassés à cette place du cou,
ces rebelles au peigne qui avait lissé le chignon, et
dont un seul suffit pour *troubler l'âme*, nous dit la
Bible[2]. Elle savait bien les idées que ce jeu faisait
naître ! Mais à présent, depuis qu'elle était femme
de chambre, je ne l'avais pas vue, une seule fois, se
permettre ce geste de la puissance jouant avec la
flamme, même en regardant Savigny.

» Mon cher, ma parenthèse est longue ; mais tout
ce qui vous fera bien connaître ce qu'était Hauteclaire
Stassin importe à mon histoire... Ce jour-là, elle fut
bien obligée de se déranger et de venir me montrer
son visage, car la comtesse la sonna et lui commanda
de me donner de l'encre et du papier dont j'avais
besoin pour une ordonnance, et elle vint. Elle vint,

le dé d'acier au doigt, qu'elle ne prit pas le temps
d'ôter, ayant piqué l'aiguille enfilée sur sa provocante poitrine, où elle en avait piqué une masse
d'autres pressées les unes contre les autres et l'embel-
lissant de leur acier. Même l'acier des aiguilles allait
bien à cette diablesse de fille, faite pour l'acier, et
qui, au Moyen Âge, aurait porté la cuirasse. Elle
se tint debout devant moi pendant que j'écrivais,
m'offrant l'écritoire avec ce noble et moelleux mouvement dans les avant-bras que l'habitude de faire
des armes lui avait donné plus qu'à personne. Quand
j'eus fini, je levai les yeux et je la regardai, pour ne
rien affecter, et je lui trouvai le visage fatigué de sa
nuit. Savigny, qui n'était pas là quand j'étais arrivé,
entra tout à coup. Il était bien plus fatigué qu'elle...
Il me parla de l'état de la comtesse, qui ne guérissait
pas. Il m'en parla comme un homme impatienté
qu'elle ne guérît pas. Il avait le ton amer, violent,
contracté de l'homme impatienté. Il allait et venait
en parlant. Je le regardais froidement, trouvant la
chose trop forte pour le coup, et ce ton napoléonien
avec moi un peu inconvenant. « Mais si je guérissais
ta femme, — pensai-je insolemment, — tu ne ferais
pas des armes et l'amour toute la nuit avec ta maîtresse. » J'aurais pu le rappeler au sentiment de la
réalité et de la politesse qu'il oubliait, lui planter sous
le nez, si cela m'avait plu, les sels anglais d'une bonne
réponse. Je me contentai de le regarder. Il devenait
plus intéressant pour moi que jamais, car il m'était
évident qu'il jouait plus que jamais la comédie. »

Et le docteur s'arrêta de nouveau. Il plongea son
large pouce et son index dans sa boîte d'argent guillo-
ché et aspira une prise de macoubac, comme il
avait l'habitude d'appeler pompeusement son tabac.
Il me parut si intéressant à son tour, que je ne lui fis
aucune observation et qu'il reprit, après avoir absorbé

sa prise et passé son doigt crochu sur la courbure de son avide nez en bec de corbin :

« Oh ! pour impatienté, il l'était réellement ; mais ce n'était point parce que sa femme ne guérissait pas, cette femme à laquelle il était si déterminément infidèle ! Que diable ! lui qui concubinait avec une servante dans sa propre maison, ne pouvait guère s'encolérer parce que sa femme ne guérissait pas ! Est-ce que, elle guérie, l'adultère n'eût pas été plus difficile ? Mais c'était vrai, pourtant, que la traînerie de ce mal sans bout le lassait, lui portait sur les nerfs. Avait-il pensé que ce serait moins long ? Et, depuis, lorsque j'y ai songé, si l'idée d'en finir vint à lui ou à elle, ou à tous les deux, puisque la maladie ou le médecin n'en finissait pas, c'est peut-être de ce moment-là…

— Quoi ! docteur, ils auraient donc ?… »

Je n'achevai pas, tant cela me coupait la parole, l'idée qu'il me donnait !

Il baissa la tête en me regardant, aussi tragique que la statue du Commandeur, quand elle accepte de souper.

« Oui ! — souffla-t-il lentement, d'une voix basse, répondant à ma pensée. — Au moins, à quelques jours de là, tout le pays apprit avec terreur que la comtesse était morte empoisonnée…

— Empoisonnée ! m'écriai-je.

— … Par sa femme de chambre, Eulalie, qui avait pris une fiole l'une pour l'autre et qui, disait-on, avait fait avaler à sa maîtresse une bouteille d'encre double, au lieu d'une médecine que j'avais prescrite. C'était possible, après tout, qu'une pareille méprise. Mais je savais, moi, qu'Eulalie, c'était Hauteclaire ! Mais je les avais vus, tous deux, faire le groupe de Canova, au balcon ! Le monde n'avait pas vu ce que j'avais vu. Le monde n'eut d'abord que l'impression

d'un accident terrible. Mais quand, deux ans après
cette catastrophe, on apprit que le comte Serlon de
Savigny épousait publiquement *la fille à Stassin*, —
car il fallut bien *déclencher* qui elle était, la fausse
Eulalie, — et qu'il allait la coucher dans les draps
chauds encore de sa première femme, Mlle Delphine
de Cantor, oh ! alors, ce fut un grondement de tonnerre de soupçons à voix basse, comme si on avait
eu peur de ce qu'on disait et de ce qu'on pensait. Seulement, au fond, personne ne savait. On ne savait
que la monstrueuse mésalliance, qui fit montrer au
doigt le comte de Savigny et l'isola comme un pes-
tiféré. Cela suffisait bien, du reste. Vous savez quel
déshonneur c'est, ou plutôt c'était, car les choses
ont bien changé aussi dans ce pays-là, que de dire
d'un homme : Il a épousé sa servante ! Ce déshonneur
s'étendit et resta sur Serlon comme une souillure.
Quant à l'horrible bourdonnement du crime soupçonné qui avait couru, il s'engourdit bientôt comme
celui d'un taon qui tombe lassé dans une ornière[1].
Mais il y avait cependant quelqu'un qui savait et qui
était sûr...

— Et ce ne pouvait être que vous, docteur ? —
interrompis-je.

— C'était moi, en effet, — reprit-il, — mais pas moi
tout seul. Si j'avais été seul pour savoir, je n'aurais
jamais eu que de vagues lueurs, pires que l'ignorance... Je n'aurais jamais été sûr, et, fit-il, en
s'appuyant sur les mots avec l'aplomb de la sécurité
complète : — je le suis !

» Et, écoutez bien comme je le suis ! » — ajouta-
t-il, en me prenant le genou avec ses doigts noueux,
comme avec une pince. Or, son histoire me pinçait
encore plus que ce système d'articulations de crabe
qui formait sa redoutable main.

« Vous vous doutez bien, — continua-t-il, — que

je fus le premier à savoir l'empoisonnement de la comtesse. Coupables ou non, il fallait bien qu'ils m'envoyassent chercher, moi qui étais le médecin. On ne prit pas la peine de seller un cheval. Un garçon d'écurie vint *à poil* et au grand galop me trouver à V..., d'où je le suivis, du même galop, à Savigny. Quand j'arrivai, — cela avait-il été calculé ? — il n'était plus possible d'arrêter les ravages de l'empoisonnement. Serlon, dévasté de physionomie, vint au-devant de moi dans la cour et me dit, au dégagé de l'étrier, comme s'il eût eu peur des mots dont il se servait :

« — Une domestique s'est trompée. (Il évitait de dire : Eulalie, que tout le monde nommait le lendemain.) Mais, docteur, ce n'est pas possible ! est-ce que l'encre double serait un poison ?...

» — Cela dépend des substances avec quoi elle est faite, — repartis-je. — Il m'introduisit chez la comtesse, épuisée de douleur, et dont le visage rétracté ressemblait à un peloton de fil blanc tombé dans de la teinture verte... Elle était effrayante ainsi. Elle me sourit affreusement de ses lèvres noires et de ce sourire qui dit à un homme qui se tait : « Je sais bien ce que vous pensez... » D'un tour d'œil je cherchai dans la chambre si Eulalie ne s'y trouvait pas. J'aurais voulu voir sa contenance à pareil moment. Elle n'y était point. Toute brave qu'elle fût, avait-elle eu peur de moi ?... Ah ! je n'avais encore que d'incertaines données...

» La comtesse fit un effort en m'apercevant et s'était soulevée sur son coude.

« — Ah ! vous voilà, docteur, — dit-elle ; — mais vous venez trop tard. Je suis morte. Ce n'est pas le médecin qu'il fallait envoyer chercher, Serlon, c'était le prêtre. Allez ! donnez des ordres pour qu'il vienne, et que tout le monde me laisse seule deux minutes avec le docteur. Je le veux ! »

» Elle dit ce : *Je le veux*, comme je ne le lui avais jamais entendu dire, — comme une femme qui avait ce front et ce menton dont je vous ai parlé.

» — Même moi ? — dit Savigny, faiblement.

» — Même vous, — fit-elle. Et elle ajouta, presque caressante : — Vous savez, mon ami, que les femmes ont surtout des pudeurs pour ceux qu'elles aiment. »

» À peine fut-il sorti, qu'un atroce changement se produisit en elle. De douce, elle devint fauve.

« — Docteur, — dit-elle d'une voix haineuse, — ce n'est pas un accident que ma mort, c'est un crime. Serlon aime Eulalie, et elle m'a empoisonnée ! Je ne vous ai pas cru quand vous m'avez dit que cette fille était trop belle pour une femme de chambre. J'ai eu tort. Il aime cette scélérate, cette exécrable fille qui m'a tuée. Il est plus coupable qu'elle, puisqu'il l'aime et qu'il m'a trahie pour elle. Depuis quelques jours, les regards qu'ils se jetaient des deux côtés de mon lit m'ont bien avertie. Et encore plus le goût horrible de cette encre avec laquelle ils m'ont empoisonnée !!... Mais j'ai tout bu, j'ai tout pris, malgré cet affreux goût, parce que j'étais bien aise de mourir ! Ne me parlez pas de contre-poison. Je ne veux d'aucun de vos remèdes. Je veux mourir.

» — Alors, pourquoi m'avez-vous fait venir, madame la comtesse ?...

» — Eh bien ! voici pourquoi, reprit-elle haletante... — C'est pour vous dire qu'ils m'ont empoisonnée, et pour que vous me donniez votre parole d'honneur de le cacher. Tout ceci va faire un éclat terrible. Il ne le faut pas. Vous êtes mon médecin, et on vous croira, vous, quand vous parlerez de cette méprise qu'ils ont inventée, quand vous direz que même je ne serais pas morte, que j'aurais pu être sauvée, si depuis longtemps ma santé n'avait été perdue. Voilà ce qu'il faut me jurer, docteur... »

» Et comme je ne répondais pas, elle vit ce qui s'élevait en moi. Je pensais qu'elle aimait son mari au point de vouloir le sauver. C'était l'idée qui m'était venue, l'idée naturelle et vulgaire, car il est des femmes tellement pétries pour l'amour et ses abnégations, qu'elles ne rendent pas le coup dont elles meurent. Mais la comtesse de Savigny ne m'avait jamais produit l'effet d'être une de ces femmes-là !

« — Ah ! ce n'est pas ce que vous croyez qui me fait vous demander de me jurer cela, docteur ! Oh ! non ! je hais trop Serlon en ce moment pour ne pas, malgré sa trahison, l'aimer encore... Mais je ne suis pas si lâche que de lui pardonner ! Je m'en irai de cette vie, jalouse de lui, et implacable. Mais il ne s'agit pas de Serlon, docteur, reprit-elle avec énergie, en me découvrant tout un côté de son caractère que j'avais entrevu, mais que je n'avais pas pénétré dans ce qu'il avait de plus profond. Il s'agit du comte de Savigny. Je ne veux pas, quand je serai morte, que le comte de Savigny passe pour l'assassin de sa femme. Je ne veux pas qu'on le traîne en cour d'assises, qu'on l'accuse de complicité avec une servante adultère et empoisonneuse ! Je ne veux pas que cette tache reste sur ce nom de Savigny, que j'ai porté. Oh ! s'il ne s'agissait que de lui, il est digne de tous les échafauds ! Mais lui, je lui mangerais le cœur ! Mais il s'agit de nous tous, les gens comme il faut du pays ! Si nous étions encore ce que nous devrions être, j'aurais fait jeter cette Eulalie dans une des oubliettes du château de Savigny, et il n'en aurait plus été question jamais ! Mais, à présent, nous ne sommes plus les maîtres chez nous. Nous n'avons plus notre justice expéditive et muette, et je ne veux pour rien des scandales et des publicités de la vôtre, docteur ; et j'aime mieux les laisser dans les bras l'un de l'autre, heureux et délivrés de moi, et mourir enragée comme je meurs, que de penser, en mourant, que la noblesse de V... aurait l'ignominie de compter un empoisonneur dans ses rangs[1]. »

» Elle parlait avec une vibration inouïe, malgré les tremblements saccadés de sa mâchoire qui claquait à briser ses dents. Je la reconnaissais, mais je l'apprenais encore ! C'était bien la fille noble qui n'était que cela, la fille noble plus forte, en mourant, que la femme jalouse. Elle mourait bien comme une fille de V..., la dernière ville noble de France ! Et touché de cela plus peut-être que je n'aurais dû l'être, je lui promis et je lui jurai, si je ne la sauvais pas, de faire ce qu'elle me demandait.

» Et je l'ai fait, mon cher. Je ne la sauvai pas. Je ne pus pas la sauver : elle refusa obstinément tout remède. Je dis ce qu'elle avait voulu, quand elle fut morte, et je persuadai... Il y a bien vingt-cinq ans de cela... À présent, tout est calmé, silencé, oublié, de cette épouvantable aventure. Beaucoup de contemporains sont morts. D'autres générations ignorantes, indifférentes, ont poussé sur leurs tombes, et la première parole que je dis de cette sinistre histoire, c'est à vous !

» Et encore, il a fallu ce que nous venons de voir pour vous la raconter. Il a fallu ces deux êtres, immuablement beaux, malgré le temps, immuablement heureux malgré leur crime, puissants, passionnés, absorbés en eux, passant aussi superbement dans la vie que dans ce jardin, semblables à deux de ces Anges d'autel qui s'enlèvent, unis dans l'ombre d'or de leurs quatre ailes ! »

J'étais épouvanté... « Mais, — fis-je, — si c'est vrai ce que vous me contez là, docteur, c'est un effroyable désordre dans la création que le bonheur de ces gens-là.

— C'est un désordre ou c'est un ordre, comme il vous plaira, — répondit le docteur Torty, cet athée absolu et tranquille aussi, comme ceux dont il parlait, mais c'est un fait. Ils sont heureux exceptionnellement, et insolemment heureux. Je suis bien vieux, et j'ai vu dans ma vie bien des bonheurs qui n'ont pas duré ; mais je n'ai vu que celui-là qui fût aussi profond, et qui dure toujours !

» Et croyez que je l'ai bien étudié, bien scruté, bien perscruté ! Croyez que j'ai bien cherché la petite bête dans ce bonheur-là ! Je vous demande pardon de l'expression, mais je puis dire que je l'ai pouillé... J'ai mis les deux pieds et les deux yeux aussi avant que j'ai pu dans la vie de ces deux êtres, pour voir s'il n'y avait pas à leur étonnant et révoltant bonheur un défaut, une cassure, si petite qu'elle fût, à quelque endroit caché ; mais je n'ai jamais rien trouvé qu'une félicité à faire envie, et qui serait une excellente et triomphante plaisanterie du Diable contre Dieu, s'il y avait un Dieu et un Diable ! Après la mort de la comtesse, je demeurai, comme vous le pensez bien, en bons termes avec Savigny. Puisque j'avais fait tant que de prêter l'appui de mon affirmation à la fable imaginée par eux pour expliquer l'empoisonnement, ils n'avaient pas d'intérêt à m'écarter, et moi j'en avais un très grand à connaître ce qui allait suivre, ce qu'ils allaient faire, ce qu'ils allaient devenir. J'étais horripilé, mais je bravais mes horripilations... Ce qui suivit, ce fut d'abord le deuil de Savigny, lequel dura les deux ans d'usage, et que Savigny porta de manière à confirmer l'idée publique qu'il était le plus excellent des maris, passés, présents et futurs[1]... Pendant ces deux ans, il ne vit absolument personne. Il s'enterra dans son

château avec une telle rigueur de solitude, que personne ne sut qu'il avait gardé à Savigny Eulalie, la
cause involontaire de la mort de la comtesse et qu'il
aurait dû, par convenance seule, mettre à la porte,
même dans la certitude de son innocence. Cette
imprudence de garder chez soi une telle fille, après
une telle catastrophe, me prouvait la passion insensée que j'avais toujours soupçonnée dans Serlon.
Aussi ne fus-je nullement surpris quand un jour, en
revenant d'une de mes tournées de médecin, je rencontrai un domestique sur la route de Savigny, à
qui je demandai des nouvelles de ce qui se passait
au château, et qui m'apprit qu'Eulalie *y était toujours*... À l'indifférence avec laquelle il me dit cela,
je vis que personne, parmi les gens du comte, ne se
doutait qu'Eulalie fût sa maîtresse. « Ils jouent toujours serré, — me dis-je. Mais pourquoi ne s'en vont-
ils pas du pays[1] ? Le comte est riche. Il peut vivre
grandement partout. Pourquoi ne pas filer avec
cette belle diablesse (en fait de diablesse, je croyais
à celle-là) qui, pour le mieux crocheter, a préféré
vivre dans la maison de son amant, au péril de tout,
que d'être sa maîtresse à V..., dans quelque logement
retiré où il serait allé bien tranquillement la voir en
cachette ? » Il y avait là un dessous que je ne comprenais pas. Leur délire, leur dévorement d'eux-
mêmes étaient-ils donc si grands qu'ils ne voyaient
plus rien des prudences et des précautions de la
vie ?... Hauteclaire, que je supposais plus forte de
caractère que Serlon, Hauteclaire, que je croyais
l'homme des deux dans leurs rapports d'amants,
voulait-elle rester dans ce château où on l'avait vue
servante et où l'on devait la voir maîtresse, et en restant, si on l'apprenait et si cela faisait un scandale,
préparer l'opinion à un autre scandale bien plus épouvantable, son mariage avec le comte de Savigny ?

Cette idée ne m'était pas venue à moi, si elle lui était venue à elle, en cet instant de mon histoire. Hauteclaire Stassin, fille de ce vieux pilier de salle d'armes, *La Pointe-au-corps*, — que nous avions tous vue, à V..., donner des leçons et *se fendre à fond* en pantalon collant, — comtesse de Savigny ! Allons donc ! Qui aurait cru à ce renversement, à cette fin du monde ? Oh ! pardieu, je croyais très bien, pour ma part, *in petto*, que le concubinage continuerait d'aller son train entre ces deux fiers animaux, qui avaient, au premier coup d'œil, reconnu qu'ils étaient de la même espèce et qui avaient osé l'adultère sous les yeux mêmes de la comtesse. Mais le mariage, le mariage effrontément accompli au nez de Dieu et des hommes, mais ce défi jeté à l'opinion de toute une contrée outragée dans ses sentiments et dans ses mœurs, j'en étais, d'honneur ! à mille lieues, et si loin que quand, au bout des deux ans du deuil de Serlon, la chose se fit brusquement, le coup de foudre de la surprise me tomba sur la tête comme si j'avais été un de ces imbéciles qui ne s'attendent jamais à rien de ce qui arrive, et qui, dans le pays, se mirent alors à piauler comme les chiens, fouettés dans la nuit, piaulent aux carrefours[1].

» Du reste, en ces deux ans du deuil de Serlon, si strictement observé et qui fut, quand on en vit la fin, si furieusement taxé d'hypocrisie et de bassesse, je n'allai pas beaucoup au château de Savigny... Qu'y serais-je allé faire ?... On s'y portait très bien, et jusqu'au moment peu éloigné peut-être où l'on m'enverrait chercher nuitamment, pour quelque accouchement qu'il faudrait bien cacher encore, on n'y avait pas besoin de mes services. Néanmoins, entre-temps, je risquais une visite au comte. Politesse doublée de curiosité éternelle. Serlon me recevait ici ou là, selon l'occurrence et où il était, quand

j'arrivais. Il n'avait pas le moindre embarras avec
moi. Il avait repris sa bienveillance. Il était grave.
J'avais déjà remarqué que les êtres heureux sont
graves. Ils portent en eux attentivement leur cœur,
comme un verre plein, que le moindre mouvement
peut faire déborder ou briser... Malgré sa gravité et
ses vêtements noirs, Serlon avait dans les yeux
l'incoercible expression d'une immense félicité. Ce
n'était plus l'expression du soulagement et de la
délivrance qui y brillait comme le jour où, chez sa
femme, il s'était aperçu que je reconnaissais Hauteclaire, mais que j'avais pris le parti de ne pas la reconnaître. Non, parbleu ! c'était bel et bien du bonheur !
Quoique, en ces visites cérémonieuses et rapides,
nous ne nous entretinssions que de choses superfi-
cielles et extérieures, la voix du comte de Savigny,
pour les dire, n'était pas la même voix qu'au temps
de sa femme. Elle révélait à présent, par la plénitude
presque chaude de ses intonations, qu'il avait peine à
contenir des sentiments qui ne demandaient qu'à
lui sortir de la poitrine. Quant à Hauteclaire (toujours Eulalie, et au château, ainsi que me l'avait dit
le domestique), je fus assez longtemps sans la rencontrer. Elle n'était plus, quand je passais, dans le
corridor où elle se tenait du temps de la comtesse,
travaillant dans son embrasure. Et, pourtant, la pile
de linge à la même place, et les ciseaux, et l'étui, et
le dé sur le bord de la fenêtre, disaient qu'elle devait
toujours travailler là, sur cette chaise vide et tiède
peut-être, qu'elle avait quittée, m'entendant venir.
Vous vous rappelez que j'avais la fatuité de croire
qu'elle redoutait la pénétration de mon regard ; mais,
à présent, elle n'avait plus à la craindre. Elle ignorait
que j'eusse reçu la terrible confidence de la comtesse. Avec la nature audacieuse et altière que je lui
connaissais, elle devait même être contente de pou-

voir braver la sagacité qui l'avait devinée. Et, de
fait, ce que je présumais était la vérité, car le jour
où je la rencontrai enfin, elle avait son bonheur écrit
sur son front d'une si radieuse manière, qu'en y
répandant toute la bouteille d'encre double avec
laquelle elle avait empoisonné la comtesse, on n'aurait
pas pu l'effacer !

» C'est dans le grand escalier du château que je la
rencontrai cette première fois. Elle le descendait et
je le montais. Elle le descendait un peu vite ; mais
quand elle me vit, elle ralentit son mouvement,
tenant sans doute à me montrer fastueusement son
visage[1], et à me mettre bien au fond des yeux ses
yeux qui peuvent faire fermer ceux des panthères,
mais qui ne firent pas fermer les miens. En descendant les marches de son escalier, ses jupes flottant
en arrière sous les souffles d'un mouvement rapide,
elle semblait descendre du ciel. Elle était sublime
d'air heureux. Ah ! son air était à quinze mille lieues
au-dessus de l'air de Serlon ! Je n'en passai pas moins
sans lui donner signe de politesse, car si Louis XIV
saluait les femmes de chambre dans les escaliers, ce
n'étaient pas des empoisonneuses ! Femme de chambre, elle l'était encore ce jour-là, de tenue, de mise,
de tablier blanc ; mais l'air heureux de la plus triomphante et despotique maîtresse avait remplacé
l'impassibilité de l'esclave. Cet air-là ne l'a point quittée. Je viens de le revoir, et vous avez pu en juger. Il
est plus frappant que la beauté même du visage sur
lequel il resplendit. Cet air surhumain de la fierté
dans l'amour heureux, qu'elle a dû donner à Serlon,
qui d'abord, lui, ne l'avait pas, elle continue, après
vingt ans, de l'avoir encore, et je ne l'ai vu ni diminuer, ni se voiler un instant sur la face de ces deux
étranges Privilégiés de la vie. C'est par cet air-là qu'ils
ont toujours répondu victorieusement à tout, à

l'abandon, aux mauvais propos, aux mépris de l'opinion indignée, et qu'ils ont fait croire à qui les rencontre que le crime dont ils ont été accusés quelques
jours n'était qu'une atroce calomnie.

— Mais vous, docteur, — interrompis-je, — après
tout ce que vous savez, vous ne pouvez pas vous laisser imposer par cet air-là ? Vous ne les avez pas suivis partout ? Vous ne les voyez pas à toute heure ?

— Excepté dans leur chambre à coucher, le soir,
et ce n'est pas là qu'ils le perdent, — fit le docteur
Torty, gaillard, mais profond, — je les ai vus, je
crois bien, à tous les moments de leur vie depuis leur
mariage, qu'ils allèrent faire je ne sais où, pour éviter le charivari que la populace de V..., aussi furieuse
à sa façon que la Noblesse à la sienne, se promettait
de leur donner. Quand ils revinrent mariés, elle,
authentiquement comtesse de Savigny, et lui, absolument déshonoré par un mariage avec une servante,
on les planta là, dans leur château de Savigny[1]. On
leur tourna le dos. On les laissa se repaître d'eux
tant qu'ils voulurent... Seulement, ils ne s'en sont
jamais repus, à ce qu'il paraît ; encore tout à l'heure,
leur faim d'eux-mêmes n'est pas assouvie. Pour moi,
qui ne veux pas mourir, en ma qualité de médecin,
sans avoir écrit un traité de tératologie, et qu'ils
intéressaient... comme des monstres, je ne me mis
point à la queue de ceux qui les fuirent. Lorsque je
vis la fausse Eulalie parfaitement comtesse, elle me
reçut comme si elle l'avait été toute sa vie. Elle se
souciait bien que j'eusse dans la mémoire le souvenir de son tablier blanc et de son plateau ! « Je ne suis
plus Eulalie, — me dit-elle ; — je suis Hauteclaire,
Hauteclaire heureuse d'avoir été servante pour
lui... » Je pensais qu'elle avait été bien autre chose ;
mais comme j'étais le seul du pays qui fût allé à
Savigny, quand ils y revinrent, j'avais toute honte

bue, et je finis par y aller beaucoup. Je puis dire
que je continuai de m'acharner à regarder et à percer dans l'intimité de ces deux êtres, si complètement
heureux par l'amour. Eh bien ! vous me croirez si
vous voulez, mon cher, la pureté de ce bonheur,
souillé par un crime dont j'étais sûr, je ne l'ai pas
vue, je ne dirai pas ternie, mais assombrie une seule
minute dans un seul jour. Cette boue d'un crime
lâche qui n'avait pas eu le courage d'être sanglant,
je n'en ai pas une seule fois aperçu la tache sur
l'azur de leur bonheur ! C'est à terrasser, n'est-il pas
vrai ? tous les moralistes de la terre, qui ont inventé
le bel axiome du vice puni et de la vertu récompen-
sée ! Abandonnés et solitaires comme ils l'étaient,
ne voyant que moi, avec lequel ils ne se gênaient
pas plus qu'avec un médecin devenu presque un
ami, à force de hantises, ils ne se surveillaient point.
Ils m'oubliaient et vivaient très bien, moi présent,
dans l'enivrement d'une passion à laquelle je n'ai
rien à comparer, voyez-vous, dans tous les souvenirs de ma vie... Vous venez d'en être le témoin il n'y
a qu'un moment : ils sont passés là, et ils ne m'ont
pas même aperçu, et j'étais à leur coude ! Une partie
de ma vie avec eux, ils ne m'ont pas vu davantage...
Polis, aimables, mais le plus souvent distraits, leur
manière d'être avec moi était telle que je ne serais
pas revenu à Savigny si je n'avais tenu à étudier
microscopiquement leur incroyable bonheur, et à y
surprendre, pour mon édification personnelle, le
grain de sable d'une lassitude, d'une souffrance, et,
disons le grand mot : d'un remords. Mais rien ! rien !
L'amour prenait tout, emplissait tout, bouchait tout
en eux, le sens moral et la conscience, — comme
vous dites, vous autres ; et c'est en les regardant,
ces heureux, que j'ai compris le sérieux de la plaisanterie de mon vieux camarade Broussais, quand

il disait de la conscience : « Voilà trente ans que je dissèque, et je n'ai pas seulement découvert une oreille de ce petit animal-là ! »

» Et ne vous imaginez point, — continua ce vieux diable de docteur Torty, comme s'il eût lu dans ma pensée, — que ce que je vous dis là, c'est une thèse... la preuve d'une doctrine que je crois vraie, et qui nie carrément la conscience comme la niait Broussais. Il n'y a pas de thèse ici. Je ne prétends point entamer vos opinions... Il n'y a que des faits, qui m'ont étonné autant que vous. Il y a le phénomène d'un bonheur continu, d'une bulle de savon qui grandit toujours et qui ne crève jamais ! Quand le bonheur est continu, c'est déjà une surprise ; mais ce bonheur dans le crime, c'est une stupéfaction, et voilà vingt ans que je ne reviens pas de cette stupéfaction-là. Le vieux médecin, le vieux observateur, le vieux moraliste... ou *immoraliste* — (reprit-il, voyant mon sourire), — est déconcerté par le spectacle auquel il assiste depuis tant d'années, et qu'il ne peut pas vous faire voir en détail, car s'il y a un mot traînaillé partout, tant il est vrai ! c'est que le bonheur n'a pas d'histoire. Il n'a pas plus de description. On ne peint pas plus le bonheur, cette infusion d'une vie supérieure dans la vie, qu'on ne saurait peindre la circulation du sang dans les veines. On s'atteste, aux battements des artères, qu'il y circule, et c'est ainsi que je m'atteste le bonheur de ces deux êtres que vous venez de voir, ce bonheur incompréhensible auquel je tâte le pouls depuis si longtemps. Le comte et la comtesse de Savigny refont tous les jours, sans y penser, le magnifique chapitre de *L'Amour dans le mariage* de Mme de Staël, ou les vers plus magnifiques encore du *Paradis perdu* dans Milton[1]. Pour mon compte, à moi, je n'ai jamais été bien sentimental ni bien poétique ; mais ils m'ont, avec cet idéal réalisé par eux, et que je croyais impossible, dégoûté des meilleurs mariages que j'aie connus, et que le monde appelle charmants. Je les ai toujours trouvés si inférieurs au leur, si décolorés et si froids ! La destinée, leur étoile, le hasard, qu'est-ce que je sais ? a fait qu'ils ont pu vivre pour eux-mêmes. Riches, ils ont eu ce don de l'oisiveté sans laquelle il n'y a pas d'amour, mais qui tue aussi souvent l'amour qu'elle est nécessaire pour qu'il naisse... Par exception, l'oisiveté n'a pas tué le leur. L'amour, qui simplifie tout, a fait de leur vie une simplification sublime. Il n'y a point de ces grosses choses qu'on appelle des événements dans l'existence de ces deux mariés, qui ont vécu, en apparence, comme tous les châtelains de la terre, loin du monde auquel ils n'ont rien à demander, se souciant aussi peu de son estime que de son mépris[1]. Ils ne se sont jamais quittés. Où l'un va, l'autre l'accompagne. Les routes des environs de V... revoient Hauteclaire à cheval, comme du temps du vieux *La Pointe-au-corps* ; mais c'est le comte de Savigny qui est avec elle, et les femmes du pays, qui, comme autrefois, passent en voiture, la dévisagent plus encore peut-être que quand elle était la grande et mystérieuse jeune fille au voile bleu sombre, et qu'on ne voyait pas. Maintenant, elle lève son voile, et leur montre hardiment le visage de servante qui a su se faire épouser, et elles rentrent indignées, mais rêveuses[2]... Le comte et la comtesse de Savigny ne voyagent point ; ils viennent quelquefois à Paris, mais ils n'y restent que quelques jours. Leur vie se concentre donc tout entière dans ce château de Savigny, qui fut le théâtre d'un crime dont ils ont peut-être perdu le souvenir, dans l'abîme sans fond de leurs cœurs...

— Et ils n'ont jamais eu d'enfants, docteur ? — lui dis-je.

— Ah ! — fit le docteur Torty, — vous croyez que c'est là qu'est la fêlure, la revanche du Sort, et ce que vous appelez la vengeance ou la justice de Dieu ? Non, ils n'ont jamais eu d'enfants. Souvenez-vous ! Une fois, j'avais eu l'idée qu'ils n'en auraient pas. Ils s'aiment trop... Le feu, — qui dévore, — consume et ne produit pas. Un jour, je le dis à Hauteclaire :

« — Vous n'êtes donc pas triste de n'avoir pas d'enfant, madame la comtesse ?

» — Je n'en veux pas ! — fit-elle impérieusement. J'aimerais moins Serlon. Les enfants, — ajouta-t-elle avec une espèce de mépris, — sont bons pour les femmes malheureuses ! »

Et le docteur Torty finit brusquement son histoire sur ce mot, qu'il croyait profond.

Il m'avait intéressé, et je le lui dis : « — Toute criminelle qu'elle soit, — fis-je, — on s'intéresse à cette Hauteclaire. Sans son crime, je comprendrais l'amour de Serlon.

— Et peut-être même avec son crime ! » — dit le docteur. — « Et moi aussi ! » — ajouta-t-il, le hardi bonhomme[1].

LE DESSOUS DE CARTES
D'UNE PARTIE DE WHIST

> — Vous moquez-vous de nous, mon-
> sieur, avec une pareille histoire ?
> — Est-ce qu'il n'y a pas, madame, une
> espèce de tulle qu'on appelle du tulle
> illusion[1] ?...
>
> *(À une soirée chez le prince T...)*

I

J'étais, un soir de l'été dernier, chez la baronne de
Mascranny, une des femmes de Paris qui aiment
le plus l'esprit comme on en avait autrefois, et
qui ouvre les deux battants de son salon — un seul
suffirait — au peu qui en reste parmi nous. Est-ce
que dernièrement l'Esprit ne s'est pas changé en
une bête à prétention qu'on appelle l'Intelligence ?...
La baronne de Mascranny est, par son mari, d'une
ancienne et très illustre famille, originaire des
Grisons[2] Elle porte, comme tout le monde le sait,
de gueules à trois fasces, vivrées de gueules à l'aigle
éployée d'argent, addextrée d'une clef d'argent, senes-
trée d'un casque de même, l'écu chargé, en cœur, d'un
écusson d'azur à une fleur de lys d'or ; et ce chef, ainsi

que les pièces qui le couvrent, ont été octroyés par plusieurs souverains de l'Europe à la famille de Mascranny, en récompense des services qu'elle leur a rendus à différentes époques de l'histoire. Si les souverains de l'Europe n'avaient pas aujourd'hui de bien autres affaires à démêler, ils pourraient charger de quelque pièce nouvelle un écu déjà si noblement compliqué, pour le soin véritablement héroïque que la baronne prend de la conversation, cette fille expirante des aristocraties oisives et des monarchies absolues. Avec l'esprit et les manières de son nom, la baronne de Mascranny a fait de son salon une espèce de Coblentz délicieux où s'est réfugiée la conversation d'autrefois, la dernière gloire de l'esprit français, forcé d'émigrer devant les mœurs utilitaires et occupées de notre temps. C'est là que chaque soir, jusqu'à ce qu'il se taise tout à fait, il chante divinement son chant du cygne. Là, comme dans les rares maisons de Paris où l'on a conservé les grandes traditions de la causerie, on ne carre guère de phrases, et le monologue est à peu près inconnu. Rien n'y rappelle l'article du journal et le discours politique, ces deux moules si vulgaires de la pensée, au dix-neuvième siècle. L'esprit se contente d'y briller en mots charmants ou profonds, mais bientôt dits ; quelquefois même en de simples intonations, et moins que cela encore, en quelque petit geste de génie. Grâce à ce bienheureux salon, j'ai mieux reconnu une puissance dont je n'avais jamais douté, la puissance du monosyllabe. Que de fois j'en ai entendu lancer ou laisser tomber avec un talent bien supérieur à celui de Mlle Mars, la reine du monosyllabe à la scène, mais qu'on eût lestement détrônée au faubourg Saint-Germain, si elle avait pu y paraître ; car les femmes y sont trop grandes dames pour, quand elles sont fines, y *raffiner la finesse* comme une actrice qui joue Marivaux.

Or, ce soir-là, par exception, le vent n'était pas au monosyllabe. Quand j'entrai chez la baronne de Mascranny, il s'y trouvait assez du monde qu'elle appelle *ses intimes*, et la conversation y était animée de cet entrain qu'elle y a toujours. Comme les fleurs exotiques qui ornent les vases de jaspe de ses consoles, les intimes de la baronne sont un peu de tous les pays. Il y a parmi eux des Anglais, des Polonais, des Russes ; mais ce sont tous des Français pour le langage et par ce tour d'esprit et de manières qui est le même partout, à une certaine hauteur de société[1]. Je ne sais pas de quel point on était parti pour arriver là ; mais, quand j'entrai, on parlait romans. *Parler romans*, c'est comme si chacun avait parlé de sa vie. Est-il nécessaire d'observer que, dans cette réunion d'hommes et de femmes du monde, on n'avait pas le pédantisme d'agiter la question littéraire ? Le fond des choses, et non la forme, préoccupait. Chacun de ces moralistes supérieurs, de ces praticiens, à divers degrés, de la passion et de la vie, qui cachaient de sérieuses expériences sous des propos légers et des airs détachés, ne voyait alors dans le roman qu'une question de nature humaine, de mœurs et d'histoire. Rien de plus. Mais n'est-ce donc pas tout ?... Du reste, il fallait qu'on eût déjà beaucoup causé sur ce sujet, car les visages avaient cette intensité de physionomie qui dénote un intérêt pendant longtemps excité. Délicatement fouettés les uns par les autres, tous ces esprits avaient leur mousse. Seulement, quelques âmes vives — j'en pouvais compter trois ou quatre dans ce salon — se tenaient en silence, les unes le front baissé, les autres l'œil fixé rêveusement aux bagues d'une main étendue sur leurs genoux[2]. Elles cherchaient peut-être à corpori-

ser leurs rêveries, ce qui est aussi difficile que de
spiritualiser ses sensations. Protégé par la discussion,
je me glissai sans être vu derrière le dos éclatant et
velouté de la belle comtesse de Damnaglia[1], qui mordait du bout de sa lèvre l'extrémité de son éventail
replié, tout en écoutant, comme ils écoutaient tous,
dans ce monde où savoir écouter est un charme. Le
jour baissait, un jour rose qui se teignait enfin de
noir, comme les vies heureuses. On était rangé en
cercle et on dessinait, dans la pénombre crépuscu-
laire du salon, comme une guirlande d'hommes et
de femmes, dans des poses diverses, négligemment
attentives. C'était une espèce de bracelet vivant dont
la maîtresse de la maison, avec son profil égyptien,
et le lit de repos sur lequel elle est éternellement couchée, comme Cléopâtre, formait l'agrafe. Une croisée ouverte laissait voir un pan du ciel et le balcon
où se tenaient quelques personnes. Et l'air était si
pur et le quai d'Orsay si profondément silencieux, à
ce moment-là, qu'elles ne perdaient pas une syllabe
de la voix qu'on entendait dans le salon, malgré les
draperies en vénitienne de la fenêtre, qui devaient
amortir cette voix sonore et en retenir les ondula-
tions dans leurs plis. Quand j'eus reconnu celui
qui parlait, je ne m'étonnai ni de cette attention, —
qui n'était plus seulement une grâce octroyée par la
grâce... — ni de l'audace de qui gardait, ainsi la
parole plus longtemps qu'on n'avait coutume de le
faire, dans ce salon d'un ton si exquis.

En effet, c'était le plus étincelant causeur de ce
royaume de la causerie[2]. Si ce n'est pas son nom,
voilà son titre ! Pardon. Il en avait encore un autre...
La médisance ou la calomnie, ces Ménechmes qui
se ressemblent tant qu'on ne peut les reconnaître, et
qui écrivent leur gazette à rebours, comme si c'était
de l'hébreu (n'en est-ce pas souvent ?), écrivaient en

égratignures qu'il avait été le héros de plus d'une aventure qu'il n'eût pas certainement, ce soir-là, voulu raconter.

« … Les plus beaux romans de la vie, — disait-il, quand je m'établis sur mes coussins de canapé, à l'abri des épaules de la comtesse de Damnaglia, — sont des réalités qu'on a touchées du coude, ou même du pied, en passant. Nous en avons tous vu. Le roman est plus commun que l'histoire. Je ne parle pas de ceux-là qui furent des catastrophes éclatantes, des drames joués par l'audace des sentiments, les plus exaltés à la majestueuse barbe de l'Opinion ; mais à part ces clameurs très rares, faisant scandale dans une société comme la nôtre, qui était hypocrite hier, et qui n'est plus que lâche aujourd'hui, il n'est personne de nous qui n'ait été témoin de ces faits mystérieux de sentiment ou de passion qui perdent toute une destinée, de ces brisements de cœur qui ne rendent qu'un bruit sourd, comme celui d'un corps tombant dans l'abîme caché d'une oubliette, et par-dessus lequel le monde met ses mille voix ou son silence. On peut dire souvent du roman ce que Molière disait de la vertu : « Où diable va-t-il se nicher[1] ?… » Là où on le croit le moins, on le trouve ! Moi qui vous parle, j'ai vu dans mon enfance… non, vu n'est pas le mot ! j'ai deviné, pressenti, un de ces drames cruels, terribles, qui ne se jouent pas en public, quoique le public en voie les acteurs tous les jours ; une de ces *sanglantes comédies*, comme disait Pascal[2], mais représentées à huis clos, derrière une toile de manœuvre, le rideau de la vie privée et de l'intimité. Ce qui sort de ces drames cachés, étouffés, que j'appellerai presque à *transpiration rentrée*, est plus sinistre, et d'un effet plus poignant sur l'imagination et sur le souvenir, que si le drame tout entier s'était déroulé sous vos yeux. Ce qu'on ne sait pas

centuple l'impression de ce qu'on sait. Me trompé-
je ? Mais je me figure que l'enfer, vu par un soupi-
rail, devrait être plus effrayant que si, d'un seul et
planant regard, on pouvait l'embrasser tout entier[1]. »
Ici, il fit une légère pause. Il exprimait un fait tellement humain, d'une telle expérience d'imagination
pour ceux qui en ont un peu, que pas un contradic-
teur ne s'éleva. Tous les visages peignaient le curiosité la plus vive. La jeune Sibylle, qui était pliée en
deux aux pieds du lit de repos où s'étendait sa mère
se rapprocha d'elle avec une crispation de terreur
comme si l'on eût glissé un aspic entre sa plate poitrine d'enfant et son corset.

« Empêche-le, maman, — dit-elle, avec la familiarité d'une enfant gâtée, élevée pour être une despote, — de nous dire ces atroces histoires qui font
frémir.

— Je me tairai, si vous le voulez, mademoiselle
Sibylle », — répondit celui qu'elle n'avait pas nommé,
dans sa familiarité naïve et presque tendre.

Lui, qui vivait si près de cette jeune âme, en
connaissait les curiosités et les peurs ; car, pour toutes choses, elle avait l'espèce d'émotion que l'on a
quand on plonge les pieds dans un bain plus froid
que la température, et qui coupe l'haleine à mesure
qu'on entre dans la saisissante fraîcheur de son eau.

« Sibylle n'a pas la prétention, que je sache, d'imposer silence à mes amis, fit la baronne en caressant
la tête de sa fille, si prématurément pensive. Si elle
a peur, elle a la ressource de ceux qui ont peur ; elle
a la fuite ; elle peut s'en aller. »

Mais la capricieuse fillette, qui avait peut-être
autant d'envie de l'histoire que madame sa mère,
ne fuit pas, mais redressa son maigre corps, palpitant d'intérêt effrayé, et jeta ses yeux noirs et pro-

fonds du côté du narrateur, comme si elle se fût penchée sur un abîme[1].

« Eh bien ! contez, dit Mlle Sophie de Revistal, en tournant vers lui son grand œil brun baigné de lumière, et qui est si humide encore, quoiqu'il ait pourtant diablement brillé. Tenez, voyez ! ajouta-t-elle avec un geste imperceptible, nous écoutons tous. »

Et il raconta ce qui va suivre. Mais pourrai-je rappeler, sans l'affaiblir, ce récit, nuancé par la voix et le geste, et surtout faire ressortir le contre-coup de l'impression qu'il produisit sur toutes les personnes rassemblées dans l'atmosphère sympathique de ce salon ?

« J'ai été élevé en province, — dit le narrateur, mis en demeure de raconter, — et dans la maison paternelle. Mon père habitait une bourgade jetée nonchalamment les pieds dans l'eau, au bas d'une montagne, dans un pays que je ne nommerai pas, et près d'une petite ville qu'on reconnaîtra quand j'aurai dit qu'elle est, ou du moins qu'elle était, dans ce temps, la plus profondément et la plus férocement aristocratique de France. Je n'ai, depuis, rien vu de pareil. Ni notre faubourg Saint-Germain, ni la place Bellecour, à Lyon, ni les trois ou quatre grandes villes qu'on cite pour leur esprit d'aristocratie exclusif et hautain, ne pourraient donner une idée de cette petite ville de six mille âmes qui, avant 1789, avait cinquante voitures armoriées, roulant fièrement sur son pavé[2].

» Il semblait qu'en se retirant de toute la surface du pays, envahi chaque jour par une bourgeoisie insolente, l'aristocratie se fût concentrée là, comme dans le fond d'un creuset, et y jetât, comme un rubis brûlé, le tenace éclat qui tient à la substance même de la pierre, et qui ne disparaîtra qu'avec elle.

» La noblesse de ce nid de nobles, qui mourront

ou qui sont morts peut-être dans ces préjugés que j'appelle, moi, de sublimes vérités sociales, était incompatible comme Dieu. Elle ne connaissait pas l'ignominie de toutes les noblesses, la monstruosité des mésalliances.

» Les filles, ruinées par la Révolution, mouraient stoïquement vieilles et vierges, appuyées sur leurs écussons qui leur suffisaient contre tout. Ma puberté s'est embrasée à la réverbération ardente de ces belles et charmantes jeunesses qui savaient leur beauté inutile, qui sentaient que le flot de sang qui battait dans leurs cœurs et teignait d'incarnat leurs joues sérieuses, bouillonnait vainement.

» Mes treize ans ont rêvé les dévouements les plus romanesques devant ces filles pauvres qui n'avaient plus que la couronne fermée de leurs blasons pour toute fortune, majestueusement tristes, dès leurs premiers pas dans la vie, comme il convient à des condamnées du Destin. Hors de son sein, cette noblesse, pure comme l'eau des roches, ne voyait personne.

« Comment voulez-vous, — disaient-ils, — que nous voyions tous ces bourgeois dont les pères ont donné des assiettes aux nôtres ? »

» Ils avaient raison ; c'était impossible, car, pour cette petite ville, c'était vrai. On comprend l'affranchissement, à de grandes distances ; mais, sur un terrain grand comme un mouchoir, les races se séparent par leur rapprochement même. Ils se voyaient donc entre eux, et ne voyaient qu'eux et quelques Anglais.

» Car les Anglais étaient attirés par cette petite ville qui leur rappelait certains endroits de leurs comtés. Ils l'aimaient pour son silence, pour sa tenue rigide, pour l'élévation froide de ses habitudes, pour les quatre pas qui la séparaient de la mer qui les

avait apportés, et aussi pour la possibilité d'y doubler, par le bas prix des choses, le revenu insuffi-
sant des fortunes médiocres dans leur pays.

» Fils de la même barque de pirates que les Normands, à leurs yeux c'était une espèce de *Continental England* que cette ville normande, et ils y faisaient
de longs séjours.

» Les petites *miss* y apprenaient le français en
poussant leur cerceau sous les grêles tilleuls de la
place d'armes ; mais, vers dix-huit ans, elles s'envo-
laient en Angleterre, car cette noblesse ruinée ne pouvait guères se permettre le luxe dangereux d'épouser
des filles qui n'ont qu'une simple dot, comme les
Anglaises. Elles partaient donc, mais d'autres migra-
tions venaient bientôt s'établir dans leurs demeures
abandonnées, et les rues silencieuses, où l'herbe
poussait comme à Versailles, avaient toujours à peu
près le même nombre de promeneuses à voile vert,
à robe à carreaux, et à plaid écossais. Excepté ces
séjours, en moyenne de sept à dix ans, que faisaient
ces familles anglaises, presque toutes renouvelées à
de si longs intervalles, rien ne rompait la monotonie d'existence de la petite ville dont il est question.
Cette monotonie était effroyable.

» On a souvent parlé — et que n'a-t-on point dit !
— du cercle étroit dans lequel tourne la vie de province ; mais ici cette vie, pauvre partout en événements, l'était d'autant plus que les passions de classe à
classe, les antagonismes de vanité, n'existaient pas
comme dans une foule de petits endroits, où les
jalousies, les haines, les blessures d'amour-propre,
entretiennent une fermentation sourde qui éclate
parfois dans quelque scandale, dans quelque noirceur, dans une de ces bonnes petites scélératesses
sociales pour lesquelles il n'y a pas de tribunaux.

» Ici, la démarcation était si profonde, si épaisse,

si infranchissable, entre ce qui était noble et ce qui ne l'était pas, que toute lutte entre la noblesse et la roture était impossible.

» En effet, pour que la lutte existe, il faut un terrain commun et un engagement, et il n'y en avait pas. Le diable, comme on dit, n'y perdait rien, sans doute.

» Dans le fond du cœur de ces bourgeois dont les pères *avaient donné des assiettes*, dans ces têtes de fils de domestiques, affranchis et enrichis, il y avait des cloaques de haine et d'envie, et ces cloaques élevaient souvent leur vapeur et leur bruit d'égout contre ces nobles, qui les avaient entièrement sortis de l'orbe de leur attention et de leur rayon visuel, depuis qu'ils avaient quitté leurs livrées.

» Mais tout cela n'atteignait pas ces patriciens distraits dans la forteresse de leurs hôtels, qui ne s'ouvraient qu'à leurs égaux, et pour qui la vie finissait à la limite de leur caste. Qu'importait ce qu'on disait d'eux, plus bas qu'eux ?... Ils ne l'entendaient pas. Les jeunes gens qui auraient pu s'insulter, se prendre de querelle, ne se rencontraient point dans les lieux publics, qui sont des arènes chauffées à rouge par la présence et les yeux des femmes.

» Il n'y avait pas de spectacle. La salle manquant, jamais il ne passait de comédiens. Les cafés, ignobles comme des cafés de province, ne voyaient guère autour de leurs billards que ce qu'il y avait de plus abaissé parmi la bourgeoisie, quelques mauvais sujets tapageurs et quelques officiers en retraite, débris fatigués des guerres de l'Empire. D'ailleurs, quoique enragés d'égalité blessée (ce sentiment qui, à lui seul, explique les horreurs de la Révolution), ces bourgeois avaient gardé, malgré eux, la superstition des respects qu'ils n'avaient plus.

» Le respect des peuples ressemble un peu à cette

sainte Ampoule, dont on s'est moqué avec une bêtise de tant d'esprit. Lorsqu'il n'y en a plus, il y en a encore. Le fils du bimbelotier déclame contre l'inégalité des rangs ; mais, seul, il n'ira point traverser la place publique de sa ville natale, où tout le monde se connaît et où l'on vit depuis l'enfance, pour insulter de gaieté de cœur le fils d'un Clamorgan-Taillefer[1], par exemple, qui passe donnant le bras à sa sœur. Il aurait la ville contre lui. Comme toutes les choses haïes et enviées, la naissance exerce physiquement sur ceux qui la détestent une action qui est peut-être la meilleure preuve de son droit. Dans les temps de révolution, on réagit contre elle, ce qui est la subir encore ; mais dans les temps calmes, on la subit tout au long.

» Or, on était dans une de ces périodes tranquilles, en 182... Le libéralisme, qui croissait à l'ombre de la Charte constitutionnelle comme les chiens de la lice grandissaient dans leur chenil d'emprunt, n'avait pas encore étouffé un royalisme que le passage des Princes, revenant de l'exil, avait remué dans tous les cœurs jusqu'à l'enthousiasme. Cette époque, quoi qu'on ait dit, fut un moment superbe pour la France, convalescente monarchique, à qui le couperet des révolutions avait tranché les mamelles, mais qui, pleine d'espérance, croyait pouvoir vivre ainsi, et ne sentait pas dans ses veines les germes mystérieux du cancer qui l'avait déjà déchirée, et qui, plus tard, devra la tuer.

» Pour la petite ville que j'essaie de vous faire connaître, ce fut un moment de paix profonde et concentrée. Une mission qui venait de se clore avait, dans la société noble, engourdi le dernier symptôme de la vie, l'agitation et les plaisirs de la jeunesse. On ne dansait plus. Les bals étaient proscrits comme une perdition. Les jeunes filles portaient des croix de mission sur leurs gorgerettes, et formaient des associations religieuses sous la direction d'une présidente. On tendait au *grave*, à faire mourir de rire, si l'on avait osé. Quand les quatre tables de whist étaient établies pour les douairières et les vieux gentilshommes, et les deux tables d'écarté pour les jeunes gens, ces demoiselles se plaçaient, comme à l'église, dans leurs chapelles où elles étaient séparées des hommes, et elles formaient, dans un angle du salon, un groupe silencieux... pour leur sexe (car tout est relatif), chuchotant au plus quand elles parlaient, mais bâillant *en dedans* à se rougir les yeux, et contrastant par leur tenue un peu droite avec la souplesse pliante de leurs tailles, le rose et le lilas de leurs robes, et la folâtre légèreté de leurs pèlerines de blonde et de leurs rubans[1]. »

II

« La seule chose, — continua le conteur de cette histoire où tout est vrai et *réel* comme la petite ville où elle s'est passée, et qu'il avait peinte si *ressemblante* que quelqu'un, moins discret que lui, venait d'en prononcer le nom ; — la seule chose qui eût, je ne dirai pas la physionomie d'une passion, mais enfin qui ressemblât à du mouvement, à du désir, à de l'intensité de sensation, dans cette société singulière où les jeunes filles avaient quatre-vingts ans d'ennui dans leurs âmes limpides et introublées, c'était le jeu, la dernière passion des âmes usées[2].

» Le jeu, c'était la grande affaire de ces anciens nobles, taillés dans le patron des grands seigneurs, et désœuvrés comme de vieilles femmes aveugles.

Ils jouaient comme des Normands, des aïeux d'Anglais, la nation la plus joueuse du monde. Leur parenté de race avec les Anglais, l'émigration en Angleterre, la dignité de ce jeu, silencieux et contenu comme la grande diplomatie, leur avaient fait adopter le whist. C'était le whist qu'ils avaient jeté, pour le combler, dans l'abîme sans fond de leurs jours vides. Ils le jouaient après leur dîner, tous les soirs, jusqu'à minuit ou une heure du matin, ce qui est une vraie saturnale pour la province. Il y avait la partie du marquis de Saint-Albans, qui était l'événement de chaque journée. Le marquis semblait être le seigneur féodal de tous ces nobles, et ils l'entouraient de cette considération respectueuse qui vaut une auréole, quand ceux qui la témoignent la méritent.

» Le marquis était très fort au whist. Il avait soixante-dix-neuf ans. Avec qui n'avait-il pas joué ?... Il avait joué avec Maurepas, avec le comte d'Artois lui-même, habile au whist comme à la paume, avec le prince de Polignac, avec l'évêque Louis de Rohan, avec Cagliostro, avec le prince de la Lippe, avec Fox, avec Dundas, avec Sheridan, avec le prince de Galles, avec Talleyrand, avec le Diable, quand il se donnait à tous les diables, aux plus mauvais jours de l'émigration. Il lui fallait donc des adversaires dignes de lui. D'ordinaire, les Anglais reçus par la noblesse fournissaient leur contingent de forces à cette partie, dont on parlait comme d'une institution et qu'on appelait le whist de M. de Saint-Albans, comme on aurait dit, à la cour, le whist du Roi.

» Un soir, chez Mme de Beaumont[1], les tables vertes étaient dressées ; on attendait un Anglais, un M. Hartford, pour la partie du grand marquis. Cet Anglais était une espèce d'industriel qui faisait aller une manufacture de coton au Pont-aux-Arches, —

par parenthèse, une des premières manufactures
qu'on eût vues dans ce pays dur à l'innovation, non
par ignorance ou par difficulté de comprendre, mais
par cette prudence qui est le caractère distinctif de
la race normande. — Permettez-moi encore une
parenthèse : Les Normands me font toujours l'effet
de ce renard si fort en sorite dans Montaigne. Où
ils mettent la patte, on est sûr que la rivière est bien
prise, et qu'ils peuvent, de cette puissante patte,
appuyer[1].

» Mais, pour en revenir à notre Anglais, à ce
M. Hartford, — que les jeunes gens appelaient *Hartford* tout court, quoique cinquante ans fussent bien
sonnés sur le timbre d'argent de sa tête, que je vois
encore avec ses cheveux ras et luisants comme une
calotte de soie blanche, — il était un des favoris du
marquis. Quoi d'étonnant ? C'était un joueur de la
grande espèce, un homme dont la vie (véritable fan-
tasmagorie d'ailleurs) n'avait de signification et de
réalité que quand il tenait des cartes, un homme,
enfin, qui répétait sans cesse que le premier bonheur était de gagner au jeu, et que le second était d'y
perdre : magnifique axiome qu'il avait pris à Sheridan, mais qu'il appliquait de manière à se faire
absoudre de l'avoir pris. Du reste, à ce vice du jeu
près (en considération duquel le marquis de Saint-
Albans lui eût pardonné les plus éminentes vertus),
M. Hartford passait pour avoir toutes les qualités
pharisaïques et protestantes que les Anglais sous-
entendent dans le confortable mot d'*honorability*. On
le considérait comme un parfait gentleman. Le marquis l'amenait passer des huitaines à son château de
la Vanillière, mais à la ville il le voyait tous les soirs.
Ce soir-là donc, on s'étonnait, et le marquis lui-même,
que l'exact et scrupuleux étranger fût en retard...

» On était en août. Les fenêtres étaient ouvertes

sur un de ces beaux jardins comme il n'y en a qu'en province, et les jeunes filles, massées dans les embrasures, causaient entre elles, le front penché sur leurs festons. Le marquis, assis devant la table de jeu, fronçait ses longs sourcils blancs. Il avait les coudes appuyés sur la table. Ses mains, d'une beauté sénile, jointes sous son menton, soutenaient son imposante figure étonnée d'attendre, comme celle de Louis XIV, dont il avait la majesté. Un domestique annonça enfin M. Hartford. Il parut, dans sa tenue irréprochable accoutumée, linge éblouissant de blancheur, bagues à tous les doigts, comme nous en avons vu depuis à M. Bulwer[1], un foulard des Indes à la main, et sur les lèvres (car il venait de dîner) la pastille parfumée qui voilait les vapeurs des essences d'anchois, de l'*harvey-sauce* et du porto.

» Mais il n'était pas seul. Il alla saluer le marquis et lui présenta, comme un bouclier contre tout reproche, un Écossais de ses amis, M. Marmor de Karkoël, qui lui était tombé à la manière d'une bombe, pendant son dîner, et qui était le meilleur joueur de whist des Trois Royaumes.

» Cette circonstance, d'être le meilleur *whisteur* de la triple Angleterre, étendit un sourire charmant sur les lèvres pâles du marquis. La partie fut aussitôt constituée. Dans son empressement à se mettre au jeu, M. de Karkoël n'ôta pas ses gants, qui rappelaient par leur perfection ces célèbres gants de Bryan Brummell, coupés par trois ouvriers spéciaux, deux pour la main et un pour le pouce. Il fut le partner de M. de Saint-Albans. La douairière de Hautcardon, qui avait cette place, la lui céda.

» Or, ce Marmor de Karkoël, Mesdames, était, pour la tournure, un homme de vingt-huit ans à peu près ; mais un soleil brûlant, des fatigues ignorées, ou des passions peut-être, avaient attaché sur sa face le

masque d'un homme de trente-cinq. Il n'était pas
beau, mais il était expressif. Ses cheveux étaient
noirs, très durs, droits, un peu courts, et sa main
les écartait souvent de ses tempes et les rejetait en
arrière. Il y avait dans ce mouvement une véritable,
mais sinistre éloquence de geste. Il semblait écarter
un remords[1]. Cela frappait d'abord, et, comme les
choses profondes, cela frappait toujours.

» J'ai connu pendant plusieurs années ce Karkoël,
et je puis assurer que ce sombre geste, répété dix
fois dans une heure, produisait toujours son effet
et faisait venir dans l'esprit de cent personnes la
même pensée. Son front régulier, mais bas, avait de
l'audace. Sa lèvre rasée (on ne portait pas alors de
moustaches comme aujourd'hui) était d'une immobilité à désespérer Lavater, et tous ceux qui croient
que le secret de la nature d'un homme est mieux
écrit dans les lignes mobiles de sa bouche que dans
l'expression de ses yeux. Quand il souriait, son
regard ne souriait pas, et il montrait des dents d'un
émail de perles, comme ces Anglais, fils de la mer,
en ont parfois pour les perdre ou les noircir, à la
manière chinoise, dans les flots de leur affreux thé.
Son visage était long, creusé aux joues, d'une certaine
couleur olive qui lui était naturelle, mais chaudement hâlé, par-dessus, des rayons d'un soleil qui, pour
l'avoir si bien mordu, n'avait pas dû être le soleil
émoussé de la vaporeuse Angleterre. Un nez long et
droit, mais qui dépassait la courbe du front, partageait ses deux yeux noirs à la Macbeth[2], encore plus
sombres que noirs et très rapprochés, ce qui est, dit-
on, la marque d'un caractère extravagant ou de quelque insanité intellectuelle. Sa mise avait de la recherche. Assis nonchalamment comme il était là, à cette
table de whist, il paraissait plus grand qu'il n'était
réellement, par un léger manque de proportion

dans son buste, car il était petit ; mais, au défaut
près que je viens de signaler, très bien fait et d'une
vigueur de souplesse endormie, comme celle du tigre
dans sa peau de velours. Parlait-il bien le français ?
La voix, ce ciseau d'or avec lequel nous sculptons
nos pensées dans l'âme de ceux qui nous écoutent
et y gravons la séduction, l'avait-il *harmonique* à ce
geste que je ne puis me rappeler aujourd'hui sans
en rêver ? Ce qu'il y a de certain, c'est que, ce soir-là,
elle ne fit tressaillir personne. Elle ne prononça, dans
un diapason fort ordinaire, que les mots sacramen-
tels de *tricks* et d'*honneurs*, les seules expressions qui,
au whist, coupent à d'égaux intervalles l'auguste
silence au fond duquel on joue enveloppé.

» Ainsi, dans ce vaste salon plein de gens pour
qui l'arrivée d'un Anglais était une circonstance peu
exceptionnelle, personne, excepté la table du marquis, ne prit garde à ce *whisteur* inconnu, remorqué
par Hartford. Les jeunes filles ne retournèrent pas
seulement la tête par-dessus l'épaule pour le voir.
Elles étaient à discuter (on commençait à discuter
dès ce temps-là) la composition du bureau de leur
congrégation et la démission d'une des vice-prési-
dentes qui n'était pas ce jour-là chez Mme de Beaumont. C'était un peu plus important que de regarder
un Anglais ou un Écossais. Elles étaient un peu bla-
sées sur ces éternelles importations d'Anglais et
d'Écossais. Un homme qui, comme les autres, ne
s'occuperait que des dames de carreau et de trèfle[1] !
Un protestant, d'ailleurs ! un hérétique ! Encore, si
c'eût été un lord catholique d'Irlande ! Quant aux
personnes âgées, qui jouaient déjà aux autres tables
lorsqu'on annonça M. Hartford, elles jetèrent un
regard distrait sur l'étranger qui le suivait et se replon-
gèrent, de toute leur attention, dans leurs cartes,

comme des cygnes plongent dans l'eau de toute la
longueur de leurs cous.

» M. de Karkoël ayant été choisi pour le partner
du marquis de Saint-Albans, la personne qui jouait
en face de M. Hartford était la comtesse du Tremblay de Stasseville, dont la fille Herminie, la plus
suave fleur de cette jeunesse qui s'épanouissait dans
les embrasures du salon, parlait alors à Mlle Ernestine de Beaumont. Par hasard, les yeux de Mlle Herminie se trouvaient dans la direction de la table où
jouait sa mère[1].

« — Regardez, Ernestine, fit-elle à demi-voix,
comme cet Écossais donne ! »

» M. de Karkoël venait de se déganter. Il avait tiré
de leur étui de chamois parfumé, des mains blanches
et bien sculptées, à faire la religion d'une petite
maîtresse qui les aurait eues, et il donnait les cartes
comme on les donne au whist, une à une, mais avec
un mouvement circulaire d'une rapidité si prodi-
gieuse, que cela étonnait comme le doigté de Liszt.
L'homme qui maniait les cartes ainsi devait être
leur maître... Il y avait dix ans de tripot dans cette
foudroyante et augurale manière de donner.

« — C'est la difficulté vaincue dans le mauvais
ton, — dit la hautaine Ernestine, de sa lèvre la plus
dédaigneuse, — mais le mauvais ton est vainqueur ! »

» Dur jugement pour une si jeune demoiselle ;
mais, avoir *bon ton* était plus pour cette jolie tête-là
que d'avoir l'esprit de Voltaire. Elle a manqué sa
destinée, Mlle Ernestine de Beaumont, et elle a dû
mourir de chagrin de n'être pas la *camerera mayor*
d'une reine d'Espagne.

» La manière de jouer de Marmor de Karkoël fit
équation avec cette donne merveilleuse. Il montra
une supériorité qui enivra de plaisir le vieux marquis, car il éleva la manière de jouer de l'ancien

partner de Fox, et l'enleva jusqu'à la sienne. Toute
supériorité quelconque est une séduction irrésistible, qui procède par rapt et vous emporte dans
son orbite. Mais ce n'est pas tout. Elle vous féconde
en vous emportant. Voyez les grands causeurs ! ils
donnent la réplique, et ils l'inspirent. Quand ils ne
causent plus, les sots, privés du rayon qui les dora,
reviennent, ternes, à fleur d'eau de conversation,
comme des poissons morts retournés qui montrent
un ventre sans écailles. M. de Karkoël fit bien plus
que d'apporter une sensation nouvelle à un homme
qui les avait épuisées : il augmenta l'idée que le
marquis avait de lui-même, il couronna d'une pierre
de plus l'obélisque, depuis longtemps mesuré, que
ce roi du whist s'était élevé dans les discrètes solitu-
des de son orgueil.

» Malgré l'émotion qui le rajeunissait, le marquis
observa l'étranger pendant la partie, du fond de cette
patte d'oie (comme nous disons de la griffe du Temps,
pour lui payer son insolence de nous la mettre sur
la figure) qui bridait ses yeux spirituels. L'Écossais
ne pouvait être goûté, apprécié, dégusté, que par un
joueur d'une très grande force. Il avait cette attention profonde, réfléchie, qui se creuse en combinaisons sous les rencontres du jeu, et il la voilait d'une
impassibilité superbe. À côté de lui, les sphinx accrou-
pis dans la lave de leur basalte auraient semblé les
statues des Génies de la confiance et de l'expansion[1].
Il jouait comme s'il eût joué avec trois paires de
mains qui eussent tenu les cartes, sans s'inquiéter
de savoir à qui ces mains appartenaient. Les dernières brises de cette soirée d'août déferlaient en vagues
de souffles et de parfums sur ces trente chevelures
de jeunes filles, nu-tête, pour arriver chargées de
nouveaux parfums et d'effluves virginales, prises à
ce champ de têtes radieuses, et se briser contre ce

front cuivré large et bas, écueil de marbre humain
qui ne faisait pas un seul pli. Il ne s'en apercevait
même pas. Ses nerfs étaient muets. En cet instant,
il faut l'avouer, il portait bien son nom de Marmor !
Inutile de dire qu'il gagna.

» Le marquis se retirait toujours vers minuit. Il
fut reconduit par l'obséquieux Hartford, qui lui
donna le bras jusqu'à sa voiture.

« — C'est le dieu du *chelem (slam)* que ce Karkoël !
lui dit-il, avec la surprise de l'enchantement ; arran-
gez-vous pour qu'il ne nous quitte pas de si tôt. »

» Hartford le promit et le vieux marquis, malgré
son âge et son sexe, se prépara à jouer le rôle d'une
sirène d'hospitalité.

» Je me suis arrêté sur cette première soirée d'un
séjour qui dura plusieurs années[1]. Je n'y étais pas ;
mais elle m'a été racontée par un de mes parents plus
âgé que moi, et qui, joueur comme tous les jeunes
gens de cette petite ville où le jeu était l'unique ressource qu'on eût, dans cette famine de toutes les passions, se prit de goût pour le dieu du *chelem*. Revue
en se retournant et avec des impressions rétrospec-
tives qui ont leur magie, cette soirée, d'une prose
commune et si connue, une partie de whist gagnée,
prendra des proportions qui pourront peut-être
vous étonner. — La quatrième personne de cette
partie, la comtesse de Stasseville, ajoutait mon parent,
perdit son argent avec l'indifférence aristocratique
qu'elle mettait à tout. Peut-être fut-ce de cette partie de whist que son sort fut décidé, là où se font les
destinées. Qui comprend un seul mot à ce mystère
de la vie ?... Personne n'avait alors d'intérêt à observer
la comtesse. Le salon ne fermentait que du bruit
des jetons et des fiches... Il aurait été curieux de
surprendre dans cette femme, jugée alors et rejugée
un glaçon poli et coupant, si ce qu'on a cru depuis

et répété tout bas avec épouvante, a daté de ce moment-là[1].

» La comtesse du Tremblay de Stasseville était une femme de quarante ans, d'une très faible santé, pâle et mince, mais d'un mince et d'un pâle que je n'ai vus qu'à elle. Son nez bourbonien, un peu pincé, ses cheveux châtain clair, ses lèvres très fines, annonçaient une femme de race, mais chez qui la fierté peut devenir aisément cruelle. Sa pâleur teintée de soufre était maladive.

» Elle se fût nommée Constance, — disait Mlle Ernestine de Beaumont, qui ramassait des épigrammes jusque dans Gibbon, — qu'on eût pu l'appeler Constance Chlore.

» Pour qui connaissait le genre d'esprit de Mlle de Beaumont, on était libre de mettre une atroce intention dans ce mot. Malgré sa pâleur, cependant, malgré la couleur hortensia passé des lèvres de la comtesse du Tremblay de Stasseville, il y avait pour l'observateur avisé, précisément dans ces lèvres à peine marquées, ténues et vibrantes comme la cordelette d'un arc, une effrayante physionomie de fougue réprimée et de volonté. La société de province ne le voyait pas. Elle ne voyait, elle, dans la rigidité de cette lèvre étroite et meurtrière, que le fil d'acier sur lequel dansait incessamment la flèche barbelée de l'épigramme. Des yeux pers (car la comtesse portait de sinople, étincelé d'or, dans son regard comme dans ses armes) couronnaient, comme deux étoiles fixes, ce visage sans le réchauffer. Ces deux émeraudes, striées de jaune, enchâssées sous les sourcils blonds et fades de ce front busqué, étaient aussi froides que si on les avait retirées du ventre et du frai du poisson de Polycrate. L'esprit seul, un esprit brillant, damasquiné et affilé comme une épée, allumait parfois dans ce regard vitrifié les éclairs de

ce *glaive qui tourne* dont parle la Bible[1]. Les femmes haïssaient cet esprit dans la comtesse du Tremblay, comme s'il avait été de la beauté. Et, en effet,
c'était la sienne ! Comme Mlle de Retz, dont le cardinal a laissé un portrait d'amant qui s'est débar-
bouillé les yeux des dernières badauderies de sa
jeunesse, elle avait un défaut à la taille, qui pouvait
à la rigueur passer pour un vice. Sa fortune était
considérable. Son mari, mourant, l'avait laissée très
peu chargée de deux enfants : un petit garçon, bête
à ravir, confié aux soins très paternels et très inuti-
les d'un vieil abbé qui ne lui apprenait rien, et sa
fille Herminie, dont la beauté aurait été admirée
dans les cercles les plus difficiles et les plus artistes
de Paris. Quant à sa fille, elle l'avait élevée irrépro-
chablement, au point de vue de l'éducation officielle.
L'irréprochable de Mme de Stasseville ressemblait
toujours un peu à de l'impertinence. Elle en faisait
une jusque de sa vertu, et qui sait si ce n'était pas
son unique raison pour y tenir ? Toujours est-il qu'elle
était vertueuse ; sa réputation défiait la calomnie.
Aucune dent de serpent ne s'était usée sur cette lime.
Aussi, de regret forcené de n'avoir pu l'entamer, on
s'épuisait à l'accuser de froideur. Cela tenait, sans
nul doute, disait-on (on raisonnait, on faisait de la
science !), à la décoloration de son sang. Pour peu
qu'on eût poussé ses meilleures amies, elles lui
auraient découvert dans le cœur la certaine barre
historique qu'on avait inventée contre une femme
bien charmante et bien célèbre du siècle dernier,
afin d'expliquer qu'elle eût laissé toute l'Europe élégante à ses pieds, pendant dix ans, sans la faire monter d'un cran plus haut[2]. »

　　Le conteur sauva par la gaieté de son accent le vif
de ces dernières paroles, qui causèrent comme un joli
petit mouvement de pruderie offensée. Et, je dis,

pruderie sans humeur, car la pruderie des femmes bien nées, qui n'affectent rien, est quelque chose de très gracieux. Le jour était si tombé, d'ailleurs, qu'on sentit plutôt ce mouvement qu'on ne le vit.

« Sur ma parole, c'était bien ce que vous dites, cette comtesse de Stasseville, — fit, en bégayant, selon son usage, le vieux vicomte de Rassy, bossu et bègue, et spirituel comme s'il avait été boiteux par-dessus le marché. Qui ne connaît pas à Paris le vicomte de Rassy, ce *memorandum* encore vivant des petites corruptions du XVIIIe siècle ? Beau de visage dans sa jeunesse comme le maréchal de Luxembourg, il avait, comme lui, son revers de médaille, mais le revers seul de la médaille lui était resté. Quant à l'effigie, où l'avait-il laissée ?... Lorsque les jeunes gens de ce temps le surprenaient dans quelque anachronisme de conduite, il disait que, du moins, il ne souillait pas ses cheveux blancs, car il portait une perruque châtain à la Ninon, avec une raie de chair factice, et les plus incroyables et indescriptibles tire-bouchons !

— Ah ! vous l'avez connue ? — dit le narrateur interrompu. — Eh bien ! vous savez, vicomte, si je surfais d'un mot la vérité.

— C'est calqué à la vitre, votre po... ortrait, — répondit le vicomte en se donnant un léger soufflet sur la joue, par impatience de bégayer, et au risque de faire tomber les grains du rouge qu'on dit qu'il met, comme il fait tout, sans nulle pudeur. — Je l'ai connue à... à... peu près au temps de votre histoire. Elle venait à Paris tous les hivers pour quelques jours. Je la rencontrais chez la princesse de Cou... ourt... tenay, dont elle était un peu parente. C'était de l'esprit servi dans sa glace, une femme froide à vous faire tousser. »

« Excepté ces quelques jours passés par hiver à

Paris, — reprit l'audacieux conteur, qui ne mettait même pas à ses personnages le demi-masque d'Arlequin, — la vie de la comtesse du Tremblay de Stasseville était réglée comme le papier de cette ennuyeuse musique qu'on appelle l'existence d'une femme comme il faut, en province. Elle était, six mois de l'année, au fond de son hôtel, dans la ville que je vous ai *décrite au moral*, et elle troquait, pendant les autres six mois, ce fond d'hôtel pour un fond de château, dans une belle terre qu'elle avait à quatre lieues de là. Tous les deux ans, elle conduisait à Paris sa fille, — qu'elle laissait à une vieille tante, Mlle de Triflevas, quand elle y allait seule, — au commencement de l'hiver ; mais jamais de Spa, de Plombières, de Pyrénées ! On ne la voyait point aux eaux. Était-ce de peur des médisants ? En province, quand une femme seule, dans la position de Mme de Stasseville, va prendre les eaux si loin, que ne croit-on pas ?... que ne soupçonne-t-on pas ? L'envie de ceux qui restent se venge, à sa façon, du plaisir de ceux qui voyagent. De singuliers airs viennent, comme des drôles de souffles, rider la pureté de ces eaux. Est-ce le fleuve Jaune, ou le fleuve Bleu sur lequel on expose les enfants, en Chine[1] ?... Les eaux, en France, ressemblent un peu à ce fleuve-là. Si ce n'est pas un enfant, on y expose toujours quelque chose aux yeux de ceux qui n'y vont pas. La moqueuse comtesse du Tremblay était bien fière pour sacrifier un seul de ses caprices à l'opinion ; mais elle n'avait point celui des eaux ; et son médecin l'aimait mieux auprès de lui qu'à deux cents lieues, car, à deux cents lieues, les chattemites visites à dix francs ne peuvent pas beaucoup se multiplier. C'était une question, d'ailleurs, que de savoir si la comtesse avait des caprices quelconques. L'esprit n'est pas l'imagination. Le sien était si net, si tranchant, si positif, même dans la plaisanterie, qu'il excluait tout naturellement l'idée de caprice. Quand il était gai (ce qui était rare), il sonnait si bien ce son vibrant de castagnettes d'ébène ou de tambour de basque, toute peau tendue et grelots de métal, qu'on ne pouvait pas s'imaginer qu'il y eût jamais dans cette tête sèche, en *dos*, non ! mais en *fil de couteau*, rien qui rappelât la fantaisie, rien qui pût être pris pour une de ces curiosités rêveuses, lesquelles engendrent le besoin de quitter sa place et de s'en aller où l'on n'était pas. Depuis dix ans qu'elle était riche et veuve, maîtresse d'elle-même par conséquent, et de bien des choses, elle aurait pu transporter sa vie immobile fort loin de ce trou à nobles, où ses soirées se passaient à jouer le boston et le whist avec de vieilles filles qui avaient vu la Chouannerie, et de vieux chevaliers, héros inconnus, qui avaient délivré Destouches[1].

» Elle aurait pu, comme lord Byron, parcourir le monde avec une bibliothèque, une cuisine et une volière dans sa voiture ; mais elle n'en avait pas eu la moindre envie. Elle était mieux qu'indolente ; elle était indifférente ; aussi indifférente que Marmor de Karkoël quand il jouait au whist[2]. Seulement, Marmor n'était pas indifférent au whist même, et dans sa vie, à elle, il n'y avait point de whist : tout était égal ! C'était une nature stagnante, une espèce de *femme-dandy*, auraient dit les Anglais. Hors l'épigramme, elle n'existait qu'à l'état de larve élégante. « Elle est de la race des animaux à sang blanc », répétait son médecin dans le tuyau de l'oreille, croyant l'expliquer par une image, comme on expliquerait une maladie par un symptôme. Quoiqu'elle eût l'air malade, le médecin dépaysé niait la maladie. Était-ce haute discrétion ? ou bien réellement ne la voyait-il pas ? Jamais elle ne se plaignait ni de son corps ni

de son âme. Elle n'avait pas même cette ombre presque physique de mélancolie, étendue d'ordinaire
sur le front meurtri des femmes qui ont quarante
ans. Ses jours se détachaient d'elle et ne s'en arra-
chaient pas. Elle les voyait tomber de ce regard
d'Ondine, glauque et moqueur, dont elle regardait
toutes choses. Elle semblait mentir à sa réputation
de femme spirituelle, en ne nuançant sa conduite
d'aucune de ces manières d'être personnelles, appe-
lées des excentricités. Elle faisait naturellement,
simplement, tout ce que faisaient les autres femmes
dans sa société, et ni plus ni moins. Elle voulait prouver que l'égalité, cette chimère des vilains, n'existe
vraiment qu'entre nobles. Là seulement sont les
pairs, car la distinction de la naissance, les quatre
générations de noblesse nécessaires pour être gentilhomme, sont un niveau. « Je ne suis que le premier gentilhomme de France, disait Henri IV, et par
ce mot, il mettait les prétentions de chacun aux pieds
de la distinction de tous. Comme les autres femmes
de sa caste, qu'elle était trop aristocratique pour vouloir primer, la comtesse remplissait ses devoirs
extérieurs de religion et de monde avec une exacte
sobriété, qui est la convenance suprême dans ce
monde où tous les enthousiasmes sont sévèrement
défendus. Elle ne restait pas en deçà ni n'allait au-
delà de sa société. Avait-elle accepté en se domptant
la vie monotone de cette ville de province où s'était
tari ce qui lui restait de jeunesse, comme une eau
dormante sous des nénuphars ? Ses motifs pour
agir, motifs de raison, de conscience, d'instinct, de
réflexion, de tempérament, de goût, tous ces flam-
beaux intérieurs qui jettent leur lumière sur nos
actes, ne projetaient pas de lueurs sur les siens. Rien
du dedans n'éclairait les dehors de cette femme. Rien
du dehors ne se répercutait au-dedans ! Fatigués

d'avoir guetté si longtemps sans rien voir dans Mme de Stasseville, les gens de province, qui ont pourtant une patience de prisonnier ou de pêcheur à la ligne, quand ils veulent découvrir quelque chose, avaient fini par abandonner ce casse-tête, comme on jette derrière un coffre un manuscrit qu'il aurait été impossible de déchiffrer[1].

« — Nous sommes bien bêtes, — avait dit un soir, dogmatiquement, la comtesse de Hautcardon, — et cela remontait à plusieurs années, — de nous donner un tel *tintouin* pour savoir ce qu'il y a dans le fond de l'âme de cette femme : probablement il n'y a rien ! »

III

« Et cette opinion de la douairière de Hautcardon avait été acceptée. Elle avait eu force de loi sur tous ces esprits dépités et désappointés de l'inutilité de leurs observations, et qui ne cherchaient qu'une raison pour se rendormir. Cette opinion régnait encore, mais à la manière des rois fainéants, quand Marmor de Karkoël, l'homme peut-être qui devait le moins se rencontrer dans la vie de la comtesse du Tremblay de Stasseville, vint du bout du monde s'asseoir à cette table verte où il manquait un partner. Il était né, racontait son cornac Hartford, dans les montagnes de brume des îles Shetland. Il était du pays où se passe la sublime histoire de Walter Scott, cette réalité du *Pirate* que Marmor allait reprendre en sous-œuvre, avec des variantes, dans une petite ville ignorée des côtes de la Manche[2]. Il avait été élevé aux bords de cette mer sillonnée par le vaisseau

de Cleveland. Tout jeune, il avait dansé les danses
du jeune Mordaunt avec les filles du vieux Troil. Il
les avait retenues, et plus d'une fois il les a dansées
devant moi sur la feuille en chêne des parquets de
cette petite ville prosaïque, mais digne, qui juraient
avec la poésie sauvage et bizarre de ces danses
hyperboréennes. À quinze ans, on lui avait acheté
une lieutenance dans un régiment anglais qui allait
aux Indes, et pendant douze ans il s'y était battu
contre les Marattes. Voilà ce qu'on apprit bientôt de
lui et de Hartford, et aussi qu'il était gentilhomme,
parent des fameux Douglas d'Écosse *au cœur san-*
glant. Mais ce fut tout. Pour le reste, on l'ignorait, et
on devait l'ignorer toujours. Ses aventures aux Indes,
dans ce pays grandiose et terrible où les hommes
dilatés apprennent des manières de respirer auxquelles l'air de l'Occident ne suffit plus, il ne les
raconta jamais. Elles étaient tracées en caractères
mystérieux sur le couvercle de ce fond d'or bruni,
qui ne s'ouvrait pas plus que ces boîtes à poison
asiatique, gardées, pour le jour de la défaite et des
désastres, dans l'écrin des sultans indiens[1]. Elles se
révélaient par un éclair aigu de ces yeux noirs, qu'il
savait éteindre quand on le regardait, comme on
souffle un flambeau quand on ne veut pas être vu,
et par l'autre éclair de ce geste avec lequel il fouettait ses cheveux sur sa tempe, dix fois de suite, pendant un *robber* de whist ou une partie d'écarté. Mais
hors ces hiéroglyphes de geste et de physionomie que
savent lire les observateurs, et qui n'ont, comme la
langue des hiéroglyphes, qu'un fort petit nombre de
mots, Marmor de Karkoël était indéchiffrable,
autant, à sa manière, que la comtesse du Tremblay
l'était à la sienne. C'était un Cleveland silencieux.
Tous les jeunes nobles de la ville qu'il habitait, et il y
en avait plusieurs de fort spirituels, curieux comme

des femmes et entortillants comme des couleuvres, étaient démangés du désir de lui faire raconter les mémoires inédits de sa jeunesse, entre deux cigarettes de maryland. Mais ils avaient toujours échoué. Ce lion marin des îles Hébrides, roussi par le soleil de Lahore, ne se prenait pas à ces souricières de salon offertes aux appétits de la vanité, à ces pièges à paon où la fatuité française laisse toutes ses plumes, pour le plaisir de les étaler. La difficulté ne put jamais être tournée. Il était sobre comme un Turc qui croirait au Coran. Espèce de muet qui gardait bien le sérail de ses pensées ! Je ne l'ai jamais vu boire que de l'eau et du café. Les cartes, qui semblaient sa passion, étaient-elles sa passion réelle ou une passion qu'il s'était donnée ? car on se donne des passions comme des maladies. Étaient-elles une espèce d'écran qu'il semblait déplier pour cacher son âme ? Je l'ai toujours cru, quand je l'ai vu jouer comme il jouait. Il enveloppa, creusa, invétéra cette passion du jeu dans l'âme joueuse de cette petite ville, au point que, quand il fut parti, un spleen affreux, le spleen des passions trompées, tomba sur elle comme un sirocco maudit et la fit ressembler davantage à une ville anglaise. Chez lui, la table de whist était ouverte dès le matin. La journée, quand il n'était pas à la Vanillière ou dans quelque château des environs, avait la simplicité de celle des hommes qui sont brûlés par l'idée fixe. Il se levait à neuf heures, prenait son thé avec quelque ami venu pour le whist, qui commençait alors et ne finissait qu'à cinq heures de l'après-midi. Comme il y avait beaucoup de monde à ces réunions, on se relayait à chaque *robber*, et ceux qui ne jouaient point pariaient. Du reste, il n'y avait pas que des jeunes gens à ces espèces de matinées, mais les hommes les plus graves de la ville. Des *pères de famille*, comme disaient

les femmes de trente ans, osaient passer leurs journées dans ce tripot, et elles beurraient, en toute
occasion, d'intentions perfides, mille tartelettes au
verjus sur le compte de cet Écossais, comme s'il
avait inoculé la peste à toute la contrée dans la personne de leurs maris. Elles étaient pourtant bien
accoutumées à les voir jouer, mais non dans ces
proportions d'obstination et de furie. Vers cinq heures, on se séparait, pour se retrouver le soir dans
le monde et s'y conformer, en apparence, au jeu
officiel et commandé par l'usage des maîtresses de
maison chez lesquelles on allait, mais, sous main et
en réalité, pour jouer le jeu convenu le matin
même, *au whist de Karkoël.* Je vous laisse à penser
à quel degré de force ces hommes, qui ne faisaient
plus qu'une chose, atteignirent. Ils élevèrent ce
whist jusqu'à la hauteur de la plus difficile et de la
plus magnifique escrime. Il y eut sans doute des
pertes fort considérables ; mais ce qui empêcha les
catastrophes et les ruines que le jeu traîne toujours
après soi, ce furent précisément sa fureur et la
supériorité de ceux qui jouaient. Toutes ces forces
finissaient par s'équilibrer entre elles ; et puis, dans
un rayon si étroit, on était trop souvent partner les
uns des autres pour ne pas, au bout d'un certain
temps, comme on dit en termes de jeu, se rattraper.
» L'influence de Marmor de Karkoël, contre
laquelle regimbèrent en dessous les femmes raisonna-
bles, ne diminua point, mais augmenta au contraire.
On le conçoit. Elle venait moins de Marmor et d'une
manière d'être entièrement personnelle, que d'une
passion qu'il avait trouvée là, vivante, et que sa
présence, à lui qui la partageait, avait exaltée. Le
meilleur moyen, le seul peut-être de gouverner les
hommes, c'est de les tenir par leurs passions. Comment ce Karkoël n'eût-il pas été puissant ? Il avait

ce qui fait la force des gouvernements, et, de plus, il ne songeait pas à gouverner. Aussi arriva-t-il à cette domination qui ressemble à un ensorcellement. On se l'arrachait. Tout le temps qu'il resta dans cette ville, il fut toujours reçu avec le même accueil, et cet accueil était une fiévreuse recherche. Les femmes, qui le redoutaient, aimaient mieux le voir chez elles que de savoir leurs fils ou leurs maris chez lui, et elles le recevaient comme les femmes reçoivent, même sans l'aimer, un homme qui est le centre d'une attention, d'une préoccupation, d'un mouvement quelconque. L'été, il allait passer quinze jours, un mois, à la campagne. Le marquis de Saint-Albans l'avait pris sous son admiration spéciale, — protection ne dirait pas assez. À la campagne, comme à la ville, c'étaient des whists éternels. Je me rappelle avoir assisté (j'étais un écolier en vacances alors) à une superbe partie de pêche au saumon, dans les eaux brillantes de la Douve, pendant tout le temps de laquelle Marmor de Karkoël joua, en canot, au whist à *deux morts* (double *dummy),* avec un gentilhomme du pays. Il fût tombé dans la rivière qu'il eût joué encore !... Seule, une femme de cette société ne recevait pas l'Écossais à la campagne, et à peine à la ville. C'était la comtesse du Tremblay.

» Qui pouvait s'en étonner ? Personne. Elle était veuve, et elle avait une fille charmante. En province, dans cette société envieuse et alignée où chacun plonge dans la vie de tous, on ne saurait prendre trop de précautions contre des inductions faciles à faire de ce qu'on voit à ce qu'on ne voit pas. La comtese du Tremblay les prenait en n'invitant jamais Marmor à son château de Stasseville, et en ne le recevant à la ville que fort publiquement et les jours qu'elle recevait toutes ses connaissances. Sa politesse était pour lui froide, impersonnelle. C'était une consé-

quence de ces bonnes manières qu'on doit avoir
avec tous, non pour eux, mais pour soi. Lui, de son
côté, répondait par une politesse du même genre ;
et cela était si peu affecté, si naturel dans tous les
deux, qu'on a pu y être pris pendant quatre ans. Je
l'ai déjà dit : hors le jeu, Karkoël ne semblait pas
exister. Il parlait peu. S'il avait quelque chose à
cacher, il le couvrait très bien de ses habitudes de
silence. Mais la comtesse avait, elle, si vous vous le
rappelez, l'esprit très extérieur et très mordant. Pour
ces sortes d'esprits, toujours en dehors, brillants,
agressifs, se retenir, se voiler, est chose difficile. Se
voiler, n'est-ce pas même une manière de se trahir ?
Seulement, si elle avait les écailles fascinantes et la
triple langue du serpent, elle en avait aussi la prudence. Rien donc n'altéra l'éclat et l'emploi féroces
de sa plaisanterie habituelle. Souvent, quand on parlait de Karkoël devant elle, elle lui décochait de ces
mots qui sifflent et qui percent, et que Mlle de Beaumont, sa rivale d'épigrammes, lui enviait. Si ce fut
là un mensonge de plus, jamais mensonge ne fut
mieux osé. Tenait-elle cette effrayante faculté de dis-
simuler de son organisation sèche et contractile ?
Mais pourquoi s'en servait-elle, elle, l'indépendance
en personne par sa position et la fierté moqueuse
du caractère ? Pourquoi, si elle aimait Karkoël et si
elle en était aimée, le cachait-elle sous les ridicules
qu'elle lui jetait de temps à autre, sous ces plaisanteries apostates, renégates, impies, qui dégradent
l'idole adorée... les plus grands sacrilèges en
amour ?

» Mon Dieu ! qui sait ? il y avait peut-être en tout
cela du bonheur pour elle... — Si l'on jetait, docteur, — fit le narrateur, en se tournant vers le docteur Beylasset, qui était accoudé sur un meuble
de Boulle, et dont le beau crâne chauve renvoyait

la lumière d'un candélabre que les domestiques venaient, en cet instant, d'allumer au-dessus de sa tête, si l'on jetait sur la comtesse de Stasseville un de ces bons regards *physiologistes*, — comme vous en avez, vous autres médecins, et que les moralistes devraient vous emprunter, — il était évident que tout, dans les impressions de cette femme, devait *rentrer, porter en dedans*, comme cette ligne *hortensia passé* qui formait ses lèvres, tant elle les rétractait ; comme ces ailes du nez, qui se creusaient au lieu de s'épanouir, immobiles et non pas frémissantes ; comme ces yeux, qui, à certains moments, se renfonçaient sous leurs arcades sourcilières et semblaient remonter vers le cerveau. Malgré son apparente délicatesse et une souffrance physique dont on suivait l'influence visible dans tout son être, comme on suit les rayonnements d'une fêlure dans une substance trop sèche, elle était le plus frappant diagnostic de la volonté, de cette pile de Volta intérieure à laquelle aboutissent nos nerfs. Tout l'attestait, en elle, plus qu'en aucun être vivant que j'aie jamais contemplé. Cet influx de la volonté sommeillante circulait — qu'on me passe le mot, car il est bien pédant ! — *puissanciellement* jusque dans ses mains, aristocratiques et princières pour la blancheur mate, l'opale irisée des ongles et l'élégance, mais qui, pour la maigreur, le gonflement et l'implication des mille torsades bleuâtres des veines, et surtout pour le mouvement d'appréhension avec lequel elles saisissaient les objets, ressemblaient à des griffes fabuleuses, comme l'étonnante poésie des Anciens en attribuait à certains monstres au visage et au sein de femme. Quand, après avoir lancé une de ces plaisanteries, un de ces traits étincelants et fins comme les arêtes empoisonnées[1] dont se servent les sauvages, elle passait le bout de sa langue

vipérine sur ses lèvres sibilantes, on sentait que
dans une grande occasion, dans le dernier moment
de la destinée, par exemple, cette femme frêle et
forte tout ensemble était capable de deviner le procédé des nègres, et de pousser la résolution jusqu'à
avaler cette langue si souple, pour mourir. À la voir,
on ne pouvait douter qu'elle ne fût, en femme, une
de ces organisations comme il y en a dans tous les
règnes de la nature, qui, de préférence ou d'instinct,
recherchent le fond au lieu de la surface des choses ; un de ces êtres destinés à des cohabitations
occultes, qui plongent dans la vie comme les grands
nageurs plongent et nagent sous l'eau, comme les
mineurs respirent sous la terre, passionnés pour le
mystère, en raison même de leur profondeur, le
créant autour d'elles et l'aimant jusqu'au mensonge,
car le mensonge, c'est du mystère redoublé, des voiles épaissis, des ténèbres faites à tout prix ! Peut-
être ces sortes d'organisations aiment-elles le mensonge pour le mensonge, comme on aime l'art pour
l'art, comme les Polonais aiment les batailles. — (Le
docteur inclina gravement la tête en signe d'adhé-
sion.) — Vous le pensez, n'est-ce pas ? et moi aussi !
Je suis convaincu que, pour certaines âmes, il y a le
bonheur de l'imposture. Il y a une effroyable, mais
enivrante félicité dans l'idée qu'on ment et qu'on
trompe ; dans la pensée qu'on *se sait seul soi-même*,
et qu'on joue à la société une comédie dont elle est
la dupe, et dont on se rembourse les frais de mise
en scène par toutes les voluptés du mépris[1].

— Mais c'est affreux, ce que vous dites là ! »
interrompit tout à coup la baronne de Mascranny,
avec le cri de la loyauté révoltée.

Toutes les femmes qui écoutaient (et il y en avait
peut-être quelques-unes connaisseuses en plaisirs
cachés) avaient éprouvé comme un frémissement

aux dernières paroles du conteur. J'en jugeai au dos
nu de la comtesse de Damnaglia, alors si près de
moi[1]. Cette espèce de frémissement nerveux, tout le
monde le connaît et l'a ressenti. On l'appelle quelquefois avec poésie *la mort qui passe*. Était-ce alors
la vérité qui passait ?...

« Oui, — répondit le narrateur, c'est affreux ; mais
est-ce vrai ? Les natures *au cœur sur la main* ne se
font pas l'idée des jouissances solitaires de l'hypocrisie, de ceux qui vivent et peuvent respirer, la tête
lacée dans un masque. Mais, quand on y pense, ne
comprend-on pas que leurs sensations aient réellement la profondeur enflammée de l'enfer ? Or, l'enfer,
c'est le ciel en creux[2]. Le mot *diabolique* ou *divin*,
appliqué à l'intensité des jouissances, exprime la
même chose, c'est-à-dire des sensations qui vont
jusqu'au surnaturel. Mme de Stasseville était-elle de
cette race d'âmes ?... Je ne l'accuse ni ne la justifie.
Je raconte comme je peux son histoire, que personne n'a bien sue, et je cherche à l'éclairer par une
étude à la Cuvier sur sa personne. Voilà tout.

» Du reste, cette analyse que je fais maintenant
de la comtesse du Tremblay, sur le souvenir de son
image, empreinte dans ma mémoire comme un
cachet d'onyx fouillé par un burin profond sur de la
cire, je ne la faisais point alors. Si j'ai compris cette
femme, ce n'a été que bien plus tard... La toute-
puissante volonté, qu'à *la réflexion* j'ai reconnue en
elle, depuis que l'expérience m'a appris à quel point
le corps est la moulure de l'âme, n'avait pas plus
soulevé et tendu cette existence, encaissée dans de
tranquilles habitudes, que la vague ne gonfle et ne
trouble un lac de mer, fortement encaissé dans ses
bords. Sans l'arrivée de Karkoël, de cet officier
d'infanterie anglaise que des compatriotes avaient
engagé à aller *manger sa demi-solde* dans une ville

normande, digne d'être anglaise, la débile et pâle moqueuse qu'on appelait en riant *madame de Givre* n'aurait jamais su elle-même quel impérieux vouloir elle portait dans son sein de neige fondue, comme disait Mlle Ernestine de Beaumont, mais sur lequel, au *moral*, tout avait glissé comme sur le plus dur mamelon des glaces polaires. Quand il arriva, qu'éprouva-t-elle ? Apprit-elle tout à coup que, pour une nature comme la sienne, sentir fortement, c'est vouloir ? Entraîna-t-elle par la volonté un homme qui ne semblait plus devoir aimer que le jeu ?... Comment s'y prit-elle pour réaliser une intimité dont il est difficile, en province, d'esquiver les dangers ?... Tous mystères, restés tels à jamais, mais qui, soupçonnés plus tard, n'avaient encore été pressentis par personne à la fin de l'année 182... Et cependant, à cette époque, dans un des hôtels les plus paisibles de cette ville, où le jeu était la plus grande affaire de chaque journée et presque de chaque nuit ; sous les persiennes silencieuses et les rideaux de mousseline brodée, voiles purs, élégants, et à moitié relevés d'une vie calme, il devait y avoir depuis longtemps un roman qu'on aurait juré impossible. Oui, le roman était à cette vie correcte, irréprochable, réglée, moqueuse, froide jusqu'à la maladie, où l'esprit semblait tout et l'âme rien. Il y était, et la rongeait sous les apparences et la renommée, comme les vers qui seraient au cadavre d'un homme avant qu'il ne fût expiré.

— Quelle abominable comparaison ! — fit encore observer la baronne de Mascranny. — Ma pauvre Sibylle avait presque raison de ne pas vouloir de votre histoire. Décidément, vous avez un vilain genre d'imagination, ce soir.

— Voulez-vous que je m'arrête ? — répondit le conteur, avec une sournoise courtoisie et la petite

rouerie d'un homme sûr de l'intérêt qu'il a fait
naître.

— Par exemple ! — reprit la baronne ; — est-ce
que nous pouvons rester, maintenant, l'attention en
l'air, avec une moitié d'histoire ?

— Ce serait aussi par trop fatigant ! — dit, en
défrisant une de ses longues anglaises d'un beau
noir bleu, Mlle Laure d'Alzanne, la plus languissante
image de la paresse heureuse, avec le gracieux effroi
de sa nonchalance menacée.

— Et désappointant en plus ! — ajouta gaiement
le docteur. — Ne serait-ce pas comme si un coif-
feur, après vous avoir rasé un côté du visage, fermait tranquillement son rasoir et vous signifiait
qu'il lui est impossible d'aller plus loin ?...

— Je reprends donc, — reprit le conteur, avec la
simplicité de l'art suprême qui consiste surtout à se
bien cacher... — En 182..., j'étais dans le salon d'un
de mes oncles, maire de cette petite ville que je
vous ai décrite comme la plus antipathique aux passions et à l'aventure ; et, quoique ce fût un jour
solennel, la fête du roi, une Saint-Louis, toujours
grandement fêtée par ces ultras de l'émigration, par
ces quiétistes politiques qui avaient inventé le mot
mystique de l'amour pur : *Vive le roi quand même !*
on ne faisait, dans ce salon, rien de plus que ce qu'on
y faisait tous les jours. On y jouait. Je vous demande
bien pardon de vous parler de moi, c'est d'assez
mauvais goût, mais il le faut. J'étais un adolescent
encore. Cependant, grâce à une éducation exceptionnelle, je soupçonnais plus des passions et du
monde qu'on n'en soupçonne d'ordinaire à l'âge que
j'avais. Je ressemblais moins à un de ces collégiens
pleins de gaucherie, qui n'ont rien vu que dans leurs
livres de classe, qu'à une de ces jeunes filles curieuses, qui s'instruisent en écoutant aux portes et en

rêvant beaucoup sur ce qu'elles y ont entendu.
Toute la ville se pressait, ce soir-là, dans le salon de
mon oncle, et, comme toujours, — car il n'y avait
que des choses éternelles dans ce monde de momies
qui ne secouaient leurs bandelettes que pour agiter
des cartes, — cette société se divisait en deux parties, la partie qui jouait, et les jeunes filles qui ne
jouaient pas. Momies aussi que ces jeunes filles, qui
devaient se ranger, les unes auprès des autres, dans
les catacombes du célibat, mais dont les visages,
éclatants d'une vie inutile et d'une fraîcheur qui ne
serait pas respirée, enchantaient mes avides regards.
Parmi elles, il n'y avait peut-être que Mlle Herminie
de Stasseville à qui la fortune eût permis de croire
à ce miracle d'un mariage d'amour, sans déroger.
Je n'étais pas assez âgé, ou je l'étais trop, pour me
mêler à cet essaim de jeunes personnes, dont les
chuchotements s'entrecoupaient de temps à autre
d'un rire bien franc ou doucement contenu. En proie
à ces brûlantes timidités qui sont en même temps
des voluptés et des supplices, je m'étais réfugié et
assis auprès du dieu du *chelem*, ce Marmor de
Karkoël, pour lequel je m'étais pris de belle passion.
Il ne pouvait y avoir entre lui et moi d'amitié. Mais
les sentiments ont leur hiérarchie secrète. Il n'est
pas rare de voir, dans les êtres qui ne sont pas déve-
loppés, de ces sympathies que rien de positif, de
démontré, n'explique, et qui font comprendre que
les jeunes gens ont besoin de chefs comme les peuples qui, malgré leur âge, sont toujours un peu des
enfants. Mon chef, à moi, eût été Karkoël. Il venait
souvent chez mon père, grand joueur comme tous
les hommes de cette société. Il s'était souvent mêlé
à nos récréations gymnastiques, à mes frères et à moi,
et il avait déployé devant nous une vigueur et une
souplesse qui tenaient du prodige. Comme le duc

d'Enghien, il sautait en se jouant une rivière de dix-
sept pieds. Cela seul, sans doute, devait exercer sur
la tête de jeunes gens comme nous, élevés pour devenir des hommes de guerre, un grand attrait de
séduction ; mais là n'était pas le secret pour moi de
l'aimant de Karkoël. Il fallait qu'il agît sur mon
imagination avec la puissance des êtres exceptionnels sur les êtres exceptionnels, car la vulgarité préserve des influences supérieures, comme un sac de
laine préserve des coups de canon. Je ne saurais
dire quel rêve j'attachais à ce front, qu'on eût cru
sculpté dans cette substance que les peintres d'aqua-
relle appellent *terre de Sienne* ; à ces yeux sinistres,
aux paupières courtes ; à toutes ces marques que
des passions inconnues avaient laissées sur la personne de l'Écossais, comme les quatre coups de barre
du bourreau aux articulations d'un roué ; et surtout
à ces mains d'un homme, du plus amolli des civili-
sés, chez qui le sauvage finissait au poignet, et qui
savaient imprimer aux cartes cette vélocité de rota-
tion qui ressemblait au tournoiement de la flamme,
et qui avait tant frappé Herminie de Stasseville, la
première fois qu'elle l'avait vu. Or, ce soir-là, dans
l'angle où se dressait la table de jeu, la persienne était
à moitié fermée. La partie était sombre comme
l'espèce de demi-jour qui l'éclairait. C'était le whist
des forts. Le Mathusalem des marquis, M. de Saint-
Albans, était le partner de Marmor. La comtesse du
Tremblay avait pris pour le sien le chevalier de
Tharsis, officier au régiment de Provence avant la
Révolution et chevalier de Saint-Louis, un de ces
vieillards comme il n'y en a plus debout maintenant,
un de ces hommes qui furent à cheval sur deux siècles, sans être pour cela des colosses[1]. À un certain
moment de la partie, et par le fait d'un mouvement
de Mme du Tremblay de Stasseville pour relever ses

cartes, une des pointes du diamant qui brillait à son doigt rencontra, dans cette ombre projetée par la persienne sur la table verte, qu'elle rendait plus verte encore, un de ces chocs de rayon, intersectés par la pierre, comme il est impossible à l'art humain d'en combiner, et il en jaillit un dard de feu blanc tellement électrique, qu'il fit presque mal aux yeux comme un éclair.

« — Eh ! eh ! qu'est-ce qui brille ? — dit, d'une voix flûtée, le chevalier de Tharsis, qui avait la voix de ses jambes.

» — Et, qui est-ce qui tousse ? — dit simultanément le marquis de Saint-Albans, tiré par une toux horriblement mate de sa préoccupation de joueur, en se retournant vers Herminie, qui brodait une collerette à sa mère.

» — C'est mon diamant et c'est ma fille, — fit la comtesse du Tremblay avec un sourire de ses lèvres minces, en répondant à tous les deux.

» — Mon Dieu ! comme il est beau, votre diamant, Madame ! — reprit le chevalier. — Jamais je ne l'avais vu étinceler comme ce soir ; il forcerait les plus myopes à le remarquer. »

» On était arrivé, en disant cela, à la fin de la partie, et le chevalier de Tharsis prit la main de la comtesse : — « Voulez-vous permettre ?... » — ajouta-t-il.

» La comtesse ôta languissamment sa bague, et la jeta au chevalier sur la table de jeu.

» Le vieil émigré l'examina en la tournant devant son œil comme un kaléidoscope. Mais la lumière a ses hasards et ses caprices. En roulant sur les facettes de la pierre, elle n'en détacha pas un second jet de lumière nuancée, semblable à celui qui venait si rapidement d'en jaillir.

» Herminie se leva et poussa la persienne, afin

que le jour tombât mieux sur la bague de sa mère et qu'on en pût mieux apprécier la beauté.

» Et elle se rassit, le coude à la table, regardant aussi la pierre prismatique ; mais la toux revint, une toux sifflante, qui lui rougit et lui injecta la nacre de ses beaux yeux bleus, d'un humide radical si pur.

« — Et où avez-vous pris cette affreuse toux, ma chère enfant ? — dit le marquis de Saint-Albans, plus occupé de la jeune fille que de la bague, du diamant humain que du diamant minéral[1].

— Je ne sais, monsieur le marquis, — fit-elle, avec la légèreté d'une jeunesse qui croyait à l'éternité de la vie. — Peut-être à me promener le soir, au bord de l'étang de Stasseville. »

» Je fus frappé alors du groupe qu'ils formaient à eux quatre.

» La lumière rouge du couchant immergeait par la fenêtre ouverte. Le chevalier de Tharsis regardait le diamant ; M. de Saint-Albans, Herminie ; Mme du Tremblay, Karkoël, qui regardait d'un œil distrait sa dame de carreau[2]. Mais ce qui me frappa surtout, ce fut Herminie. La *Rose de Stasseville* était pâle, plus pâle que sa mère[3]. La pourpre du jour mourant, qui versait son transparent reflet sur ses joues pâles, lui donnait l'air d'une tête de victime, réfléchie dans un miroir qu'on aurait dit étamé avec du sang[4].

» Tout à coup, j'eus froid dans les nerfs, et par je ne sais quelle évocation foudroyante et involontaire, un souvenir me saisit avec l'invincible brutalité de ces idées qui fécondent monstrueusement la pensée révoltée, en la violant.

» Il y avait quinze jours, à peu près, qu'un matin j'étais allé chez Marmor de Karkoël. Je l'avais trouvé seul. Il était de bonne heure. Nul des joueurs qui, d'ordinaire, jouaient le matin chez lui, n'était arrivé. Il était, quand j'entrai, debout devant son secrétaire, et il semblait occupé d'une opération fort délicate qui exigeait une extrême attention et une grande sûreté de main. Je ne le voyais pas ; sa tête était penchée. Il tenait entre les doigts de sa main droite un petit flacon d'une substance noire et brillante, qui ressemblait à l'extrémité d'un poignard cassé, et, de ce flacon microscopique, il épanchait je ne sais quel liquide dans une bague ouverte.

« — Que diable faites-vous là ? — lui dis-je en m'avançant. Mais il me cria avec une voix impérieuse : « N'approchez pas ! restez où vous êtes ; vous me feriez trembler la main, et ce que je fais est plus difficile et plus dangereux que de casser à quarante pas un tire-bouchon avec un pistolet qui pourrait crever. »

» C'était une allusion à ce qui nous était arrivé, il y avait quelque temps. Nous nous amusions à tirer avec les plus mauvais pistolets qu'il nous fût possible de trouver, afin que l'habileté de l'homme se montrât mieux dans la faiblesse de l'instrument, et nous avions failli nous ouvrir le crâne avec le canon d'un pistolet qui creva.

» Il put insinuer les gouttes du liquide inconnu qu'il laissait tomber du bec effilé de son flacon. Quand ce fut fait, il ferma la bague et la jeta dans un des tiroirs de son secrétaire, comme s'il avait voulu la cacher.

» Je m'aperçus qu'il avait un masque de verre.

« — Depuis quand, — lui dis-je, en plaisantant, — vous occupez-vous de chimie ? et sont-ce des ressources contre les pertes au whist que vous composez ?

» — Je ne compose rien, — me répondit-il, — mais ce qui est *là-dedans* (et il montrait le flacon noir) est une ressource contre tout. C'est, — ajouta-t-il avec la sombre gaieté du pays des suicides d'où il était,

— le jeu de cartes biseautées avec lequel on est sûr de gagner la dernière partie contre le Destin.

» — Quelle espèce de poison ? — lui demandai-je, en prenant le flacon dont la forme bizarre m'attirait.

» — C'est le plus admirable des poisons indiens, me répondit-il en ôtant son masque. — Le respirer peut être mortel, et, de quelque manière qu'on l'absorbe, s'il ne tue pas immédiatement, vous ne perdez rien pour attendre ; son effet est aussi sûr qu'il est caché. Il attaque lentement, presque languissamment, mais infailliblement, la vie dans ses sources, en les pénétrant et en développant, au fond des organes sur lesquels il se jette, de ces maladies connues de tous et dont les symptômes, familiers à la science, dépayseraient le soupçon et répondraient à l'accusation d'empoisonnement, si une telle accusation pouvait exister. On dit, aux Indes, que des fakirs mendiants le composent avec des substances extrêmement rares, qu'eux seuls connaissent et qu'on ne trouve que sur les plateaux du Thibet. Il dissout les liens de la vie plus qu'il ne les rompt. En cela, il convient davantage à ces natures d'Indiens, apathiques et molles, qui aiment la mort comme un sommeil et s'y laissent tomber comme sur un lit de lotos. Il est fort difficile, du reste, presque impossible de s'en procurer. Si vous saviez ce que j'ai risqué, pour obtenir ce flacon d'une femme qui disait m'aimer !... J'ai un ami, comme moi officier dans l'armée anglaise, et revenu comme moi des Indes où il a passé sept ans. Il a cherché ce poison avec le désir furieux d'une fantaisie anglaise, — et plus tard, quand vous aurez vécu davantage, vous comprendrez ce que c'est. Eh bien ! il n'a jamais pu en trouver. Il a acheté, au prix de l'or, d'indignes contrefaçons. De désespoir, il m'a écrit d'Angleterre et il m'a envoyé une de ses bagues, en me suppliant d'y

verser quelques gouttes de ce nectar de la mort.
Voilà ce que je faisais quand vous êtes entré. »

» Ce qu'il me disait ne m'étonnait pas. Les hommes sont ainsi faits, que, sans aucun mauvais dessein, sans pensée sinistre, ils aiment à avoir du
poison chez eux, comme ils aiment à avoir des
armes. Ils thésaurisent les moyens d'extermination
autour d'eux, comme les avares thésaurisent les
richesses. Les uns disent : Si je voulais détruire !
comme les autres : Si je voulais jouir ! C'est le même
idéalisme enfantin. Enfant, moi-même, à cette époque, je trouvai tout simple que Marmor de Karkoël,
revenu des Indes, possédât cette curiosité d'un poison comme il n'en existe pas ailleurs, et, parmi ses
kandjars et ses flèches, apportés au fond de sa malle
d'officier, ce flacon de pierre noire, cette jolie babiole
de destruction qu'il me montrait. Quand j'eus bien
tourné et retourné ce bijou, poli comme une agate,
qu'une Aimée peut-être avait porté entre les deux
globes de topaze de sa poitrine, et dans la substance
poreuse duquel elle avait imprégné sa sueur d'or, je
le jetai dans une coupe posée sur la cheminée, et je
n'y pensai plus.

» Eh bien ! le croiriez-vous ? c'était le souvenir de
ce flacon qui me revenait !... La figure souffrante
d'Herminie, sa pâleur, cette toux qui semblait sortir
d'un poumon spongieux, ramolli, où déjà peut-être
s'envenimaient ces lésions profondes que la médecine appelle, — n'est-ce pas, docteur ? — dans un
langage plein d'épouvantements pittoresques, *des
cavernes* ; cette bague qui, par une coïncidence inexplicable, brillait tout à coup d'un éclat si étrange au
moment où la jeune fille toussait, comme si le scin-
tillement de la pierre homicide eût été la palpita-
tion de joie du meurtrier ; les circonstances d'une
matinée qui était effacée de ma mémoire, mais qui

y reparaissaient tout à coup : voilà ce qui m'afflua, comme un flot de pensées, au cerveau ! De lien pour rattacher les circonstances passées à l'heure présente, je n'en avais pas. Le rapprochement involontaire qui se faisait dans ma tête était insensé. J'avais horreur de ma propre pensée. Aussi m'efforçai-je d'étouffer, d'éteindre en moi cette fausse lueur, ce flamboiement qui s'était allumé, et qui avait passé dans mon âme comme l'éclair de ce diamant qui était passé sur cette table verte !... Pour appuyer ma volonté et broyer sous elle la folle et criminelle croyance d'un instant, je regardais attentivement Marmor de Karkoël et la comtesse du Tremblay.

» Ils répondaient très bien l'un et l'autre par leur attitude et leur visage, que ce que j'avais osé penser était impossible ! Marmor était toujours Marmor. Il continuait de regarder sa dame de carreau comme si elle eût représenté l'amour dernier, définitif, de toute sa vie. Mme du Tremblay, de son côté, avait sur le front, dans les lèvres et dans le regard, le calme qui ne la quittait jamais, même quand elle ajustait l'épigramme, car sa plaisanterie ressemblait à une balle, la seule arme qui tue sans se passionner, tandis que l'épée, au contraire, partage la passion de la main. Elle et lui, lui et elle, étaient deux abîmes placés en face l'un de l'autre ; seulement, l'un, Karkoël, était noir et ténébreux comme la nuit ; et l'autre, cette femme pâle, était claire et inscrutable comme l'espace. Elle tenait toujours sur son partner des yeux indifférents et qui brillaient d'une impassible lumière. Seulement, comme le chevalier de Tharsis *n'en finissait pas* d'examiner la bague qui renfermait le mystère que j'aurais voulu pénétrer, elle avait pris à sa ceinture un gros bouquet de résédas, et elle se mit à le respirer avec une sensualité qu'on n'eût, certes, pas attendue d'une femme comme elle, si

peu faite pour les rêveuses voluptés. Ses yeux se fermèrent après avoir tourné dans je ne sais quelle
pâmoison indicible, et, d'une passion avide, elle saisit avec ses lèvres effilées et incolores plusieurs tiges
de fleurs odorantes, et elle les broya sous ses dents,
avec une expression idolâtre et sauvage, les yeux
rouverts sur Karkoël. Était-ce un signe, une entente
quelconque, une complicité, comme en ont les
amants entre eux, que ces fleurs mâchées et dévo-
rées en silence[1] ?... Franchement, je le crus. Elle
remit tranquillement la bague à son doigt, quand le
chevalier l'eut assez admirée, et le whist continua,
renfermé, muet et sombre, comme si rien ne l'avait
interrompu. »

Ici, encore, le conteur s'arrêta[2]. Il n'avait plus
besoin de se presser. Il nous tenait tous sous la griffe
de son récit. Peut-être tout le mérite de son histoire
était-il dans sa manière de la raconter... Quand il se
tut, on entendit, dans le silence du salon, aller et venir
les respirations. Moi, qui allongeais mes regards par-
dessus mon rempart d'albâtre, l'épaule de la comtesse
de Damnaglia, je vis l'émotion marbrer de ses nuances diverses tous ces visages. Involontairement, je
cherchais celui de la jeune Sibylle, de la sauvage
enfant qui s'était cabrée aux premiers mots de cette
histoire. J'eusse aimé à voir passer les éclairs de la
transe dans ces yeux noirs qui font penser au ténébreux et sinistre canal Orfano, à Venise, car il s'y
noiera plus d'un cœur. Mais elle n'était plus sur le
canapé de sa mère. Inquiète de ce qui allait suivre,
la sollicitude de la baronne avait sans doute fait à
sa fille quelque signe de furtive départie, et elle avait
disparu[3].

« En fin de compte, — reprit le narrateur, — qu'y
avait-il dans tout cela qui fût de nature à m'émou-
voir si fort et à se graver dans ma mémoire comme

une eau-forte, car le temps n'a pas effacé un seul des linéaments de cette scène ? Je vois encore la ligure de Marmor, l'expression du calme cristallisé de la comtesse, se fondant pour une minute dans la sensation de ces résédas respirés et triturés avec un frissonnement presque voluptueux. Tout cela m'est resté, et vous allez comprendre pourquoi. Ces faits dont je ne voyais pas très bien la relation entre eux, ces faits mal éclairés d'une intuition que je me reprochais, dans l'écheveau entortillé desquels le possible et l'incompréhensible apparaissaient, reçurent plus tard une goutte de lumière qui en débrouilla pour jamais en moi le chaos.

» Je vous ai dit, je crois, que j'avais été mis fort tard au collège. Les deux dernières années de mon éducation s'y écoulèrent sans que je revinsse dans mon pays[1]. Ce fut donc au collège que j'appris, par les lettres de ma famille, la mort de Mlle Herminie de Stasseville, victime d'une maladie de langueur dont personne ne s'était douté qu'à la dernière extrémité, et quand la maladie avait été incurable. Cette nouvelle, qu'on me transmettait sans aucun commentaire, me glaça le sang du même froid que j'avais senti lorsque, dans le salon de mon oncle, j'avais entendu pour la première fois cette toux qui sonnait la mort, et qui avait dressé en moi tout à coup de si épouvantables inductions. Ceux qui ont l'expérience des choses de l'âme me comprendront, quand je dirai que je n'osai pas faire une seule question sur cette perte soudaine d'une jeune fille, enlevée à l'affection de sa mère et aux plus belles espérances de la vie. J'y pensai d'une manière trop tragique pour en parler à qui que ce fût. Revenu chez mes parents, je trouvai la ville de *** bien changée ; car, en plusieurs années, les villes changent comme les femmes : on ne les reconnaîtrait plus. C'était après 1830.

Depuis le passage de Charles X, qui l'avait traversée pour aller s'embarquer à Cherbourg, la plupart des familles nobles que j'avais connues pendant mon enfance vivaient retirées dans les châteaux circonvoisins. Les événements politiques avaient frappé d'autant plus ces familles, qu'elles avaient cru à la victoire de leur parti et qu'elles étaient retombées d'une espérance. En effet, elles avaient vu le moment où le droit d'aînesse, relevé par le seul homme d'État qu'ait eu la Restauration, allait rétablir la société française sur la seule base de sa grandeur et de sa force ; puis, tout à coup, cette idée, doublement juste de justesse et de justice, qui avait brillé aux regards de ces hommes, dupes sublimes de leur dévouement monarchique, comme un dédommagement à leurs souffrances et à leur ruine, comme un dernier lambeau de vair et d'hermine qui doublât leur cercueil et rendît moins dur leur dernier sommeil, périr sous le coup d'une opinion publique qu'on n'avait su ni éclairer ni discipliner. La petite ville, dont il a été si souvent question dans ce récit, n'était plus qu'un désert de persiennes fermées et de portes cochères qui ne s'ouvraient plus. La révolution de Juillet avait effrayé les Anglais, et ils étaient partis d'une ville dont les mœurs et les habitudes avaient reçu des événements une si forte rupture. Mon premier soin avait été de demander ce qu'était devenu M. Marmor de Karkoël. On me répondit qu'il était retourné aux Indes sur un ordre de son gouvernement. La personne qui me dit cela était précisément cet éternel chevalier de Tharsis, l'un des quatre de la fameuse *partie du diamant* (fameuse, du moins elle l'était pour moi), et son œil, en me renseignant, se fixa sur les miens avec l'expression d'un homme qui veut être interrogé. Aussi, presque involontairement, car les âmes se devinent bien avant que la volonté n'ait agi :

« — Et Mme du Tremblay de Stasseville ?... — lui dis-je.

» — Vous saviez donc quelque chose ?... — me répondit-il assez mystérieusement, comme si nous avions eu cent paires d'oreilles à nous écouter, et nous étions seuls.

» — Mais non, — lui dis-je, — je ne sais rien.

» — Elle est morte, — reprit-il, — de la poitrine, comme sa fille, un mois après le départ de ce diable de Marmor de Karkoël.

» — Pourquoi cette date ? — fis-je alors, — et pourquoi me parlez-vous de Marmor de Karkoël ?...

» — C'est donc la vérité, répondit-il, — que vous ne savez rien ! Eh bien ! mon cher, il paraît qu'elle était sa maîtresse. Du moins l'a-t-on fait entendre ici, quand on en parlait à voix basse. À présent, on n'ose plus en parler. C'était une hypocrite de premier ordre que cette comtesse. Elle l'était comme on est blonde ou brune, elle était née *cela*. Aussi pratiquait-elle le mensonge au point d'en faire une vérité, tant elle était simple et naturelle, sans effort et sans affectation en tout. À travers une habileté si profonde qu'on n'a su que depuis bien peu de temps que c'en était une, il a transpiré des bruits bientôt étouffés par la terreur qui les transmettait... À les entendre, cet Écossais, qui n'aimait que les cartes, n'a pas été seulement l'amant de la comtesse, laquelle ne le recevait jamais chez elle comme tout le monde, et, mauvaise comme le démon, lui campait son épigramme comme à pas un de nous, quand l'occasion s'en présentait !... Mon Dieu, ceci ne serait rien, s'il n'y avait que cela ! Mais le pis est, dit-on, que le dieu du *chelem* avait fait *chelem* toute la famille. Cette pauvre petite Herminie l'adorait en silence. Mlle Ernestine de Beaumont vous le dira si vous le voulez. C'était comme une fatalité. Lui, l'aimait-il ?

Aimait-il la mère ? Les aimait-il toutes les deux ?
Ne les aimait-il ni l'une ni l'autre ? Trouvait-il seulement la mère bonne pour entretenir sa mise au
jeu ?... Qui sait ? Ici l'histoire est fort obscure. Tout
ce qu'on certifie, c'est que la mère, dont l'âme était
aussi sèche que le corps, s'était prise d'une haine
pour sa fille, qui n'a pas peu contribué à la faire
mourir.

» — On dit cela ! — repris-je, plus épouvanté d'avoir
pensé juste que je ne l'avais été d'avoir pensé faux,
— mais qui peut savoir cela ?... Karkoël n'était pas
un fat. Ce n'est pas lui qui se serait permis des confidences. On n'a pu jamais rien savoir de sa vie. Il
n'aura pas commencé d'être confiant, ou indiscret,
à propos de la comtesse de Stasseville.

» — Non, — répondit le chevalier de Tharsis. —
Les deux hypocrites faisaient la paire. Il est parti
comme il est venu, sans qu'aucun de nous ait pu
dire : « Il était autre chose qu'un joueur. » Mais, si
parfaite de ton et de tenue que fût dans le monde
l'irréprochable comtesse, les femmes de chambre,
pour lesquelles il n'est point d'héroïnes, ont raconté
qu'elle s'enfermait avec sa fille, et qu'après de longues heures de tête-à-tête elles sortaient plus pâles
l'une que l'autre, mais la fille toujours davantage et
les yeux abîmés de pleurs.

» — Vous n'avez pas d'autres détails et d'autres
certitudes, chevalier ? — lui dis-je, pour le pousser
et voir plus clair. — Mais vous n'ignorez pas ce que
sont des propos de femmes de chambre... On en
saurait probablement davantage par Mlle de Beaumont.

» — Mlle de Beaumont ! — fit le Tharsis. — Ah !
elles ne s'aimaient pas, la comtesse et elle, car c'était
le même genre d'esprit toutes les deux ! Aussi la
survivante ne parle-t-elle de la morte qu'avec des

yeux imprécatoires et des réticences perfides. Il est
sûr qu'elle veut faire croire les choses les plus atroces... et qu'elle n'en sait qu'une, qui ne l'est pas...
l'amour d'Herminie pour Karkoël.

» — Et ce n'est pas savoir grand-chose, chevalier,
— repris-je. — Si l'on savait toutes les confidences
que se font les jeunes filles entre elles, on mettrait
sur le compte de l'amour la première rêverie venue.
Or, vous avouerez qu'un homme comme ce Karkoël
avait bien tout ce qui fait rêver.

» — C'est vrai, dit le vieux Tharsis, — mais on a
plus que des confidences de jeunes filles. Vous rappelez-vous... non ! vous étiez trop enfant, mais on
l'a assez remarqué dans notre société... que Mme
de Stasseville, qui n'avait jamais rien aimé, pas plus
les fleurs que tout le reste, car je défie de pouvoir
dire quels étaient les goûts de cette femme-là, portait
toujours vers la fin de sa vie un bouquet de résédas
à sa ceinture, et qu'en jouant au whist, et partout,
elle en rompait les tiges pour les mâchonner, si bien
qu'un beau jour Mlle de Beaumont demanda à Herminie, avec une petite roulade de raillerie dans la
voix, depuis quand sa mère était herbivore ?...

» — Oui, je m'en souviens, — lui répondis-je. Et
de fait, je n'avais jamais oublié la manière fauve, et
presque amoureusement cruelle, dont la comtesse
avait respiré et mangé les fleurs de son bouquet, à
cette partie de whist qui avait été pour moi un événement.

» — Eh bien ! — fit le bonhomme, — ces résédas
venaient d'une magnifique jardinière que Mme de
Stasseville avait dans son salon. Oh ! le temps n'était
plus où les odeurs lui faisaient mal. Nous l'avions
vue ne pouvoir les souffrir, depuis ses dernières cou-
ches, pendant lesquelles on avait failli la tuer, nous
contait-elle langoureusement, avec un bouquet de

tubéreuses. À présent, elle les aimait et les recher-
chait avec fureur. Son salon asphyxiait comme une
serre dont on n'a pas encore soulevé les vitrages à
midi. À cause de cela, deux ou trois femmes délica-
tes n'allaient plus chez elle. C'étaient là des change-
ments ! Mais on les expliquait par la maladie et par
les nerfs. Une fois morte, et quand il a fallu fermer
son salon, — car le tuteur de son fils a fourré au
collège ce petit imbécile, que voilà riche comme doit
être un sot, — on a voulu mettre ces beaux résédas
en pleine terre et l'on a trouvé dans la caisse, devinez
quoi !... le cadavre d'un enfant qui avait vécu... »

Le narrateur fut interrompu par le cri très vrai de
deux ou trois femmes, pourtant bien brouillées avec
le naturel. Depuis longtemps, il les avait quittées ;
mais, ma foi, pour cette occasion il leur revint. Les
autres, qui se dominaient davantage, ne se permirent
qu'un haut-le-corps, mais il fut presque convulsif.

« — Quel oubli et quelle oubliette ! — fit alors,
avec sa légèreté qui rit de tout, cette aimable petite
pourriture ambrée, le marquis de Gourdes, que
nous appelons *le dernier des marquis*, un de ces êtres
qui plaisanteraient derrière un cercueil et même
dedans. »

« — D'où venait cet enfant ? — ajouta le chevalier
de Tharsis, en pétrissant son tabac dans sa boîte
d'écaille. — De qui était-il ? Était-il mort de mort
naturelle ? L'avait-on tué ?... Qui l'avait tué ?... Voilà
ce qu'il est impossible de savoir et ce qui fait faire,
mais bien bas, des suppositions épouvantables[1].

» — Vous avez raison, chevalier, — lui répondis-
je, renfonçant en moi plus avant ce que je croyais
savoir de plus que lui. — Ce sera toujours un mystère, et même qu'il sera bon d'épaissir jusqu'au jour
où l'on n'en soufflera plus un seul mot.

» — En effet, — dit-il, — il n'y a que deux êtres

au monde qui savent réellement ce qu'il en est, et il n'est pas probable qu'ils le publient, ajouta-t-il, avec un sourire de côté. — L'un est ce Marmor de Karkoël, parti pour les Grandes-Indes, la malle pleine de l'or qu'il nous a gagné. On ne le reverra jamais. L'autre...

» — L'autre ? — fis-je étonné.

» — Ah ! l'autre, — reprit-il, avec un clignement d'œil qu'il croyait bien fin, — il y a encore moins de danger pour l'autre. C'est le confesseur de la comtesse. Vous savez, ce gros abbé de Trudaine, qu'ils ont, par parenthèse, nommé dernièrement au siège de Bayeux.

» — Chevalier, — lui dis-je alors, frappé d'une idée qui m'illumina, mieux que tout le reste, cette femme naturellement cachée, qu'un observateur à lunettes comme le chevalier de Tharsis appelait hypocrite, parce qu'elle avait mis une énergique volonté par-dessus ses passions, peut-être pour en redoubler l'orageux bonheur, — chevalier, vous vous êtes trompé. Le voisinage de la mort n'a pas entrouvert l'âme scellée et murée de cette femme, digne de l'Italie du seizième siècle plus que de ce temps. La comtesse du Tremblay de Stasseville est morte... comme elle a vécu. La voix du prêtre s'est brisée contre cette nature impénétrable qui a emporté son secret. Si le repentir le lui eût fait verser dans le cœur du ministre de la miséricorde éternelle, on n'aurait rien trouvé dans la jardinière du salon. »

Le conteur avait fini son histoire, ce roman qu'il avait promis et dont il n'avait montré que ce qu'il en savait, c'est-à-dire les extrémités. L'émotion prolongeait le silence. Chacun restait dans sa pensée et complétait, avec le genre d'imagination qu'il avait, ce roman authentique dont on n'avait à juger que quelques détails dépareillés. À Paris, où l'esprit jette si vite l'émotion par la fenêtre, le silence, dans un

salon spirituel, après une histoire, est le plus flat-
teur des succès.

« Quel aimable dessous de cartes ont vos parties
de whist ! — dit la baronne de Saint-Albin, joueuse
comme une vieille ambassadrice. — C'est très vrai
ce que vous disiez. À moitié montré il fait plus
d'impression que si l'on avait retourné toutes les
cartes et qu'on eût vu tout ce qu'il y avait dans le jeu.

— C'est le fantastique de la réalité, — fit gravement le docteur.

— Ah ! — dit passionnément Mlle Sophie de Revistal, — il en est également de la musique et de la vie.
Ce qui fait l'expression de l'une et de l'autre, ce sont
les silences bien plus que les accords. »

Elle regarda son amie intime, l'altière comtesse
de Damnaglia, au buste inflexible, qui rongeait toujours le bout d'ivoire, incrusté d'or, de son éventail.
Que disait l'œil d'acier bleuâtre de la comtesse ?... Je
ne la voyais pas, mais son dos, où perlait une sueur
légère, avait une physionomie. On prétend que,
comme Mme de Stasseville, la comtesse de Damnaglia a la force de cacher bien des passions et bien
du bonheur[1].

« Vous m'avez gâté des fleurs que j'aimais, — dit
la baronne de Mascranny, en se retournant de trois
quarts vers le romancier. Et, cassant le cou à une
rose bien innocente[2] qu'elle prit à son corsage et
dont elle éparpilla les débris dans une espèce d'horreur rêveuse :

— Voilà qui est fini ! — ajouta-t-elle ; — je ne
porterai plus de résédas. »

À UN DÎNER D'ATHÉES

Ceci est digne de gens sans Dieu.

(Allen.)

Le jour tombait depuis quelques instants dans les rues de la ville de ***. Mais, dans l'église de cette petite et expressive ville de l'Ouest, la nuit était tout à fait venue. La nuit *avance* presque toujours dans les églises. Elle y descend plus vite que partout ailleurs, soit à cause des reflets sombres des vitraux, quand il y a des vitraux, soit à cause de l'entrecroisement des piliers, si souvent comparés aux arbres des forêts, et aux ombres portées par les voûtes. Cette nuit des églises, qui devance un peu la mort définitive du jour au-dehors, n'en fait guères nulle part fermer les portes. Généralement, elles restent ouvertes, l'*Angelus* sonné, — et même quelquefois très tard, la veille des grandes fêtes par exemple, dans les villes dévotes, où l'on se confesse en grand nombre pour les communions du lendemain. Jamais, à aucune heure de la journée, les églises de province ne sont plus hantées par ceux qui les fréquentent qu'à cette heure vespérale où les travaux cessent, où la lumière agonise, et où l'âme chrétienne se pré-

pare à la nuit, — à la nuit qui ressemble à la mort
et pendant laquelle la mort peut venir. À cette
heure-là, on sent vraiment très bien que la religion
chrétienne est la fille des catacombes et qu'elle a toujours quelque chose en elle des mélancolies de son
berceau. C'est à ce moment, en effet, que ceux qui
croient encore à la prière aiment à venir s'agenouiller
et s'accouder, le front dans leurs mains, en ces nuits
mystérieuses des nefs vides, qui répondent certainement au plus profond besoin de l'âme humaine, car
si pour nous autres mondains et passionnés, le tête-
à-tête en cachette avec la femme aimée nous paraît
plus intime et plus troublant dans les ténèbres, pourquoi n'en serait-il pas de même pour les âmes religieuses avec Dieu, quand il fait noir devant ses
tabernacles, et qu'elles lui parlent, de bouche à
oreille, dans l'obscurité ?

Or, c'est ainsi qu'elles semblaient lui parler dans
l'église de *** ce jour-là, les âmes pieuses qui y étaient
venues faire leurs prières du soir, selon leur coutume. Quoique dans la ville, grise d'un crépuscule
brumeux d'automne, les réverbères ne fussent pas
encore allumés, — ni la petite lampe grillagée de la
statue de la Vierge, qu'on voyait à la façade de l'hôtel
des dames de la Varengerie, et qui n'y est plus à présent, — il y avait plus de deux heures que les Vêpres
étaient finies, — car c'était dimanche, ce jour-là, —
et le nuage d'encens qui forme longtemps un dais
bleuâtre dans l'en-haut des voûtes du chœur, après
les Offices, s'y était évaporé. La nuit, épaisse déjà
dans l'église, y étalait sa grande draperie d'ombre
qui semblait, comme un voile tombant d'un mât,
déferler des cintres. Deux maigres cierges, perchés
au tournant de deux piliers de la nef, assez éloignés
l'un de l'autre, et la lampe du sanctuaire, piquant sa
petite étoile immobile dans le noir du chœur, plus

profond que tout ce qui était noir à l'entour, faisaient ramper sur les ténèbres qui noyaient la nef et
les bas-côtés, une lueur fantômale plutôt qu'une
lumière. À cette filtration de clarté incertaine, il était
possible de se voir douteusement et confusément,
mais il était impossible de se reconnaître... On
apercevait bien, ici et là, dans les pénombres, des
groupes plus opaques que les fonds sur lesquels ils
se détachaient vaguement, — des dos courbés, —
quelques coiffes blanches de femmes du peuple age-
nouillées par terre, — deux ou trois mantelets qui
avaient baissé leurs capuchons ; mais c'était tout.
On s'entendait mieux qu'on ne se voyait. Toutes ces
bouches qui priaient à voix basse, dans ce grand vaisseau silencieux et sonore, et par le silence rendu plus
sonore, faisaient ce susurrement singulier qui est
comme le bruit d'une fourmilière d'âmes, visibles
seulement à l'œil de Dieu. Ce susurrement continu
et menu, coupé, par intervalles, de soupirs, ce mur-
mure labial, — si impressionnant dans les ténèbres
d'une église muette, — n'était troublé par rien, si ce
n'est, parfois, par une des portes des bas-côtés, qui
roulait sur ses gonds et claquait en se refermant
derrière la personne qui venait d'entrer ; — le bruit
alerte et clair d'un sabot qui longeait l'orée des chapelles ; — une chaise qui, heurtée dans l'obscurité,
tombait ; — et, de temps en temps, une ou deux
toux, de ces toux retenues de dévotes qui les musi-
quent et qui les flûtent, par respect pour les saints
échos de la maison du Seigneur. Mais ces bruits qui
n'étaient que le passage rapide d'un son n'interrompaient pas ces âmes attentives et ferventes dans le
train-train de leurs prières et l'éternité de leur
susurrement[1].

Et voilà pourquoi, de ce groupe de fidèles, recueillis
et rassemblés chaque soir dans l'église de***,

aucun ne prit garde à un homme qui en eût assurément étonné plus d'un, s'il avait fait assez de jour
ou de clarté pour qu'il fût possible de le reconnaître. Ce n'était pas, lui, un hanteur d'église. On ne l'y
voyait jamais. Il n'y avait pas mis le pied depuis
qu'il était revenu, après des années d'absence, habiter momentanément sa ville natale. Pourquoi donc
y entrait-il ce soir-là ?... Quel sentiment, quelle idée,
quel projet l'avait décidé à franchir le seuil de cette
porte, devant laquelle il passait plusieurs fois par
jour comme si elle n'eût pas existé ?... C'était un
homme haut en tout, qui avait dû courber sa fierté
autant que sa grande taille pour passer sous la petite
porte basse cintrée, et verdie par les humidités de
ce pluvieux climat de l'Ouest, et qu'il avait prise
pour entrer. Il ne manquait pas, après tout, de poésie dans sa tête de feu. Quand il entra dans ce lieu,
qu'il avait probablement désappris, fut-il frappé de
l'aspect presque tombal de cette église, qui, de construction, ressemble à une crypte, car elle est plus
basse que le pavé de la place sur laquelle elle est
bâtie, et son portail, à escalier intérieur de quelques
marches, plus élevé que le maître-autel ?... Il n'avait
pas lu sainte Brigitte. S'il l'avait lue, il aurait, en
entrant dans cette atmosphère nocturne, pleine de
mystérieux chuchotements, pensé à la vision de son
Purgatoire, à ce dortoir, morne et terrible, où l'on
ne voit personne et où l'on entend des voix basses et
des soupirs qui sortent des murs... Quelle que fût,
du reste, son impression, toujours est-il qu'il s'arrêta,
peu sûr de lui-même et de ses souvenirs, s'il en avait,
au milieu de la contre-allée dans laquelle il s'était
engagé. Pour qui l'eût observé, il cherchait évidemment quelqu'un ou quelque chose, qu'il ne trouvait
pas dans ces ombres... Cependant, quand ses yeux
s'y furent un peu faits et qu'il put retrouver autour

de lui les contours des choses, il finit par apercevoir une vieille mendiante, croulée, plutôt qu'agenouillée, pour dire son chapelet, à l'extrémité du *banc des pauvres*, et il lui demanda, en la touchant à l'épaule, la chapelle de la Vierge et le confessionnal d'un prêtre de la paroisse qu'il lui nomma. Renseigné par cette vieille habituée du *banc des pauvres* qui, depuis cinquante ans peut-être, semblait faire partie du mobilier de l'église de *** et lui appartenir autant que les marmousets de ses gargouilles, l'homme en question arriva, sans trop d'encombre, à travers les chaises dérangées et dispersées par les Offices de la journée, et se planta juste debout devant le confessionnal qui est au fond de la chapelle. Il y resta les bras croisés, comme les ont presque toujours, dans les églises, les hommes qui n'y viennent pas pour prier et qui veulent pourtant y avoir une attitude convenable et grave. Plusieurs dames de la congrégation du Saint-Rosaire, alors en oraison autour de cette chapelle, si elles avaient remarqué cet homme, n'auraient pu le *distinguer* autrement que par je ne dirai pas l'impiété, mais la *non piété* de son attitude. D'ordinaire, il est vrai, les soirs de confession, il y avait auprès de la quenouille de la Vierge, ornée de ses rubans, un cierge tors de cire jaune allumé et qui éclairait la chapelle ; mais, comme on avait communié en foule le matin et qu'il n'y avait plus personne au confessionnal, le prêtre de ce confessionnal, qui y faisait solitairement sa méditation, en était sorti, avait éteint le cierge de cire jaune, et était rentré dans son espèce de cellule en bois pour y reprendre sa méditation, sous l'influence de cette obscurité qui empêche toute distraction extérieure et qui féconde le recueillement. Était-ce ce motif, était-ce hasard, caprice, économie ou quelque autre raison de ce genre, qui avait déterminé l'action très simple de ce prêtre ? Mais, à coup sûr, cette circonstance sauva l'incognito, s'il tenait à le garder, de l'homme entré dans la chapelle, et qui, d'ailleurs, n'y demeura que peu d'instants... Le prêtre, qui avait éteint son cierge avant son arrivée, l'ayant aperçu à travers les barreaux de sa porte à claire-voie, rouvrit toute grande cette porte, sans quitter le fond du confessionnal dans lequel il était assis ; et l'homme, décroisant ses bras, tendit au prêtre un objet indiscernable qu'il avait tiré de sa poitrine :

« Tenez, mon père ! — dit-il d'une voix basse, mais distincte. — Voilà assez longtemps que je *le* traîne avec moi ! »

Et il n'en fut pas dit davantage. Le prêtre, comme s'il eût su de quoi il s'agissait, prit l'objet et referma tranquillement la porte de son confessionnal. Les dames de la congrégation du Saint-Rosaire crurent que l'homme qui avait parlé au prêtre allait s'agenouiller et se confesser, et furent extrêmement étonnées de le voir descendre le degré de la chapelle d'un pied leste, et regagner la contre-allée par où il était venu.

Mais, si elles furent surprises, il fut encore plus surpris qu'elles, car, au beau milieu de cette contre-allée qu'il remontait pour sortir de l'église, il fut saisi brusquement par deux bras vigoureux, et un rire, abominablement scandaleux dans un lieu si saint, partit presque à deux pouces de sa figure. Heureusement pour les dents qui riaient qu'il les reconnut, si près de ses yeux !

« Sacré nom de Dieu ! — fit en même temps le rieur à mi-voix, mais pas de manière cependant qu'on n'entendît pas, près de là, le blasphème et l'autre irrévérente parole, — qu'est-ce que tu *fous* donc, Mesnil, dans une église, à pareille heure ? Nous ne sommes plus en Espagne, comme au temps où nous chiffonnions si joliment les guimpes des religieuses d'Avila. »

Celui qu'il avait appelé « Mesnil[1] » eut un geste de colère.

« Tais-toi ! — dit-il, en réprimant l'éclat d'une voix qui ne demandait qu'à retentir. — Es-tu ivre ?... Tu jures dans une église comme dans un corps de garde. Allons ! pas de sottises ! et sortons d'ici décemment tous deux[2]. »

Et il doubla le pas, enfila, suivi de *l'autre*, la petite porte basse, et quand, dehors et à l'air libre de la rue, ils eurent pu reprendre la plénitude de leur voix :

« Que tous les tonnerres de l'enfer te brûlent, Mesnil ! — continua *l'autre*, qui paraissait comme enragé. — Vas-tu donc te faire capucin ?... Vas-tu donc manger de la messe ?... Toi, Mesnilgrand, toi, le capitaine de Chamboran, comme un calotin, dans une église !

— Tu y étais bien, toi ! — dit Mesnil, avec tranquillité.

— J'y étais pour t'y suivre. Je t'ai vu y entrer, plus étonné de ça, ma parole d'honneur, que si j'avais vu violer ma mère. Je me suis dit : Qu'est-ce donc qu'il va faire dans cette grange à prêtraille ?... Puis j'ai pensé qu'il y avait là quelque damnée anguille de jupe sous roche, et j'ai voulu voir pour quelle grisette ou pour quelle grande dame de la ville tu y allais.

— Je n'y suis allé que pour moi seul, *mon cher*, — dit Mesnil, avec l'insolence froide du plus complet mépris, de ce mépris qui se soucie bien de ce qu'on pense.

— Alors, tu m'étonnes plus diablement que jamais !

— Mon cher, — reprit Mesnil, en s'arrêtant, — les hommes... comme moi, n'ont été faits, de toute éternité, que pour étonner les hommes... comme toi. »

Et, tournant le dos et hâtant le pas, comme quelqu'un qui *n'entend* pas être suivi, il monta la rue de Gisors et regagna la place Thurin, dans un des angles de laquelle il demeurait.

Il demeurait chez son père, le vieux M. de Mesnil-grand comme on l'appelait par la ville, quand on en parlait. C'était un vieillard riche et avare (préten-dait-on), dur à la détente, — c'était le mot dont on se servait, — qui depuis longues années vivait retiré de toutes compagnies, excepté pendant les trois mois que son fils, qui habitait Paris, venait passer dans la ville de ***. Alors, ce vieux M. de Mesnilgrand, qui ne voyait pas un chat d'ordinaire, se mettait à invi-ter et à recevoir les anciens amis et camarades de régiment de son fils et à se gaver de ces somptueux dîners d'avare, à faire partout, disaient les rabelai-siens de l'endroit, fort malproprement et fort ingra-tement aussi, car la chère (cette *chère de vilain* vantée par les proverbes) y était excellente.

Pour vous en donner une idée, il y avait, à cette époque-là, dans la ville de ***, un fameux receveur particulier des finances, qui avait, quand il y arriva, produit l'effet d'un carrosse à six chevaux entrant dans une église. C'était un assez mince financier que ce gros homme, mais la nature s'était amusée à en faire, de vocation, un grand cuisinier. On racon-tait qu'en 1814, il avait apporté à Louis XVIII, déta-lant vers Gand, d'une main la caisse de son arrondissement, et de l'autre un coulis de truffes qui semblait avoir été cuisiné par les sept diables des péchés capitaux, tant il était délicieux ; Louis XVIII avait, comme de juste, pris la caisse sans dire seule-ment merci ; mais, de reconnaissance pour le cou-lis, il avait orné l'estomac prépotent de ce maître queux de génie, poussé en pleines finances, de son

grand cordon noir de Saint-Michel, qu'on n'accordait guères qu'à des savants ou à des artistes. Avec
ce large cordon moiré, toujours plaqué sur son gilet
blanc, et son crachat d'or allumant sa bedaine, ce
Turcaret de M. Deltocq (il s'appelait Deltocq), qui,
les jours de Saint-Louis, portait l'épée et l'habit de
velours à la française, orgueilleux et insolent comme
trente-six cochers anglais poudrés d'argent, et qui
croyait que tout devait céder à l'empire de ses sau-
ces, était pour la ville de ***, un personnage de
vanité et de faste presque solaire... Eh bien ! c'est
avec ce haut personnage dînatoire, qui se vantait de
pouvoir faire quarante-neuf potages maigres d'espèces différentes, mais qui ne savait pas combien il en
pouvait faire de gras, — c'était l'infini ! — que la
cuisinière du vieux M. de Mesnilgrand luttait, et à
qui elle donnait des inquiétudes, pendant le séjour
à *** de son fils, au vieux M. de Mesnilgrand !

Il en était fier, de son fils ; — mais aussi, il en
était triste, ce grand vieillard de père, et il y avait de
quoi ! Son *jeune homme*, comme il l'appelait, quoiqu'il
eût quarante ans passés, avait eu la vie brisée du
même coup qui avait mis l'Empire en miettes et
renversé la fortune de Celui qui alors n'était plus
que l'EMPEREUR, comme s'il avait perdu son nom
dans sa fonction et dans sa gloire ! Parti comme
vélite à dix-huit ans, de l'étoffe dans laquelle se
taillaient les maréchaux à cette époque, le fils Mesnilgrand avait fait les guerres de l'Empire, ayant sur
son kolback tous les panaches de l'espérance ; mais
le tonnerre final de Waterloo avait brûlé jusqu'à ras
de terre ses dernières ambitions. Il était de ceux que
la Restauration ne reprit pas à son service, parce
qu'ils n'avaient pu résister à la fascination du retour
de l'île d'Elbe, qui fit oublier leurs serments aux
hommes les plus forts, comme s'ils avaient perdu

leur libre arbitre. Le chef d'escadron Mesnilgrand,
celui dont les officiers de Chamboran, ce régiment
romanesquement brave, disaient : « On peut être
aussi brave que Mesnilgrand ; mais davantage, c'est
impossible ! » vit de ses camarades de régiment, qui
n'avaient pas des états de service comparables aux
siens, devenir, à sa moustache, colonels des plus
beaux régiments de la Garde Royale ; et, quoiqu'il
ne fût pas jaloux, ce lui fut une cruelle angoisse...
C'était une nature de l'intensité la plus redoutable.
La discipline militaire d'un temps où elle fut presque
romaine, fut seule capable d'endiguer les passions de
ce violent qui — de ses passions inexprimablement
terribles — avait révolté sa ville natale avant dix-
huit ans, et failli mourir. Avant dix-huit ans, en effet,
des excès de femmes, des excès insensés, lui avaient
donné une maladie nerveuse, une espèce de *tabes*
dorsal pour lequel il avait fallu lui brûler la
colonne vertébrale avec des moxas. Cette médication
effrayante qui épouvanta la ville de *** comme ses
excès l'avaient épouvantée, fut un genre de supplice
exemplaire dont les pères de famille de la ville infli-
gèrent la vue à leurs fils, pour les moraliser, comme
on moralise les peuples par la terreur. Ils les menè-
rent *voir brûler* le jeune Mesnilgrand, qui n'échappa
aux morsures du feu, dirent les médecins, que grâce
à une organisation *d'enfer* ; c'était le mot, puisqu'elle
avait si bien résisté à la flamme. Aussi quand, avec
cette organisation si prodigieusement exceptionnelle,
qui, après les moxas, résista plus tard aux fatigues,
aux blessures et à tous les fléaux qui puissent fondre sur un homme de guerre, Mesnilgrand, robuste
encore, se vit, en pleine maturité, sans le grand avenir militaire qu'il avait rêvé, sans but désormais, les
bras cassés et l'épée clouée au fourreau, ses sentiments s'exaspérèrent jusqu'à la fureur la plus

aiguë... S'il fallait, pour le faire comprendre, chercher dans l'histoire un homme à qui comparer Mesnilgrand, on serait obligé de remonter jusqu'au
fameux Charles le Téméraire, duc de Bourgogne. Un
moraliste ingénieux, préoccupé du non-sens de nos
destinées, a, pour l'expliquer, prétendu que les hommes ressemblent à des portraits dont les uns ont
la tête ou la poitrine coupée par leurs cadres, sans
proportion avec leur grandeur naturelle, et dont les
autres disparaissent, rapetissés et réduits à l'état de
nains par l'absurde immensité du leur[1]. Mesnilgrand, fils d'un simple hobereau bas-normand, qui
devait mourir dans l'obscurité de la vie privée, après
avoir manqué la grande gloire historique pour
laquelle il était né, se rencontra avoir, — et pour
quoi en faire ? — l'épouvantable puissance de furie
continue, d'envenimement et d'ulcération enragée,
qu'avait ce Téméraire, que l'histoire appelle aussi le
Terrible. Waterloo, qui l'avait jeté sur le pavé, fut pour
lui, en une fois, ce que Granson et Morat avaient été,
en deux, pour cette foudre humaine qui s'éteignit
dans les neiges de Nancy[2]. Seulement, il n'y eut pas
de neige et de Nancy pour Mesnilgrand, le chef d'escadron *dégommé*, comme disent les gens qui déshonorent tout, avec leur bas vocabulaire. À cette époque,
on crut qu'il se tuerait, ou qu'il deviendrait fou. Il ne
se tua point, et sa tête résista. Il ne devint pas fou. Il
l'était déjà, dirent les rieurs, car il y a toujours des
rieurs. S'il ne se tua pas, — et, sa nature étant donnée, ses amis *auraient pu* lui demander, mais ne lui
demandèrent pas pourquoi, — il n'était pas homme
à se laisser manger le cœur par le vautour, sans
essayer d'écraser le bec du vautour. Comme Alfiéri,
cet incroyable volontaire d'Alfiéri, qui, ne sachant
rien que dompter des chevaux, apprit le grec à quarante ans et fit même des vers grecs[3], Mesnilgrand

se jeta, ou plutôt se précipita dans la peinture, c'est-
à-dire dans ce qu'il y avait *de plus éloigné de lui*, exactement comme on monte au septième étage pour se
tuer mieux, en tombant de plus haut, quand on
veut se jeter par la fenêtre. Il ne savait pas un mot
de dessin, et il devint peintre comme Géricault, qu'il
avait, je crois, connu aux Mousquetaires[1]. Il tra-
vailla... avec la furie de la fuite devant l'ennemi,
disait-il, avec un rire amer, exposa, fit éclat, n'exposa
plus, crevant ses toiles après les avoir peintes, et
recommençant de travailler avec un infatigable acharnement. Cet officier, qui avait toujours vécu le bancal à la main, emporté par son cheval à travers
l'Europe, passa sa vie piqué devant un chevalet,
sabrant la toile de son pinceau, et tellement dégoûté
de la guerre, — le dégoût de ceux qui adorent ! —
que ce qu'il peignait le plus, c'étaient des paysages,
des paysages comme ceux qu'il avait ravagés. Tout
en les peignant, il mâchait je ne sais quel mastic
d'opium, mêlé au tabac qu'il fumait jour et nuit, car
il s'était fait construire une espèce de houka de son
invention, dans lequel il pouvait fumer, même en
dormant. Mais ni les narcotiques, ni les stupéfiants,
ni aucun des poisons avec lesquels l'homme se para-
lyse et se tue en détail, ne purent endormir ce monstre de fureur, qui ne s'assoupissait jamais en lui et
qu'il appelait le crocodile de sa fontaine, un crocodile phosphorescent dans une fontaine de feu[2] !
D'aucuns, qui le connaissaient mal, le crurent longtemps carbonaro. Mais, pour ceux qui le connaissaient mieux, il y avait trop de déclamation et de
libéralisme bête dans le carbonarisme, pour qu'un
homme aussi absolu tombât dans des niaiseries qu'il
jugeait, avec la ferme judiciaire de son pays. Et de
fait, en dehors de ses passions, dont l'extravagance
avait été quelquefois sans limites, il avait le senti-

ment net de la réalité qui distingue les hommes de
race normande. Il ne donna jamais dans l'illusion
des conspirations. Il avait prédit au général Berton
sa destinée[1]. D'un autre côté, les idées démocratiques
sur lesquelles les Impérialistes s'appuyèrent sous la
Restauration, pour mieux conspirer, lui répugnaient
d'instinct. Il était profondément aristocrate. Il ne
l'était pas seulement de naissance, de caste, de rang
social ; il l'était *de nature*, comme il était *lui*, et pas
un autre, et comme il l'eût été encore, aurait-il été le
dernier cordonnier de sa ville. Il l'était enfin, comme
dit Henri Heine, « par sa grande manière de sentir », et non point bourgeoisement, à la façon des
parvenus qui aiment les distinctions extérieures. Il
ne portait pas ses décorations. Son père, le voyant à
la veille de devenir colonel, quand s'écroula l'Empire,
lui avait constitué un majorat de baron ; mais il n'en
prit jamais le titre, et, sur ses cartes et pour tout le
monde, il ne fut que « le chevalier de Mesnilgrand ».
Les titres, vidés des privilèges politiques dont ils
étaient bourrés autrefois, et qui en faisaient de vraies
armes de guerre, ne valaient pas plus à ses yeux que
des écorces d'orange quand l'orange n'y est plus, et
il s'en moquait bien, même devant ceux qui les res-
pectaient. Il en donna la preuve, un jour, dans cette
petite ville de ***, entichée de noblesse, où les anciens
seigneurs terriens du pays, ruinés et volés par la Révolution, avaient, peut-être pour se consoler, l'inoffen-
sive manie de s'attribuer entre eux des titres de
comte et de marquis, que leurs familles très anciennes, et n'ayant nul besoin de cela pour être très
nobles, n'avaient jamais portés. Mesnilgrand, qui
trouvait cette usurpation ridicule, prit un moyen
hardi pour la faire cesser. Un soir de réunion dans
une des maisons les plus aristocratiques de la ville,
il dit au domestique : « Annoncez le duc de Mesnil-

grand. » Et le domestique, étonné, annonça d'une voix de Stentor : « Monsieur le duc de Mesnilgrand ! » Ce fut un haut-le-corps général. « Ma foi, dit-il, voyant l'effet qu'il avait produit, en tant que tout le monde se donne un titre, j'ai mieux aimé prendre celui-là ! » On ne souffla mot. Et même quelques-uns de bonne humeur se mirent à rire dans les petits coins ; mais on ne recommença plus. Il y a toujours des chevaliers errants dans le monde. Ils ne redressent plus les torts avec la lance, mais les ridicules avec la raillerie, et Mesnilgrand était de ces Chevaliers-là[1].

Il avait le don du sarcasme. Mais ce n'était pas le seul don que le Dieu de la force lui eût fait. Quoique, dans son économie animale, le caractère fût sur le premier plan, comme chez presque tous les hommes d'action, l'esprit, resté en seconde ligne, n'en était pas moins, pour lui et contre les autres, une puissance. Nul doute que si le chevalier de Mesnilgrand avait été un homme heureux, il n'eût été très spirituel ; mais, malheureux, il avait des opinions de désespéré et, quand il était gai, chose rare, une gaieté de désespéré ; et rien ne casse mieux que la pensée fixe du malheur le kaléidoscope de l'esprit et ne l'empêche mieux de tourner, en éblouissant. Seulement, ce qu'il avait par-dessus tout, c'était, avec les passions qui fermentaient dans son sein, une extraordinaire éloquence. Le mot qu'on a dit de Mirabeau et qu'on peut dire de tous les orateurs : « Si vous l'eussiez entendu !... » semblait fait spécialement pour lui. Il fallait le voir, à la moindre discussion, sa poitrine de volcan soulevée, passant du pâle à un pâle plus profond, le front labouré de houles de rides — comme la mer dans l'ouragan de sa colère, — les pupilles jaillissant de leur cornée, comme pour frapper ceux à qui il parlait, — deux balles flamboyantes ! Il fallait le voir haletant, palpitant, l'haleine courte, la voix plus pathétique à mesure qu'elle se brisait davantage, l'ironie faisant trembler l'écume sur ses lèvres, longtemps vibrantes après qu'il avait parlé, plus sublime d'épuisement, après ces accès, que Talma dans Oreste, plus magnifiquement tué et cependant ne mourant pas, n'étant pas achevé par sa colère, mais la reprenant le lendemain, une heure après, une minute après, phénix de fureur, renaissant toujours de ses cendres !... Et en effet, n'importe à quel moment on touchât à de certaines cordes, immortellement tendues en lui, il s'en échappait des résonances à renverser celui qui aurait eu l'imprudence de les effleurer. « Il est venu passer hier la soirée à la maison, disait une jeune fille à une de ses amies. Ma chère, il y a rugi tout le temps. C'est un démoniaque. On finira par ne plus le recevoir du tout, M. de Mesnilgrand. » Sans ces rugissements de *mauvais ton*, pour lesquels ne sont faits ni les salons, ni les âmes qui les habitent, peut-être aurait-il intéressé les jeunes filles qui en parlaient avec cette moqueuse sévérité. Lord Byron commençait à devenir fort à la mode dans ce temps-là, et quand Mesnilgrand était silencieux et contenu, il y avait en lui quelque chose des héros de Byron. Ce n'était pas la beauté régulière que les jeunes personnes à âme froide recherchent. Il était rudement laid ; mais son visage pâle et ravagé, sous ses cheveux châtains restés très jeunes, son front ridé prématurément, comme celui de Lara ou du Corsaire[1], son nez épaté de léopard, ses yeux glauques, légèrement bordés d'un filet de sang comme ceux des chevaux de race très ardents, avaient une expression devant laquelle les plus moqueuses de la ville de * * * se sentaient troublées. Quand il était là, les plus ricaneuses ne ricanaient plus. Grand, fort, bien tourné, quoiqu'il se voûtât un peu du haut du corps, comme si la vie qu'il portait eût été une armure trop lourde, le chevalier de Mesnilgrand avait, sous son costume moderne, l'air perdu qu'on retrouve dans certains majestueux portraits de famille. « C'est un portrait qui marche », disait encore une jeune fille qui le voyait entrer dans un salon pour la première fois. D'ailleurs, Mesnilgrand couronnait tous ces avantages par un avantage supérieur à tous les autres, aux yeux de ces fillettes : il était toujours divinement mis. Était-ce là une dernière coquetterie de sa vie d'*homme à femmes*, à ce désespéré, et qui survivait à cette vie finie, enterrée, comme le soleil couché envoie un dernier rayon rose au flanc des nuages derrière lesquels il a sombré[1] ?... Était-ce un reste du luxe satrapesque, *étalé autrefois* par cet officier de Chamboran qui avait fait payer au vieil avare, son père, quand son régiment fut licencié, vingt mille francs seulement de peaux de tigre pour ses chabraques et ses bottes rouges ? Mais, le fait est qu'aucun jeune homme de Paris ou de Londres ne l'eût emporté par l'élégance sur ce misanthrope, qui n'était plus du monde, et qui, pendant les trois mois de son séjour à ***, ne faisait que quelques visites, et puis après n'en faisait plus.

Il y vivait, comme à Paris, livré à sa peinture jusqu'à la nuit. Il se promenait peu dans cette ville propre et charmante, à l'aspect rêveur, bâtie pour des rêveurs, cette ville de poètes, où il n'y en avait peut-être pas un. Quelquefois, il y passait dans quelques rues, et le boutiquier disait à l'étranger qui remarquait sa hautaine tournure : « C'est le commandant Mesnilgrand », comme si le commandant Mesnilgrand devait être connu de toute la terre ! Qui l'avait vu une fois ne l'oubliait plus. Il imposait, comme tous les hommes qui ne demandent plus rien à la vie ; car qui ne demande rien à la vie est plus haut qu'elle, et c'est elle alors qui fait des bassesses avec nous. Il n'allait point au café avec les autres officiers que la Restauration avait rayés de ses cadres de service, et auxquels il ne manquait jamais de donner une poignée de main, quand il les rencontrait. Les cafés de province répugnaient à son aristocratie. C'était pour lui affaire de goût que de ne pas entrer là. Cela ne scandalisait personne. Les camarades étaient toujours sûrs de le rencontrer chez son père, devenu, pendant son séjour, magnifique, d'avare qu'il était pendant son absence, et qui leur donnait des festins appelés par eux des Balthazars, quoiqu'ils n'eussent jamais lu la Bible.

Il y assistait en face de son fils, et quoiqu'il fût vieux et semblât-il, par la tenue, un personnage de comédie, on voyait que le père avait dû être, dans le temps, digne de procréer cette géniture dont il avait l'orgueil... C'était un grand vieillard très sec, droit comme un mât de vaisseau, qui tenait altièrement tête à la vieillesse. Toujours vêtu d'une longue redingote de couleur sombre, qui le faisait paraître encore plus grand qu'il n'était, il avait extérieurement l'austérité du penseur ou d'un homme pour lequel le monde n'avait ni pompes, ni œuvres. Il portait, sans le quitter jamais, depuis des années, un bonnet de coton avec un large serre-tête lilas ; mais nul plaisant n'aurait songé à rire de ce bonnet de coton, la coiffure traditionnelle du *Malade imaginaire*. Le vieux M. de Mesnilgrand ne prêtait pas plus à la comédie qu'à personne. Il aurait coupé le rire sur les lèvres joyeuses de Regnard, et rendu plus pensif le regard pensif de Molière. Quelle qu'eût été la jeunesse de ce Géronte ou de cet Harpagon presque majestueux, cela remontait trop loin pour qu'on s'en souvînt. Il avait donné (disait-on) du côté de la Révolution, quoiqu'il fût le parent de Vicq-d'Azir[1], le médecin de

Marie-Antoinette, mais ce n'avait pas été long.
L'homme du fait (les Normands appellent leur bien
leur fait ; expression profonde !), le possesseur, le
terrien, avaient en lui promptement redressé l'homme
d'idée. Seulement, de la Révolution, il était sorti
athée politique, comme il y était entré athée religieux, et ces deux athéismes combinés en avaient
fait un négateur carabiné, qui aurait effrayé Voltaire.
Il parlait peu, du reste, de ses opinions, excepté dans
ces dîners d'hommes qu'il donnait pour fêter son
fils, où, se trouvant en famille d'idées, il laissait
échapper des lueurs d'opinion qui auraient justifié
ce qu'on disait de lui par la ville. Pour les gens religieux et les nobles dont elle était pleine, c'était, en
effet, un vieux réprouvé qu'il était impossible de
voir et qui s'était fait justice, en n'allant chez personne... Sa vie était très simple. Il ne sortait jamais.
Les limites de son jardin et de sa cour étaient pour
lui le bout du monde. Assis, l'hiver, sous le grand
manteau de la cheminée de sa cuisine, où il avait
fait rouler un vaste fauteuil rouge brun de velours
d'Utrecht, à larges oreilles, silencieux devant les
domestiques qu'il gênait de sa présence, car devant
lui ils n'osaient pas parler haut, et ils s'entrete-
naient à voix basse, comme dans une église ; l'été, il
les délivrait de sa présence, et il se tenait dans sa
salle à manger, qui était fraîche, lisant les journaux
ou quelques bouquins d'une ancienne bibliothèque
de moines, achetés par lui à la criée, ou classant
des quittances devant un petit secrétaire d'érable, à
coins cuivrés, qu'il avait fait descendre là, pour ne
pas être obligé de monter un étage, quand ses fermiers venaient, et quoique ce ne fût pas là un meuble de salle à manger. S'il se passait autre chose que
des calculs d'intérêts dans sa cervelle, c'est ce que
personne ne savait. Sa face, à nez court, un peu

écrasée, blanche comme la céruse et trouée de petite
vérole, ne laissait rien filtrer de ses pensées, aussi
énigmatiques que celles d'un chat, qui fait ronron
au coin du feu. La petite vérole, qui l'avait criblé, lui
avait rougi les yeux et retourné les cils en dedans,
qu'il était obligé de couper ; et cette horrible opération, qu'il fallait répéter souvent, lui avait rendu la
vue clignotante, si bien que, quand il vous parlait, il
était obligé de mettre la main sur ses sourcils
comme un garde-vue, pour s'assurer le regard, en se
renversant un peu en arrière, ce qui lui donnait tout
à la fois un grand air d'impertinence et de fierté. On
n'eût certainement, avec aucun lorgnon, obtenu un
effet d'impertinence supérieur à celui qu'obtenait le
vieux M. de Mesnilgrand avec sa main tremblante,
posée de champ sur ses sourcils pour vous ajuster
et vous voir mieux, quand il vous interpellait... Sa
voix était celle d'un homme qui avait toujours eu le
droit du commandement sur les autres, une voix de
tête plus que de poitrine, comme celle d'un homme
qui a lui-même plus de tête que de cœur ; mais il ne
s'en servait pas beaucoup. On aurait dit qu'il en
était aussi avare que de ses écus. Il l'économisait,
non pas comme le centenaire Fontenelle économisait
la sienne, quand il interrompait sa phrase, lorsqu'il
passait une voiture, pour la reprendre après que le
roulement de la voiture avait cessé. Le vieux M. de
Mesnilgrand n'était pas, comme le vieux Fontenelle,
un bonhomme de porcelaine fêlée, perpétuellement
occupé à surveiller ses fêlures. C'était, lui, un antique dolmen, de granit pour la solidité, et s'il parlait
peu, c'est que les dolmens parlent peu, comme les
jardins de La Fontaine. Quand cela lui arrivait, du
reste, c'était d'une brève façon, à la Tacite. En
conversation, il gravait le mot. Il avait le style lapi-
daire, — et même lapidant, car il était né caustique,

et les pierres qu'il jetait dans le jardin des autres
atteignaient toujours quelqu'un. Autrefois, comme
beaucoup de pères, il avait poussé des cris de cor-
moran contre les dépenses et les folies de son fils ;
mais depuis que Mesnil — ainsi qu'il disait par
abréviation familière — était resté pris comme un
Titan sous la montagne renversée de l'Empire, il
avait pour lui le respect d'un homme qui a pesé la
vie dans tous les trébuchets du mépris et qui trouvait
que rien n'est plus beau, après tout, que la force
humaine écrasée par la stupidité du destin !

Et il le lui témoignait à sa manière, et cette manière
était expressive. Quand son fils parlait devant lui, il
y avait de l'attention passionnée sur cette froide face
blafarde, qui semblait une lune dessinée au crayon
blanc sur papier gris, et dont les yeux, rougis par
la petite vérole, eussent été passés à la sanguine.
D'ailleurs, la meilleure preuve qu'il pût donner du
cas qu'il faisait de son fils Mesnil, c'était, pendant le
séjour chez lui de ce fils, le complet oubli de son
avarice, de cette passion qui lâche le moins, de sa
poigne froide, l'homme qu'elle a pris. C'étaient ces
fameux dîners qui empêchaient M. Deltocq de dormir et qui agitaient les lauriers... de ses jambons,
au-dessus de sa tête. C'étaient ces dîners comme le
Diable peut seul en tripoter pour ses favoris... Et de
fait, les convives de ces dîners-là n'étaient-ils pas les
très grands favoris du Diable ?... « Tout ce que la
ville et l'arrondissement ont de gueux et de scélé-
rats se trouve là, marmottaient les royalistes et les
dévots, qui avaient encore les passions de 1815. Il
doit s'y dire furieusement d'infamies — et peut-être
s'y en faire », ajoutaient-ils. Les domestiques, qu'on
ne renvoyait pas au dessert, comme aux soupers du
baron d'Holbach, colportaient en effet des bruits
abominables par la ville sur ce qu'on disait en ces

ripailles : et la chose même devint si forte dans l'opinion, que la cuisinière du vieux M. de Mesnilgrand
fut circonvenue par ses amies et menacée de ceci :
que, pendant la visite du fils Mesnilgrand à son
père, M. le curé ne la laisserait plus approcher des
Sacrements. On éprouvait alors, dans la ville de ***,
pour ces agapes si tympanisées de la place Thurin,
une horreur presque égale à l'horreur que les chrétiens, au Moyen Âge, ressentaient pour ces repas
des Juifs, dans lesquels ils profanaient des hosties[1]
et égorgeaient des enfants. Il est vrai que cette horreur était un peu tempérée par les convoitises d'une
sensualité très éveillée, et par tous les récits qui faisaient venir l'eau à la bouche des gourmands de la
ville, quand on parlait devant eux des dîners du
vieux M. de Mesnilgrand. En province et dans une
petite ville, tout se sait. La halle y est mieux que la
maison de verre du Romain : elle y est une maison
sans murs. On savait, à un perdreau ou à une bécas-
sine près, ce *qu'il y aurait* ou ce *qu'il y avait eu* à
chaque dîner hebdomadaire de la place Thurin. Ces
repas, qui avaient ordinairement lieu tous les vendredis, raflaient le meilleur poisson et le meilleur
coquillage à la halle, car on y faisait impudemment
chère de commissaire[2], en ces festins affreux et malheureusement exquis. On y mariait fastueusement
le poisson à la viande, pour que la loi de l'abstinence
et de la mortification, prescrite par l'Église, fût
mieux transgressée... Et cette idée-là était bien
l'idée du vieux M. de Mesnilgrand et de ses satanés
convives ! Cela leur assaisonnait leur dîner de faire
gras les jours maigres, et, par-dessus leur gras, de
faire un maigre délicieux. Un vrai maigre de cardinal ! Ils ressemblaient à cette Napolitaine qui disait
que son sorbet était bon, mais qui l'aurait trouvé
meilleur s'il avait été un péché[3]. Et que dis-je ? un

péché ! Il aurait fallu qu'il en fût plusieurs pour ces
impies, car tous, tant qu'ils étaient, qui venaient
s'asseoir à cette table maudite, c'étaient des impies,
— des impies de haute graisse et de crête écarlate,
de mortels ennemis du prêtre, dans lequel ils voyaient
toute l'Église, des athées, — absolus et furieux, —
comme on l'était à cette époque ; l'athéisme d'alors
étant un athéisme très particulier. C'était, en effet,
celui d'une période d'hommes d'action de la plus
immense énergie, qui avaient passé par la Révolution et les guerres de l'Empire, et qui s'étaient vautrés dans tous les excès de ces temps terribles. Ce
n'était pas du tout l'athéisme du XVIIIe siècle, dont il
était pourtant sorti. L'athéisme du XVIIIe siècle avait
des prétentions à la vérité et à la pensée. Il était raisonneur, sophiste, déclamatoire, surtout impertinent. Mais il n'avait pas les insolences des soudards
de l'Empire et des régicides apostats de 93. Nous qui
sommes venus après ces gens-là, nous avons aussi
notre athéisme, absolu, concentré, savant, glacé, haïsseur, haïsseur implacable ! ayant pour tout ce qui est
religieux la haine de l'insecte pour la poutre qu'il
perce. Mais, lui, non plus que l'autre, cet athéisme-
là, ne peut donner l'idée de l'athéisme forcené des
hommes du commencement du siècle, qui, élevés
comme des chiens par les voltairiens, leurs pères,
avaient, depuis qu'ils étaient hommes, mis leurs
mains jusqu'à l'épaule dans toutes les horreurs de la
politique et de la guerre et de leurs doubles corruptions. Après trois ou quatre heures de buveries et de
mangeries blasphématoires, la salle à manger hur-
lante du vieux M. de Mesnilgrand avait de bien autres
vibrations et une bien autre physionomie que ce
piètre cabinet de restaurant, où quelques manda-
rins chinois de la littérature ont fait dernièrement
leur petite orgie à cinq francs par tête, contre Dieu[1].

C'étaient ici de tout autres bombances ! Et comme elles ne recommenceront probablement jamais, du moins dans les mêmes termes, il est intéressant et nécessaire, pour l'histoire des mœurs, de les rappeler.

Ceux qui les faisaient, ces bombances sacrilèges, sont morts et bien morts ; mais à cette époque ils vivaient, et même c'est l'époque où ils vivaient le plus, car la vie est plus forte, quand ce ne sont pas les facultés qui baissent, mais les malheurs qui ont grandi. Tous ces amis de Mesnilgrand, tous ces commensaux de la maison de son père, avaient la même plénitude de forces actives qu'ils eussent jamais eues, et ils en avaient davantage, puisqu'ils les avaient exercées, puisqu'ils avaient bu à la bonde du tonneau de tous les excès du désir et de la jouissance, sans avoir été foudroyés par ces spiritueux renversants ; mais ils ne tenaient plus entre leurs dents et leurs mains crispées la bonde du tonneau qu'ils avaient mordue, — comme Cynégire son vaisseau, pour le retenir[1]. Les circonstances leur avaient arraché des dents cette mamelle qu'ils avaient tétée, sans l'épuiser, et ils n'en avaient que plus soif, de l'avoir tétée ! C'était, pour eux aussi, comme pour Mesnilgrand, l'*heure de l'enragement*. Ils n'avaient pas la hauteur de l'âme de Mesnil, de ce Roland le Furieux dont l'Arioste, s'il avait eu un Arioste, aurait dû ressembler de génie tragique à Shakespeare. Mais à leur niveau d'âme, à leur étage de passion et d'intelligence, ils avaient, comme lui, leur vie finie avant la mort, — qui n'est pas la fin de la vie, et qui souvent vient bien longtemps avant sa fin. C'étaient des désarmés avec la force de porter des armes. Ils n'étaient pas, tous ces officiers, que des licenciés de l'armée de la Loire ; c'étaient les licenciés de la vie et de l'Espérance. L'Empire perdu, la Révolution écra-

sée par cette réaction qui n'a pas su la tenir sous son
pied, comme saint Michel y tient le dragon, tous ces
hommes, rejetés de leurs positions, de leurs emplois,
de leurs ambitions, de tous les bénéfices de leur
passé, étaient retombés impuissants, défaits, humi-
liés, dans leur ville natale, où ils étaient revenus « crever misérablement comme des chiens », disaient-ils
avec rage. Au Moyen Âge, ils auraient fait des pas-
toureaux, des routiers, des capitaines d'aventure ;
mais on ne choisit pas son temps ; mais, les pieds
pris dans les rainures d'une civilisation qui a ses
proportions géométriques et ses précisions impé-
rieuses, force leur était de rester tranquilles, de ronger leur frein, d'écumer sur place, de manger et de
boire leur sang, et d'en ravaler le dégoût ! Ils avaient
bien la ressource des duels ; mais que sont quelques
coups de sabre ou de pistolet, quand il leur eût fallu
des hémorragies de sang versé, à noyer la terre, pour
calmer l'apoplexie de leurs fureurs et de leurs ressentiments ? Vous vous doutez bien, après cela, des
oremus qu'ils adressaient à Dieu, quand ils en parlaient, car s'ils n'y croyaient pas, d'autres y croyaient :
leurs ennemis ! et c'était assez pour maugréer, blasphémer et canonner dans leurs discours tout ce qu'il y
a de saint et de sacré parmi les hommes. Mesnilgrand disait d'eux un soir, en les regardant autour de
la table de son père, et aux lueurs d'un punch gigan-
tesque : « qu'on en monterait un beau corsaire ! » —
« Rien n'y manquerait, — ajoutait-il, en guignant
deux ou trois défroqués, mêlés à ces soldats sans
uniforme, — pas même des aumôniers, si c'était là
une fantaisie de corsaires que des aumôniers ! » Mais,
après la levée du blocus continental et l'époque folle
de paix qui suivit, si ce ne fut pas le corsaire qui
manqua, ce fut l'armateur.

Eh bien ! ces convives du vendredi, qui scandalisaient hebdomadairement la ville de ***, vinrent, suivant leur usage, dîner à l'hôtel Mesnilgrand le vendredi en suivant le dimanche où Mesnil avait été si brusquement appréhendé dans l'église par un de ses anciens camarades, étonné et furieux de l'y voir. Cet ancien camarade était le capitaine Rançonnet, du 8ᵉ dragons, lequel, par parenthèse, arriva un des premiers au dîner de ce jour-là, n'ayant pas revu Mesnilgrand de toute la semaine et n'ayant pu encore digérer sa visite à l'église et la manière dont Mesnil l'avait reçu et planté là, quand il lui avait demandé des explications. Il comptait bien revenir sur cette chose stupéfiante dont il avait été témoin, et qu'il tenait à éclaircir, en présence de tous les conviés du vendredi qu'il régalerait de cette histoire. Le capitaine Rançonnet n'était pas le plus mauvais garçon des *mauvais garçons* de la bande des vendredis. Mais il était l'un des plus fanfarons, et tout à la fois des plus naïfs d'impiété. Quoiqu'il ne fût pas sot, il en était devenu bête. Il avait toujours l'idée de Dieu dans l'esprit, comme une mouche dans le nez. Il était, de la tête aux pieds, un officier du temps, avec tous les défauts et les qualités de ce temps, pétri par la guerre et pour la guerre, et ne croyant qu'à elle, et n'aimant qu'elle ; un de ces dragons qui font sonner leurs gros talons, — comme dit la vieille chanson dragonne. Des vingt-cinq qui dînaient ce jour-là à l'hôtel Mesnilgrand, il était peut-être celui qui aimait le plus Mesnil, quoiqu'il eût perdu le *fil* de *son* Mesnil, depuis qu'il l'avait vu entrer dans une église. Est-il besoin d'en avertir ?... la majorité de ces vingt-cinq convives se composait d'officiers, mais il n'y avait pas à ce dîner que des militaires. Il y avait des médecins, — les plus matérialistes des médecins de la ville, — quelques anciens moines, fuyards de leur abbaye et en rupture de vœux, contemporains

du père Mesnilgrand, — deux ou trois prêtres soi-
disant mariés, mais en réalité concubinaires, et, bro-
chant sur le tout, un ancien représentant du peuple,
qui avait voté la mort du Roi... Bonnets rouges ou
schakos, les uns révolutionnaires à tous crins, les
autres bonapartistes effrénés, prêts à se chamailler
et à s'arracher les entrailles, mais tous athées, et, sur
ce point seul de la négation de Dieu et du mépris de
toutes les Églises, de la plus touchante unanimité.
Ce sanhédrin de diables à plusieurs espèces de cornes était présidé par ce grand diable en bonnet de
coton, le père Mesnilgrand, à la face blême et terrible sous cette coiffure, qui n'avait plus rien de bouf-
fon avec pareille tête *par-dessous*, et qui se tenait
droit au milieu de sa table, comme l'Évêque mitré
de la messe du Sabbat[1], vis-à-vis de son fils Mesnil,
au visage fatigué de lion au repos, mais dont les
muscles étaient toujours près de jouer dans son
mufle ridé et de lancer des éclairs !...

Quant à lui, disons-le, il se distinguait — impéria-
lement — de tous les autres. Ces officiers, anciens
beaux de l'Empire, où il y eut tant de *beaux*, avaient,
certes ! de la beauté et même de l'élégance ; mais
leur beauté était régulière, *tempéramenteuse*, purement ou impurement physique, et leur élégance soldatesque. Quoique en habits bourgeois, ils avaient
conservé le raide de l'uniforme, qu'ils avaient porté
toute leur vie. Selon une expression de leur vocabulaire, ils étaient un peu trop *ficelés*. Les autres
convives, gens de science, comme les médecins,
ou revenus de tout, comme ces vieux moines, qui
se souciaient bien d'un habit, après avoir porté et
foulé aux pieds les ornements sacrés de la splendeur sacerdotale, ressemblaient par le vêtement à
d'indignes pleutres... Mais lui, Mesnilgrand, était —
eussent dit les femmes — adorablement mis. Comme

on était au matin encore, il portait un amour de
redingote noire, et il était cravaté (comme on se cra-
vatait alors) d'un foulard blanc, de nuance écrue,
semé d'imperceptibles étoiles d'or brodées à la main.
Étant chez lui, il ne s'était pas botté. Son pied nerveux et fin, qui faisait dire : « Mon prince ! » aux
pauvres assis aux bornes des rues quand il passait
près d'eux, était chaussé de bas de soie à jour et
de ces escarpins, très découverts et à talon élevé,
qu'affectionnait Chateaubriand, l'homme le plus préoccupé de son pied qu'il y eût alors en Europe,
après le grand-duc Constantin. Sa redingote ouverte,
coupée par Staub[1], laissait voir un pantalon de pru-
nelle à reflets scabieuse et un simple gilet de casi-
mir noir à châle, sans chaîne d'or ; car, ce jour-là,
Mesnilgrand n'avait de bijoux d'aucune sorte, si ce
n'est un camée antique d'un grand prix, représentant la tête d'Alexandre, qui fixait sur sa poitrine les
plis étendus de sa cravate sans nœud, — presque
militaire, — un hausse-col. Rien qu'en le voyant en
cette tenue, d'un goût si sûr, on sentait que l'artiste
avait passé par le soldat et l'avait transfiguré, et que
l'homme de cette mise n'était pas de la même espèce
que les autres qui étaient là, quoiqu'il fût *à tu et à
toi* avec beaucoup d'entre eux. Le patricien de nature,
l'officier né *graine d'épinards*[2], comme ils disaient
de lui dans leur langue militaire, se révélait et tranchait bien sur ce vigoureux repoussoir de soldats
énergiques, excessivement vaillants, mais vulgaires
et inaptes aux commandements supérieurs. Maître
de maison, — en seconde ligne, puisque son père
faisait les honneurs de sa table, — Mesnilgrand, s'il
ne s'élevait pas quelqu'une de ces discussions qui
l'enlevaient par les cheveux, comme Persée enleva
la tête de la Gorgone, et lui faisaient vomir les flots
de sa fougueuse éloquence, Mesnilgrand parlait peu

en ces réunions bruyantes, dont le ton n'était pas complètement le sien et qui, dès les huîtres, montaient à des diapasons de voix, d'aperçus et d'idées si aigus, qu'une note de plus n'était pas possible et que le plafond — ce bouchon de la salle — risqua bien souvent d'en sauter, après tous les autres bouchons.

Ce fut à midi précis qu'on se mit à table, selon la coutume ironique de ces irrévérents moqueurs, qui profitaient des moindres choses pour montrer leur mépris de l'Église. Une idée de ce pieux pays de l'Ouest est de croire que le Pape se met à table à midi, et qu'avant de s'y mettre, il envoie sa bénédiction à tout l'univers chrétien. Eh bien ! cet auguste *Benedicite* paraissait comique à ces libres penseurs. Aussi, pour s'en gausser, le vieux M. de Mesnilgrand ne manquait jamais, quand le premier coup de midi sonnait au double clocher de la ville, de dire du plus haut de sa voix de tête, avec ce sourire voltairien qui fendait parfois en deux son immobile face lunaire : « À table, Messieurs ! Des chrétiens comme nous ne doivent pas se priver de la bénédiction du Pape ! » Et ce mot, ou l'équivalent, était comme un tremplin tendu aux impiétés qui allaient y bondir, à travers toutes les conversations échevelées d'un dîner d'hommes, et d'hommes comme eux. En thèse générale, on peut dire que tous les dîners d'hommes où ne préside pas l'harmonieux génie d'une maîtresse de maison, où ne plane pas l'influence apaisante d'une femme qui jette sa grâce, comme un caducée, entre les grosses vanités, les prétentions criantes, les colères sanguines et bêtes, même chez les gens d'esprit, des hommes attablés entre eux, sont presque toujours d'effroyables mêlées de personnalités, prêtes à finir toutes comme le festin des Lapithes et des

Centaures, où il n'y avait peut-être pas de femmes non plus. En ces sortes de repas découronnés de femmes, les hommes les plus polis et les mieux élevés perdent de leur charme de politesse et de leur distinction naturelle ; et quoi d'étonnant ?... Ils n'ont plus la galerie à laquelle ils veulent plaire, et ils contractent immédiatement quelque chose de sans-gêne, qui devient grossier au moindre attouchement, au moindre choc des esprits les uns par les autres. L'égoïsme, l'*inexilable* égoïsme, que l'art du monde est de voiler sous des formes aimables, met bientôt les coudes sur la table, en attendant qu'il vous les mette dans les côtes. Or, s'il en est ainsi pour les plus athéniens des hommes, que devait-il en être pour les convives de l'hôtel Mesnilgrand, pour ces espèces de belluaires et de gladiateurs, ces gens de clubs jacobins et de bivouacs militaires, qui se croyaient toujours un peu au bivouac ou au club, et parfois encore en pire lieu ?... Difficilement peut-on s'imaginer, quand on ne les a pas entendues, les conversations à bâtons rompus et à vitres et à verres cassés de ces hommes, grands mangeurs, grands buveurs, bourrés de victuailles échauffantes, incendiés de vins capiteux, et qui, avant le troisième service, avaient lâché la bride à tous les propos et fait feu des quatre pieds dans leurs assiettes. Ce n'étaient pas toujours des impiétés, du reste, qui étaient le fond de ces conversations, mais c'en étaient les fleurs ; et on peut dire qu'il y en avait dans tous les vases !... Songez donc ! c'était le temps où Paul-Louis Courier, qui aurait très bien figuré à ces dîners-là, écrivait cette phrase pour fouetter le sang à la France : « La question est maintenant de savoir si nous serons capucins ou laquais[1]. » Mais ce n'était pas tout. Après la politique, la haine des Bourbons, le spectre noir de la Congrégation, les regrets du passé pour ces vain-

cus, toutes ces avalanches qui roulaient en bouillonnant d'un bout à l'autre de cette table fumante, il y
avait d'autres sujets de conversation, à tempêtes et
à tintamarres. Par exemple, il y avait les femmes.
La femme est l'éternel sujet de conversation des hommes entre eux, surtout en France, le pays le plus fat
de la terre. Il y avait les femmes en général et les
femmes en particulier, — les femmes de l'univers et
celle de la porte à côté, — les femmes des pays que
beaucoup de ces soldats avaient parcourus, en faisant les beaux dans leurs grands uniformes victo-
rieux, et celles de la ville, chez lesquelles ils n'allaient
peut-être pas, et qu'ils nommaient insolemment par
nom et prénom, comme s'ils les avaient intimement
connues, sur le compte de qui, parbleu ! ils ne se
gênaient pas, et dont, au dessert, ils pelaient en riant
la réputation, comme ils pelaient une pêche, pour,
après, en casser le noyau. Tous prenaient part à ces
bombardements de femmes, même les plus vieux,
les plus coriaces, les plus dégoûtés de la femelle,
ainsi qu'ils disaient cyniquement, car les hommes
peuvent renoncer à l'amour malpropre, mais jamais
à l'amour-propre de la femme, et, fût-ce sur le bord
de leur fosse ouverte, ils sont toujours prêts à trem-
per leurs museaux dans ces galimafrées de fatuité !

Et ils les y trempèrent, ce jour-là, jusqu'aux oreilles,
à ce dîner qui fut, comme déchaînement de langues,
le plus corsé de tous ceux que le vieux M. de Mesnilgrand eût donnés. Dans cette salle à manger, pré-
sentement muette, mais dont les murs nous en
diraient de si belles s'ils pouvaient parler, puisqu'ils
auraient ce que je n'ai pas, moi, l'impassibilité des
murs, l'heure des vanteries qui arrive si vite dans
les dîners d'hommes, d'abord décente, — puis indécente bientôt, — puis déboutonnée, — enfin chemise
levée et sans vergogne, amena les anecdotes, et cha-

cun raconta la sienne... Ce fut comme une confession de démons ! Tous ces insolents railleurs, qui
n'auraient pas eu assez de brocards pour la confession d'un pauvre moine, dite à haute voix, aux pieds
de son supérieur, en présence des frères de son
Ordre, firent absolument la même chose, non pour
s'humilier, comme le moine, mais pour s'enorgueillir
et se vanter de l'abomination de leur vie, — et tous,
plus ou moins, crachèrent en haut leur âme contre
Dieu, leur âme qui, à mesure qu'ils la crachèrent,
leur retomba sur la figure.

Or, au milieu de ce débordement de forfanteries
de toute espèce, il y en eut une qui parut... est-ce
plus piquante qu'il faut dire ? Non, *plus piquante* ne
serait pas un mot assez fort, mais plus poivrée, plus
épicée, plus digne du palais de feu de ces fréné-
tiques qui, en fait d'histoires, eussent avalé du vitriol.
Celui qui la raconta, de tous ces diables, était le
plus froid cependant... Il l'était comme le derrière de
Satan, car le derrière de Satan, malgré l'enfer qui le
réchauffe, est très froid, — disent les sorcières qui
le baisent à la messe noire du Sabbat. C'était un
certain et ci-devant abbé Reniant, — un nom fatidi-
que ! — lequel, dans cette société à l'envers de la
Révolution, qui défaisait tout, s'était fait, de son
chef, de prêtre sans foi, médecin sans science, et qui
pratiquait clandestinement un empirisme suspect
et, qui sait ? peut-être meurtrier. Avec les hommes
instruits, il ne convenait pas de son industrie. Mais,
il avait persuadé aux gens des basses classes de la
ville et des environs qu'il en savait plus long que tous
les médecins à brevets et à diplômes... On disait
mystérieusement qu'il avait des secrets pour guérir.
Des *secrets !* ce grand mot qui répond à tout parce
qu'il ne répond à rien, le cheval de bataille de tous
les empiriques, qui sont maintenant tout ce qui reste

des sorciers, si puissants jadis sur l'imagination populaire. Ce ci-devant abbé Reniant — « car, disait-il avec colère, ce diable de titre d'abbé était comme une teigne sur son nom que toutes les calottes de *brai* n'auraient pu jamais en arracher ! » — ne se livrait point par amour du gain à ces fabrications cachées de remèdes, qui pouvaient être des empoisonnements : il avait de quoi vivre. Mais il obéissait au démon dangereux des expériences, qui commence par traiter la vie humaine comme une matière à expérimentations, et qui finit par faire des Sainte-Croix et des Brinvilliers ! Ne voulant pas avoir affaire avec les médecins patentés, comme il les appelait d'un ton de mépris, il était le propre apothicaire de ses drogues, et il vendait ou donnait ses breuvages, — car bien souvent il les donnait, — à condition pourtant qu'on lui en rapportât les bouteilles. Ce coquin, qui n'était pas un sot, savait intéresser les passions de ses malades à sa médecine. Il donnait du vin blanc, mêlé à je ne sais quelles herbailles, aux hydropiques par ivrognerie, et aux filles *embarrassées*, disaient les paysans en clignant de l'œil, des tisanes qui *tout de même faisaient fondre leurs embarras*. C'était un homme de taille moyenne, de mine frigide et discrète, vêtu dans le genre du vieux M. de Mesnilgrand (mais en bleu), portant, autour d'une figure de la couleur du lin qui n'a pas été blanchi, des cheveux en rond (la seule chose qu'il eût gardée du prêtre) d'une odieuse nuance filasse, et droits comme des chandelles ; peu parleur, et compendieux quand il se mettait à parler. Froid et propret comme la crémaillère d'une cheminée hollandaise, en ces dîners où l'on disait tout et où il sirotait mièvrement son vin dans son angle de table quand les autres lampaient le leur, et plaisait peu à ces bouillants, qui le comparaient à du vin tourné de

Sainte-Nitouche, un vignoble de leur invention. Mais
cet air-là ne donna que plus de ragoût à son histoire,
quand il dit modestement que, pour lui, ce qu'il
avait fait de mieux contre *l'infâme* de M. de Voltaire,
ç'avait été un jour — dame ! on fait ce qu'on peut !
— de donner un paquet d'hosties à des cochons !

À ce mot-là, il y eut un tonnerre d'interjections
triomphantes. Mais le vieux M. de Mesnilgrand le
coupa de sa voix incisive et grêle :

« C'est, sans doute, — dit-il, — la dernière fois,
l'abbé, que vous avez donné la communion ? »

Et le pince-sans-rire mit sa main blanche et sèche
au-dessus de ses yeux, pour voir le Reniant, posé
maigrement derrière son verre entre les deux larges
poitrines de ses deux voisins, le capitaine Rançonnet, empourpré et flambant comme une torche, et le
capitaine au 6e cuirassiers, Travers de Mautravers,
qui ressemblait à un caisson.

« Il y avait déjà longtemps que je ne la donnais
plus, — reprit le ci-devant prêtre, — et que j'avais
jeté ma souquenille aux orties du chemin. C'était en
pleine révolution, le temps où vous étiez ici, citoyen
Le Carpentier, en tournée de représentant du peuple[1].
Vous vous rappelez bien une jeune fille d'Hémevès
que vous fîtes mettre à la maison d'arrêt ? une enragée ! une épileptique !

— Tiens ! — dit Mautravers, — il y a une femme
mêlée aux hosties ! L'avez-vous aussi donnée aux
cochons ?

— Tu te crois spirituel, Mautravers ? — fit Rançonnet. — Mais n'interromps donc pas l'abbé. L'abbé,
finissez-nous l'histoire.

— Ah ! l'histoire, — reprit Reniant, — sera bientôt contée. Je disais donc, monsieur Le Carpentier,
cette fille d'Hémevès, vous en souvenez-vous ? On
l'appelait la Tesson... Joséphine Tesson, si j'ai bonne

mémoire, une grosse maflée, — une espèce de Marie
Alacoque[1] pour le tempérament sanguin, — l'âme
damnée des chouans et des prêtres, qui lui avaient
allumé le sang, qui l'avaient fanatisée et rendue
folle... Elle passait sa vie à les cacher, les prêtres...
Quand il s'agissait d'en sauver un, elle eût bravé
trente guillotines. Ah ! les ministres du Seigneur !
comme elle les nommait, elle les cachait chez elle,
et partout. Elle les eût cachés sous son lit, dans son
lit, sous ses jupes, et, s'ils avaient pu y tenir, elle les
aurait tous fourrés et tassés, le Diable m'emporte !
là où elle avait mis leur boîte à hosties — entre ses
tétons !

— Mille bombes ! — fit Rançonnet, exalté.

— Non, pas mille, mais deux seulement, monsieur
Rançonnet, — dit, en riant de son calembour, le
vieux apostat libertin ; — mais elles étaient de fier
calibre ! »

Le calembour trouva de l'écho. Ce fut une risée.

« Singulier ciboire qu'une gorge de femme ! — fit
le docteur Bleny, rêveur.

— Ah ! le ciboire de la nécessité ! — reprit Reniant,
à qui le flegme était déjà revenu. Tous ces prêtres
qu'elle cachait, persécutés, poursuivis, traqués, sans
église, sans sanctuaire, sans asile quelconque, lui
avaient donné à garder leur Saint-Sacrement, et ils
l'avaient campé dans sa poitrine, croyant qu'on ne
viendrait jamais le chercher là !... Oh ! ils avaient
une fameuse foi en elle. Ils la disaient une sainte.
Ils lui faisaient croire qu'elle en était une. Ils lui
montaient la tête et lui donnaient soif du martyre.
Elle, intrépide, ardente, allait et venait, et vivait
hardiment avec sa boîte à hosties sous sa bavette.
Elle la portait de nuit, par tous les temps, la pluie,
le vent, la neige, le brouillard, à travers des chemins
de perdition, aux prêtres cachés qui faisaient com-

munier les mourants, en *catimini*... Un soir, nous
l'y surprîmes, dans une ferme où se mourait un
chouan, moi et quelques bons garçons des Colonnes
Infernales de Rossignol[1]. Il y en eut un qui, tenté
par ses maîtres avant-postes de chair vive, voulut
prendre des libertés avec elle ; mais il n'en fut pas le
bon marchand, car elle lui imprima ses dix griffes
sur la figure, à une telle profondeur qu'il a dû en rester marqué pour toute sa vie ! Seulement, tout en
sang qu'elle le mît, le mâtin ne lâcha pas ce qu'il
tenait, et il arracha la boîte à bons dieux qu'il avait
trouvée dans sa gorge ; et j'y comptai bien une douzaine d'hosties que, malgré ses cris et ses ruées, car
elle se rua sur nous comme une furie, je fis jeter
immédiatement dans l'auge aux cochons. »

Et il s'arrêta, faisant jabot, pour une si belle chose,
comme un pou sur une tumeur qui se donnerait des
airs.

« Vous avez donc vengé messieurs les porcs de
l'Évangile, dans le corps desquels Jésus-Christ fit
entrer des démons, — dit le vieux M. de Mesnilgrand
de sa sarcastique voix de tête. — Vous avez mis le
bon Dieu dans ceux-ci à la place du Diable : c'est un
prêté pour un rendu.

— Et en eurent-ils une indigestion, monsieur
Reniant, ou bien les amateurs qui en mangèrent », —
demanda profondément un hideux petit bourgeois
nommé Le Hay, usurier à cinquante pour cent de
son état, et qui avait l'habitude de dire qu'en *tout il
faut considérer la fin*.

Il y eut comme un temps d'arrêt dans ce flot
d'impiétés grossières.

« Mais toi, tu ne dis rien, Mesnil, de l'histoire de
l'abbé Reniant ? » — fit le capitaine Rançonnet, qui
guettait l'occasion d'accrocher n'importe quoi à son
histoire de la visite de Mesnilgrand à l'église.

Mesnil ne disait rien, en effet. Il était accoudé, la
joue dans sa main, sur le bord de la table, écoutant
sans horripilation, mais sans goût, toutes ces horreurs, débitées par des endurcis, et sur lesquelles il
était blasé et bronzé... Il en avait tant entendu toute
sa vie dans les milieux qu'il avait traversés ! Les
milieux, pour l'homme, c'est presque une destinée.
Au Moyen Âge, le chevalier de Mesnilgrand aurait
été un croisé brûlant de foi. Au XIXᵉ siècle, c'était un
soldat de Bonaparte, à qui son incrédule de père
n'avait jamais parlé de Dieu, et qui, particulièrement
en Espagne, avait vécu dans les rangs d'une armée
qui se permettait tout, et qui commettait autant de
sacrilèges qu'à la prise de Rome les soldats du connétable de Bourbon. Heureusement, les milieux ne
sont absolument une fatalité que pour les âmes et les
génies vulgaires. Pour les personnalités vraiment fortes, il y a quelque chose, ne fût-ce qu'un atome, qui
échappe au milieu et résiste à son action toute-puissante. Cet atome dormait invincible dans Mesnilgrand. Ce jour-là, il n'aurait rien dit ; il aurait laissé
passer avec l'indifférence du bronze ce torrent de
fange impie qui roulait devant lui en bouillonnant,
comme un bitume de l'enfer ; mais, interpellé par
Rançonnet :

« Que veux-tu que je te dise ? — fit-il, avec une lassitude qui touchait à la mélancolie. — M. Reniant
n'a pas fait là une chose si crâne pour que, toi, tu
puisses tant l'admirer ! S'il avait cru que c'était Dieu,
le Dieu vivant, le Dieu vengeur qu'il jetait aux porcs,
au risque de la foudre sur le coup ou de l'enfer, sûrement, pour plus tard, il y aurait eu là du moins de
la bravoure, du mépris *de plus que la mort*, puisque
Dieu, s'il est, peut éterniser la torture. Il y aurait eu
là une crânerie, folle, sans doute, mais enfin une
crânerie à tenter un crâne aussi crâne que toi ! Mais

la chose n'a pas cette beauté-là, mon cher. M. Reniant ne croyait pas que ces hosties fussent Dieu. Il n'avait pas là-dessus le moindre doute. Pour lui, ce n'étaient que des morceaux de *pain à chanter*, consacrés par une superstition imbécile, et pour lui, comme pour toi-même, mon pauvre Rançonnet, vider la boîte aux hosties dans l'auge aux cochons, n'était pas plus héroïque que d'y vider une tabatière ou un cornet de pains à cacheter[1].

— Eh ! eh ! — fit le vieux M. de Mesnilgrand, se renversant sur le dossier de sa chaise, ajustant son fils sous sa main en visière, comme il l'eût regardé tirer un coup de pistolet bien en ligne, toujours intéressé par ce que disait son fils, même quand il n'en partageait pas l'idée et ici il la partageait. Aussi doubla-t-il son : Eh ! eh !

— Il n'y a donc ici, mon pauvre Rançonnet, — reprit Mesnil, — disons le mot… qu'une cochonnerie. Mais ce que je trouve beau, moi, et très beau, ce que je me permets d'admirer, Messieurs, quoique je ne croie pas non plus à grand-chose, c'est cette fille Tesson, comme vous l'appelez, monsieur Reniant, qui porte ce qu'elle croit son Dieu sur son cœur ; qui, de ses deux seins de vierge fait un tabernacle à ce Dieu de toute pureté ; et qui respire, et qui vit, et qui traverse tranquillement toutes les vulgarités et tous les dangers de la vie avec cette poitrine intrépide et brûlante, surchargée d'un Dieu, tabernacle et autel à la fois, et autel qui, à chaque minute, pouvait être arrosé de son propre sang !… Toi, Rançonnet, toi, Mautravers, toi, Sélune, et moi aussi, nous avons tous eu l'Empereur sur la poitrine, puisque nous avions sa Légion d'honneur, et cela nous a parfois donné plus de courage au feu de l'y avoir. Mais elle, ce n'est pas l'image de son Dieu qu'elle a sur la sienne ; c'en est, pour elle, la réalité. C'est le

Dieu substantiel, qui se touche, qui se donne, qui se mange, et qu'elle porte, au prix de sa vie, à ceux qui ont faim de ce Dieu-là ! Eh bien, ma parole d'honneur ! je trouve cela tout simplement sublime... Je pense de cette fille comme en pensaient les prêtres, qui lui donnaient leur Dieu à porter. Je voudrais savoir ce qu'elle est devenue. Elle est peut-être morte ; peut-être vit-elle, misérable, dans quelque coin de campagne ; mais je sais bien que, fussé-je maréchal de France, si je la rencontrais, cherchât-elle son pain, les pieds nus dans la fange, je descendrais de cheval et lui ôterais respectueusement mon chapeau, à cette noble fille, comme si c'était vraiment Dieu qu'elle eût encore sur le cœur ! Henri IV, un jour, ne s'est pas agenouillé dans la boue, devant le Saint-Sacrement qu'on portait à un pauvre, avec plus d'émotion que moi je ne m'agenouillerais devant cette fille-là. »

Il n'avait plus la joue sur sa main. Il avait rejeté sa tête en arrière. Et, pendant qu'il parlait de s'agenouiller, il grandissait, et, comme la fiancée de Corinthe dans la poésie de Goethe, il semblait, sans s'être levé de sa chaise, grandi du buste jusqu'au plafond.

« C'est donc la fin du monde ! — dit Mautravers, en cassant un noyau de pêche avec son poing fermé, comme avec un marteau. — Des chefs d'escadron de hussards à genoux, maintenant, devant des dévotes !

— Et encore, — dit Rançonnet, — encore, si c'était comme l'infanterie devant la cavalerie, pour se relever et passer sur le ventre à l'ennemi ! Après tout, ce ne sont pas là de désagréables maîtresses que ces diseuses d'*oremus*, que toutes ces mangeuses de bon Dieu, qui se croient damnées à chaque bonheur qu'elles nous donnent et que nous leur faisons partager. Mais, capitaine Mautravers, il y a pis pour un soldat que de mettre à mal quelques bigotes : c'est de devenir dévot soi-même, comme une poule mouillée de pékin, quand on a traîné le bancal !... Pas plus tard que dimanche dernier, où pensez-vous, Messieurs, qu'à la tombée du jour j'ai surpris le commandant Mesnilgrand, ici présent ?... »

Personne ne répondit. On cherchait ; mais, de tous les points de la table, les yeux convergeaient vers le capitaine Rançonnet.

« Par mon sabre ! — dit Rançonnet, — je l'ai rencontré... non pas rencontré, car je respecte trop mes bottes pour les traîner dans le crottin de leurs chapelles ; mais je l'ai aperçu, de dos, qui se glissait dans l'église, en se courbant sous la petite porte basse du coin de la place. Étonné, ébahi. Eh ! sacrebleu ! me suis-je dit, ai-je la berlue ?... Mais c'est la tournure de Mesnilgrand, ça !... Mais que va-t-il donc faire dans une église, Mesnilgrand ?... L'idée me regalopa au cerveau de nos anciennes farces amoureuses avec les satanées béguines des églises d'Espagne. Tiens ! fis-je, ce n'est donc pas fini ? Ce sera encore de la vieille influence de jupon. Seulement, que le Diable m'arrache les yeux avec ses griffes si je ne vois pas la couleur de celui-ci ! Et j'entrai dans leur boutique à messes... Malheureusement, il y faisait, noir comme dans la gueule de l'enfer. On y marchait et on y trébuchait sur de vieilles femmes à genoux, qui y marmottaient leurs patenôtres. Impossible de rien distinguer devant soi, lorsque à force de tâtonner pourtant dans cet infernal mélange d'obscurité et de carcasses de vieilles dévotes en prières, ma main rattrapa mon Mesnil, qui filait déjà le long de la contre-allée. Mais, croirez-vous bien qu'il ne voulut jamais me dire ce qu'il était venu faire dans cette galère d'église ?...

Voilà pourquoi je vous le dénonce aujourd'hui, Messieurs, pour que vous le forciez à s'expliquer.

— Allons, parle, Mesnil. Justifie-toi. Réponds à Rançonnet, — cria-t-on de tous les coins de la salle.

— Me justifier ! — dit Mesnil, gaiement. — Je n'ai pas à me justifier de faire ce qui me plaît. Vous qui clabaudez à cœur de journée contre l'Inquisition, est-ce que vous êtes des inquisiteurs en sens inverse, à présent ? Je suis entré dans l'église, dimanche soir, parce que cela m'a plu.

— Et pourquoi cela t'a-t-il plu ?... — fit Mautravers, car si le Diable est logicien, un capitaine de cuirassiers peut bien l'être aussi.

— Ah ! voilà ! — dit Mesnilgrand, en riant. — J'y allais... qui sait ? peut-être à confesse. J'ai du moins fait ouvrir la porte d'un confessionnal. Mais tu ne peux pas dire, Rançonnet, que ma confession ait trop duré ?... »

Ils voyaient bien qu'il se jouait d'eux... Mais il y avait dans cette jouerie quelque chose de mystérieux qui les agaçait.

« Ta confession ! mille millions de flammes ! Ton plongeon serait donc fait ? — dit tristement Rançonnet, terrassé, qui prenait la chose au tragique. Puis, se rejetant devant sa pensée et se renversant comme un cheval cabré : — Mais non, — cria-t-il, — tonnerre de tonnerres ! c'est impossible ! Voyez-vous, vous autres, le chef d'escadron Mesnilgrand à confesse, comme une vieille bonne femme, à deux genoux sur le strapontin, le nez au guichet, dans la guérite d'un prêtre ? Voilà un spectacle qui ne m'entrera jamais dans le crâne ! Trente mille balles plutôt.

— Tu es bien bon ; je te remercie, — fit Mesnilgrand avec une douceur comique, la douceur d'un agneau.

— Parlons sérieusement, — dit Mautravers, — je suis comme Rançonnet. Je ne croirai jamais à une capucinade d'un homme de ton calibre, mon brave Mesnil. Même à l'heure de la mort, les gens comme toi ne font pas un saut de grenouille effrayée dans un baquet d'eau bénite.

— À l'heure de la mort, je ne sais pas ce que vous ferez, Messieurs, — répondit lentement Mesnilgrand ; — mais quant à moi, avant de partir pour l'autre monde, je veux faire à tout risque mon portemanteau. »

Et ce mot d'officier de cavalerie fut si gravement dit qu'il y eut un silence, comme celui du pistolet qui tirait, il n'y a qu'une minute, et tapageait, et dont la détente a cassé.

« Laissons cela, du reste, — continua Mesnilgrand. — Vous êtes, à ce qu'il paraît, encore plus abrutis que moi par la guerre et par la vie que nous avons menée tous... Je n'ai rien à dire à l'incrédulité de vos âmes ; mais puisque toi, Rançonnet, tu tiens à toute force à savoir pourquoi ton camarade Mesnilgrand, que tu crois aussi athée que toi, est entré l'autre soir à l'église, je veux bien et je vais te le dire. Il y a une histoire là-dessous... Quand elle sera dite, tu comprendras peut-être, même sans croire à Dieu, qu'il y soit entré. »

Il fit une pause, comme pour donner plus de solennité à ce qu'il allait raconter, puis il reprit :

« Tu parlais de l'Espagne, Rançonnet. C'est justement en Espagne que mon histoire s'est passée. Plusieurs d'entre vous y ont fait la guerre fatale qui, dès 1808, commença le désastre de l'Empire et tous nos malheurs. Ceux qui l'ont faite, cette guerre-là, ne l'ont pas oubliée, et toi, par parenthèse, moins que personne, commandant Sélune ! Tu en as le souvenir gravé assez avant sur la figure pour que tu ne puisses pas l'effacer »

Le commandant Sélune, assis auprès du vieux M. de Mesnilgrand, faisait face à Mesnil. C'était un homme d'une forte stature militaire et qui méritait de s'appeler *le Balafré* encore plus que le duc de Guise, car il avait reçu en Espagne, dans une affaire d'avant-poste, un immense coup de sabre courbe, si bien appliqué sur sa figure qu'elle en avait été fendue, nez et tout, en écharpe, de la tempe gauche jusqu'au-dessous de l'oreille droite. À l'état normal, ce n'aurait été qu'une terrible blessure d'un assez noble effet sur le visage d'un soldat ; mais le chirurgien qui avait rapproché les lèvres de cette plaie béante, pressé ou maladroit, les avait mal rejointes, et à la guerre comme à la guerre ! On était en marche, et, pour en finir plus vite, il avait coupé avec des ciseaux le bourrelet de chair qui débordait de deux doigts l'un des côtés de la plaie fermée ; ce qui fit, non pas un sillon dans le visage de Sélune, mais un épouvantable ravin. C'était horrible, mais, après tout, grandiose. Quand le sang montait au visage de Sélune, qui était violent, la blessure rougissait, et c'était comme un large ruban rouge qui lui traversait sa face bronzée. « Tu portes, — lui disait Mesnil au jour de leurs communes ambitions, — ta croix de grand-officier de la Légion d'honneur sur la figure, avant de l'avoir sur la poitrine ; mais sois tranquille, elle y descendra. »

Elle n'y était pas descendue ; l'Empire avait fini avant. Sélune n'était que chevalier.

« Eh bien, Messieurs, — continua Mesnilgrand, — nous avons vu des choses bien atroces en Espagne, n'est-ce pas ? et même nous en avons fait ; mais je ne crois pas avoir vu rien de plus abominable que ce que je vais avoir l'honneur de vous raconter.

— Pour mon compte, — dit nonchalamment Sélune, avec la fatuité d'un vieil endurci qui n'entend pas qu'on l'émeuve de rien, — pour mon compte, j'ai vu un jour quatre-vingts religieuses jetées l'une sur l'autre, à moitié mortes, dans un puits, après avoir été préalablement très bien violées chacune par deux escadrons.

— Brutalité de soldats ! — fit Mesnilgrand froidement ; — mais voici du raffinement d'officier. »

Il trempa sa lèvre dans son verre, et son regard cerclant la table et l'étreignant :

« Y a-t-il quelqu'un d'entre vous, Messieurs, — demanda-t-il, — qui ait connu le major Ydow ? »

Personne ne répondit, excepté Rançonnet.

« Il y a moi, — dit-il. — Le major Ydow ! si je l'ai connu ! Eh ! parbleu ! il était avec moi au 8e dragons.

— Puisque tu l'as connu, — reprit Mesnilgrand, — tu ne l'as pas connu seul. Il était arrivé au 8e dragons, arboré d'une femme...

— La Rosalba, dite « la Pudica », — fit Rançonnet, sa fameuse... » Et il dit le mot crûment.

« Oui, — repartit Mesnilgrand, pensivement, — car une pareille femme ne méritait pas le nom de maîtresse, même de celle d'Ydow... Le major l'avait amenée d'Italie, où, avant de venir en Espagne, il servait dans un corps de réserve, avec le grade de capitaine. Comme il n'y a ici que toi, Rançonnet, qui l'ait connu, ce major Ydow, tu me permettras bien de le présenter à ces messieurs et de leur donner une idée de ce diable d'homme, dont l'arrivée au 8e dragons tapage beaucoup quand il y entra, avec cette femme en sautoir... Il n'était pas Français, à ce qu'il paraît. Ce n'est pas tant pis pour la France. Il était né je ne sais où et de je ne sais qui, en Illyrie ou en Bohême, je ne suis pas bien sûr... Mais, où qu'il fût né, il était étrange, ce qui est une manière d'être étranger partout. On l'aurait cru le produit d'un mélange de plusieurs races. Il disait, lui, qu'il fallait prononcer son nom à la grecque : 'Αϊδον, pour Ydow, parce qu'il était d'origine grecque ; et sa beauté l'aurait fait croire, car il était beau, et, le Diable m'emporte ! peut-être trop pour un soldat. Qui sait si on ne tient pas moins à se faire casser la figure, quand on l'a aussi belle ? On a pour soi le respect qu'on a pour les chefs-d'œuvre. Tout chef-d'œuvre qu'il fût, cependant, il allait au feu avec les autres ; mais quand on avait dit cela du major Ydow, on avait tout dit. Il faisait son devoir, mais il ne faisait jamais plus que son devoir. Il n'avait pas ce que l'Empereur appelait *le feu sacré*. Malgré sa beauté, dont je convenais très bien, d'ailleurs, je lui trouvais au fond une mauvaise figure, sous ses traits superbes. Depuis que j'ai traîné dans les musées, où vous n'allez jamais, vous autres, j'ai rencontré la ressemblance du major Ydow. Je l'ai rencontrée très frappante dans un des bustes d'Antinoüs... tenez ! de celui-là auquel le caprice ou le mauvais goût du sculpteur a incrusté deux émeraudes dans le marbre des prunelles. Au lieu de marbre blanc les yeux vert de mer du major éclairaient un teint chaudement olivâtre et un angle facial irréprochable ; mais, dans la lueur de ces mélancoliques étoiles du soir, qui étaient ses yeux, ce qui dormait si voluptueusement ce n'était pas Endymion : c'était un tigre... et, un jour, je l'ai vu s'éveiller !... Le major Ydow était, en même temps, brun et blond. Ses cheveux bouclaient très noirs et très serrés autour d'un front petit, aux tempes renflées, tandis que sa longue et soyeuse moustache avait le blond fauve et presque jaune de la martre zibeline... Signe (dit-on) de trahison ou de perfidie, qu'une chevelure et une barbe de couleur différente. Traître ? le major l'aurait peut-être été plus tard. Il eût peut-être, comme tant d'autres, trahi l'Empereur ; mais il ne devait pas en avoir le temps. Quand il vint au 8ᵉ dragons, il n'était probablement que faux, et encore pas assez pour ne pas en avoir l'air, comme le voulait le vieux malin de Souwarow, qui s'y connaissait... Fut-ce cet air-là qui commença son impopularité parmi ses camarades ? Toujours est-il qu'il devint, en très peu de temps, la bête noire du régiment. Très fat d'une beauté à laquelle j'aurais préféré, moi, bien des laideurs de ma connaissance, il ne semblait n'être, en somme, comme disent soldatesquement les soldats, qu'un miroir à... à ce que tu viens de nommer, Rançonnet, à propos de la Rosalba. Le major Ydow avait trente-cinq ans. Vous comprenez bien qu'avec cette beauté qui plaît à toutes les femmes, même aux plus fières, — c'est leur infirmité, — le major Ydow avait dû être horriblement gâté par elles et chamarré de tous les vices qu'elles donnent ; mais il avait aussi, disait-on, ceux qu'elles ne donnent pas et dont on ne se chamarre point... Certes, nous n'étions pas, comme tu le dirais, Rançonnet, des capucins dans ce temps-là. Nous étions même d'assez mauvais sujets, joueurs, libertins, coureurs de filles, duellistes, ivrognes au besoin, et mangeurs d'argent sous toutes les espèces. Nous n'avions guère le droit d'être difficiles. Eh bien ! tels que nous étions alors, il passait pour bien pire que nous. Nous, il y avait des choses, — pas beaucoup ! mais enfin il y en avait bien une ou deux, dont, si démons que nous fussions, nous n'aurions pas été capables. Mais, lui (prétendait-on), il était capable de tout. Je n'étais pas dans le 8ᵉ dragons. Seulement, j'en connaissais tous les officiers. Ils parlaient de lui cruellement. Ils l'accusaient de servilité avec les chefs et de basse ambition. Ils suspectaient son caractère. Ils allèrent même jusqu'à le

soupçonner d'espionnage, et même il se battit
courageusement deux fois pour ce soupçon entre-
exprimé ; mais l'opinion n'en fut pas changée. Il est
toujours resté sur cet homme une brume qu'il n'a
pu dissiper. De même qu'il était brun et blond à la
fois, ce qui est assez rare, il était aussi à la fois heureux au jeu et heureux en femmes ; ce qui n'est pas
l'usage non plus. On lui faisait payer bien cher ces
bonheurs-là, du reste. Ces doubles succès, ses airs à
la Lauzun, la jalousie qu'inspirait sa beauté, car les
hommes ont beau faire les forts et les indifférents
quand il s'agit de laideur, et répéter le mot conso-
lant qu'ils ont inventé : qu'un homme est toujours
assez beau quand il ne fait pas peur à son cheval, ils
sont, entre eux, aussi petitement et lâchement jaloux
que les femmes entre elles, — tout cet ensemble
d'avantages étaient l'explication, sans doute, de
l'antipathie dont il était l'objet ; antipathie qui, par
haine, affectait les formes du mépris, car le mépris
outrage plus que la haine, et la haine le sait bien !...
Que de fois ne l'ai-je pas entendu traiter, entre le
haut et le bas de la voix, de « dangereuse canaille »,
quoique, s'il eût fallu prouver clairement qu'il en
était une, on ne l'eût certainement pas pu... Et de
fait, Messieurs, encore au moment où je vous parle,
il est incertain pour moi que le major Ydow fût ce
qu'on disait qu'il était... Mais, tonnerre ! — ajouta
Mesnilgrand avec une énergie mêlée à une horreur
étrange, — ce qu'on ne disait pas et qu'il a été un
jour, je le sais, et cela me suffit !

— Cela nous suffira aussi probablement, — dit
gaiement Rançonnet ; — mais, sacrebleu ! quel
diable de rapport peut-il y avoir entre l'église où je
t'ai vu entrer dimanche soir et ce damné major du
8e dragons, qui aurait pillé toutes les églises et toutes les cathédrales d'Espagne et de la chrétienté,

pour faire des bijoux à sa coquine de femme avec l'or et les pierres précieuses des saints sacrements ?

— Reste donc dans le rang, Rançonnet ! — fit Mesnil, comme s'il eût commandé un mouvement à son escadron, — et tiens-toi tranquille ! Tu seras donc toujours la même tête chaude, et partout impatient comme devant l'ennemi ? Laisse-moi manœuvrer, comme je l'entends, mon histoire.

— Eh bien, marche ! » fit le bouillant capitaine, qui, pour se calmer, lampa un verre de Picardan. Et Mesnilgrand reprit :

« Il est bien probable que sans cette femme qui le suivait, et qu'on appelait sa femme, quoiqu'elle ne fût que sa maîtresse et qu'elle ne portât pas son nom, le major Ydow eût peu frayé avec les officiers du 8e dragons. Mais cette femme, qu'on supposait tout ce qu'elle était pour s'être agrafée à un pareil homme, empêcha qu'on ne fît autour du major le désert qu'on aurait fait sans elle. J'ai vu cela dans les régiments. Un homme y tombe en suspicion ou en discrédit, on n'a plus avec lui que de stricts rapports de service ; on ne *camarade* plus ; on n'a plus pour lui de poignées de main ; au café même, ce caravansérail d'officiers, dans l'atmosphère chaude et familière du café, où toutes les froideurs se fondent, on reste à distance, contraint et poli jusqu'à ce qu'on ne le soit plus et qu'on éclate, s'il vient le moment d'éclater. Vraisemblablement, c'est ce qui serait arrivé au major ; mais une femme, c'est l'aimant du diable ! Ceux qui ne l'auraient pas vu pour lui, le virent pour elle. Qui n'aurait pas, au café, offert un verre de *schnick* au major, dédoublé de sa femme, le lui offrait en pensant à sa moitié, en calculant que c'était là un moyen d'être invité chez lui, où il serait possible de la rencontrer... Il y a une proportion d'arithmétique morale, écrite, avant qu'elle le

fût par un philosophe sur du papier, dans la poitrine
de tous les hommes, comme un encouragement du
Démon : « C'est qu'il y a plus loin d'une femme à son
premier amant, que de son premier au dixième[1] », et
c'était, à ce qu'il semblait, plus vrai avec la femme
du major qu'avec personne. Puisqu'elle s'était donnée à lui, elle pouvait bien se donner à un autre, et,
ma foi ! tout le monde pouvait être cet autre-là ! En
un temps fort court, au 8e dragons, on sut combien
il y avait peu d'audace dans cette espérance. Pour
tous ceux qui ont le flair de la femme, et qui en respirent la vraie odeur à travers tous les voiles blancs
et parfumés de vertu dans lesquels elle s'entortille,
la Rosalba fut reconnue tout de suite pour la plus
corrompue des femmes corrompues, — dans le
mal, une perfection !

» Et je ne la calomnie point, n'est-ce pas, Rançonnet ?... Tu l'as eue peut-être, et si tu l'as eue, tu sais
maintenant s'il fut jamais une plus brillante, une
plus fascinante cristallisation de tous les vices ! Où
le major l'avait-il prise ?... D'où sortait-elle ? Elle était
si jeune ! On n'osa pas, tout d'abord, se le demander ;
mais ce ne fut pas long, l'hésitation ! L'incendie —
car elle n'incendia pas que le 8e dragons, mais mon
régiment de hussards à moi, mais aussi, tu t'en souviens, Rançonnet, tous les états-majors du corps
d'expédition dont nous faisions partie, — l'incendie
qu'elle alluma prit très vite d'étranges proportions...
Nous avions vu bien des femmes, maîtresses d'officiers, et suivant les régiments, quand les officiers
pouvaient se payer le luxe d'une femme dans leurs
bagages : les colonels fermaient les yeux sur cet abus,
et quelquefois se le permettaient. Mais de femmes à
la façon de cette Rosalba, nous n'en avions pas
même l'idée. Nous étions accoutumés à de belles
filles, si vous voulez, mais presque toujours du

même type, décidé, hardi, presque masculin, presque effronté ; le plus souvent de belles brunes plus
ou moins passionnées, qui ressemblaient à de jeunes
garçons, très piquantes et très voluptueuses sous
l'uniforme que la fantaisie de leurs amants leur faisait porter quelquefois... Si les femmes d'officiers,
légitimes et honnêtes, se reconnaissent des autres
femmes par quelque chose de particulier, commun à
elles toutes, et qui tient au milieu militaire dans
lequel elles vivent, ce quelque chose-là est bien autrement marqué dans les maîtresses. Mais, la Rosalba
du major Ydow n'avait rien de semblable aux aven-
turières de troupes et aux suiveuses de régiment dont
nous avions l'habitude. Au premier abord, c'était
une grande jeune fille pâle, — mais qui ne restait
pas longtemps pâle, comme vous allez voir, — avec
une forêt de cheveux blonds. Voilà tout. Il n'y avait
pas de quoi s'écrier. Sa blancheur de teint n'était pas
plus blanche que celle de toutes les femmes à qui un
sang frais et sain passe sous la peau. Ses cheveux
blonds n'étaient pas de ce blond étincelant, qui a les
fulgurances métalliques de l'or ou les teintes molles
et endormies de l'ambre gris, que j'ai vu à quelques
Suédoises. Elle avait le visage classique qu'on appelle
un visage de camée, mais qui ne différait par aucun
signe particulier de cette sorte de visage, si impatien-
tant pour les âmes passionnées, avec son invariable
correction et son unité. Au prendre ou au laisser,
c'était certainement ce qu'on peut appeler une belle
fille, dans l'ensemble de sa personne... Mais les
philtres qu'elle faisait boire n'étaient point dans sa
beauté... Ils étaient ailleurs... Ils étaient où vous ne
devineriez jamais qu'ils fussent... dans ce monstre
d'impudicité qui osait s'appeler Rosalba, qui osait
porter ce nom immaculé de Rosalba, qu'il ne faudrait donner qu'à l'innocence, et qui, non contente

d'être la Rosalba, la Rose et Blanche, s'appelait encore la Pudique, la Pudica, par-dessus le marché !

— Virgile aussi s'appelait « le pudique », et il a écrit le *Corydon ardebat Alexim*, — insinua Reniant, qui n'avait pas oublié son latin.

— Et ce n'était pas une ironie, — continua Mesnilgrand, — que ce surnom de Rosalba, qui ne fut point inventé par nous, mais que nous lûmes dès le premier jour sur son front, où la nature l'avait écrit avec toutes les roses de sa création. La Rosalba n'était pas seulement une fille de l'air le plus étonnamment pudique pour ce qu'elle était ; c'était positivement la pudeur elle-même. Elle eût été pure comme les Vierges du ciel, qui rougissent peut-être sous le regard des Anges, qu'elle n'eût pas été plus la Pudeur. Qui donc a dit — ce doit être un Anglais — que le monde est l'œuvre du Diable, devenu fou ? C'était sûrement ce Diable-là qui, dans un accès de folie, avait créé la Rosalba, pour se faire le plaisir... du Diable, de fricasser, l'une après l'autre, la volupté dans la pudeur et la pudeur dans la volupté, et de pimenter, avec un condiment céleste, le ragoût infernal des jouissances qu'une femme puisse donner à des hommes mortels[1]. La pudeur de la Rosalba n'était pas une simple physionomie, laquelle, par exemple, aurait, celle-là, renversé de fond en comble le système de Lavater. Non, chez elle, la pudeur n'était pas le *dessus du panier* ; elle était aussi bien le dessous que le dessus de la femme, et elle frissonnait et palpitait en elle autant dans le sang qu'à la peau. Ce n'était pas non plus une hypocrisie. Jamais le vice de Rosalba ne rendit cet hommage, pas plus qu'un autre, à la vertu. C'était réellement une vérité. La Rosalba était pudique comme elle était voluptueuse, et le plus extraordinaire, c'est qu'elle l'était en même temps. Quand elle disait ou faisait les choses les

plus… osées, elle avait d'adorables manières de dire :
« J'ai honte ! » que j'entends encore. Phénomène
inouï ! on était toujours au début avec elle, même
après le dénouement. Elle fût sortie d'une orgie de
bacchantes, comme l'innocence de son premier
péché. Jusque dans la femme vaincue, pâmée, à
demi morte, on retrouvait la vierge confuse, avec la
grâce toujours fraîche de ses troubles et le charme
auroral de ses rougeurs… Jamais je ne pourrai vous
faire comprendre les raffolements que ces contras-
tes vous mettaient au cœur, le langage périrait à
exprimer cela ! »

Il s'arrêta. Il y pensait, et ils y pensaient. Avec ce
qu'il venait de dire, il avait, le croira-t-on ? transformé en rêveurs[1] ces soldats qui avaient vu tous les
genres de feux, ces moines débauchés, ces vieux
médecins, tous ces écumeurs de la vie et qui en
étaient revenus. L'impétueux Rançonnet, lui-même,
ne souffla mot. Il se souvenait.

« Vous sentez bien, — reprit Mesnilgrand, — que
le phénomène ne fut connu que plus tard. Tout
d'abord, quand elle arriva au 8e dragons, on ne vit
qu'une fille extrêmement jolie quoique belle, dans le
genre, par exemple, de la princesse Pauline Borghèse,
la sœur de l'Empereur, à qui, du reste, elle ressemblait. La princesse Pauline avait aussi l'air idéalement chaste, et vous savez tous de quoi elle est
morte… Mais, Pauline n'avait pas en toute sa personne une goutte de pudeur pour teinter de rose la
plus petite place de son corps charmant, tandis que
la Rosalba en avait assez dans les veines pour rendre écarlates toutes les places du sien. Le mot naïf
et étonné de la Borghèse, quand on lui demanda comment elle avait bien pu poser nue devant Canova :
« Mais l'atelier était chaud ! il y avait un poêle ! » la
Rosalba ne l'eût jamais dit. Si on lui eût adressé la

même question, elle se serait enfuie en cachant son visage divinement pourpre dans ses mains divinement rosées. Seulement, soyez bien sûrs qu'en s'en allant, il y aurait eu par derrière à sa robe un pli dans lequel auraient niché toutes les tentations de l'enfer !

» Telle donc elle était, cette Rosalba, dont le visage de vierge nous pipa tous, quand elle arriva au régiment. Le major Ydow aurait pu nous la présenter comme sa femme légitime, et même comme sa fille, que nous l'aurions cru. Quoique ses yeux d'un bleu limpide fussent magnifiques, ils n'étaient jamais plus beaux que quand ils étaient baissés. L'expression des paupières l'emportait sur l'expression du regard. Pour des gens qui avaient roulé la guerre et les femmes, et quelles femmes ! ce fut une sensation nouvelle que cette créature à qui, comme on dit avec une expression vulgaire, mais énergique, « on aurait donné le bon Dieu sans confession ». Quelle sacrée jolie fille ! se soufflaient à l'oreille les anciens, les vieux routiers ; mais quelle mijaurée ! Comment s'y prend-elle pour rendre la major heureux ?... Il le savait, lui, et il ne le disait pas... Il buvait son bonheur en silence, comme les vrais ivrognes, qui boivent seuls. Il ne renseignait personne sur la félicité cachée qui le rendait discret et fidèle pour la première fois de sa vie, lui, le Lauzun de garnison, le fat le plus carabiné et le plus fastueux, et qu'à Naples, rapportaient des officiers qui l'y avaient connu, on appelait le tambour-major de la séduction ! Sa beauté, dont il était si vain, aurait fait tomber toutes les filles d'Espagne à ses pieds, qu'il n'en eût pas ramassé une. À cette époque, nous étions sur les frontières de l'Espagne et du Portugal, les Anglais devant nous, et nous occupions dans nos marches les villes les moins hostiles au roi Joseph. Le major Ydow et la

Rosalba y vivaient ensemble, comme ils eussent fait dans une ville de garnison en temps de paix. Vous vous souvenez des acharnements de cette guerre d'Espagne, de cette guerre furieuse et lente, qui ne ressemblait à aucune autre, car nous ne nous battions pas ici simplement pour la conquête, mais pour implanter une dynastie et une organisation nouvelle dans un pays qu'il fallait d'abord conquérir. Aucun de vous n'a oublié qu'au milieu de ces acharnements il y avait des pauses, et que, dans l'entre-deux des batailles les plus terribles, au sein de cette contrée envahie dont une partie était à nous, nous nous amusions à donner des fêtes aux Espagnoles le plus *afrancesadas* des villes que nous occupions. C'est dans ces fêtes que la femme du major Ydow, comme on disait, déjà fort remarquée, passa à l'état de célébrité. Et de fait, elle se mit à briller au milieu de ces filles brunes d'Espagne, comme un diamant dans une torsade de jais. Ce fut là qu'elle commença de produire sur les hommes ces effets d'acharnement qui tenaient, sans doute, à la composition diabolique de son être, et qui faisaient d'elle la plus enragée des courtisanes, avec la figure d'une des plus célestes madones de Raphaël.

» Alors les passions s'allumèrent et allèrent leur train, faisant leur feu dans l'ombre. Au bout d'un certain temps, tous flambèrent, même des vieux, même des officiers généraux qui avaient l'âge d'être sages, tous flambèrent pour « la Pudica », comme on trouva piquant de l'appeler. Partout et autour d'elle les prétentions s'affichèrent ; puis les coquetteries, puis l'éclat des duels, enfin tout le tremblement d'une vie de femme devenue le centre de la galanterie la plus passionnée, au milieu d'hommes indomptables qui avaient toujours le sabre à la main. Elle fut le sultan de ces redoutables odalisques, et elle jeta le mou-

choir à qui lui plut, et beaucoup lui plurent[1]. Quant
au major Ydow, il laissa faire et laissa dire... Était-
il assez fat pour n'être pas jaloux, ou, se sentant
haï et méprisé, pour jouir, dans son orgueil de possesseur, des passions qu'inspirait à ses ennemis la
femme dont il était le maître ?... Il n'était guères
possible qu'il ne s'aperçût de quelque chose. J'ai vu
parfois son œil d'émeraude passer au noir de l'escar-
boucle, en regardant tel de nous que l'opinion du
moment soupçonnait d'être l'amant de sa moitié ;
mais il se contenait... Et, comme on pensait toujours
de lui ce qu'il y avait de plus insultant, on imputait
son calme indifférent ou son aveuglement volontaire à des motifs de la plus abjecte espèce. On pensait que sa femme était encore moins un piédestal à
sa vanité qu'une échelle à son ambition. Cela se disait
comme ces choses-là se disent, et il ne les entendait
pas. Moi qui avais des raisons pour l'observer, et
qui trouvais sans justice la haine et le mépris qu'on
lui portait, je me demandais s'il y avait plus de faiblesse que de force, ou de force que de faiblesse, dans
l'attitude sombrement impassible de cet homme, trahi
journellement par sa maîtresse, et qui ne laissait
rien paraître des morsures de sa jalousie. Par Dieu !
nous avons tous, Messieurs, connu de ces hommes
assez fanatisés d'une femme pour croire en elle,
quand tout l'accuse, et qui, au lieu de se venger quand
la certitude absolue d'une trahison pénètre dans leur
âme, préfèrent s'enfoncer dans leur bonheur lâche,
et en tirer, comme une couverture par-dessus leur
tête, l'ignominie !

» Le major Ydow était-il de ceux-là ? Peut-être.
Mais, certes ! la Pudica était bien capable d'avoir
soufflé en lui ce fanatisme dégradant. La Circé antique, qui changeait les hommes en bêtes, n'était rien
en comparaison de cette Pudica, de cette Messaline-

Vierge, avant, pendant et après. Avec les passions qui brûlaient au fond de son être et celles dont elle embrasait tous ces officiers, peu délicats en matière de femmes, elle fut bien vite compromise, mais elle ne se compromit pas. Il faut bien entendre cette nuance. Elle ne donnait pas prise sur elle ouvertement par sa conduite. Si elle avait un amant, c'était un secret entre elle et son alcôve. Extérieurement, le major Ydow n'avait pas l'étoffe du plus petit bout de scène à lui faire. L'aurait-elle aimé, par hasard ?... Elle demeurait avec lui, et elle aurait pu sûrement, si elle avait voulu, s'attacher à la fortune d'un autre. J'ai connu un maréchal de l'Empire assez fou d'elle pour lui tailler un manche d'ombrelle dans son bâton de maréchal. Mais c'est encore ici comme ces hommes dont je vous parlais. Il y a des femmes qui aiment... ce n'est pas leur amant que je veux dire, quoique ce soit leur amant aussi. Les carpes regrettent leur bourbe, disait Mme de Maintenon. La Rosalba ne voulut pas regretter la sienne. Elle n'en sortit pas, et moi j'y entrai.

— Tu coupes les transitions avec ton sabre ! — fit le capitaine Mautravers.

— Parbleu ! — repartit Mesnilgrand, — qu'ai-je à respecter ? Vous savez tous la chanson qu'on chantait au XVIIIe siècle :

> *Quand Boufflers parut à la cour,*
> *On crut voir la reine d'amour.*
> *Chacun s'empressait à lui plaire,*
> *Et chacun l'avait... à son tour*[1] *!*

J'eus donc mon tour. J'en avais eu, des femmes, et par paquets ! Mais qu'il y en eût une seule comme cette Rosalba, je ne m'en doutais pas. La bourbe fut

un paradis. Je ne m'en vais pas vous faire des analyses à la façon des romanciers. J'étais un homme
d'action, brutal sur l'article, comme le comte Alma-
viva, et je n'avais pas d'amour pour elle dans le sens
élevé et romanesque qu'on donne à ce mot, moi
tout le premier... Ni l'âme, ni l'esprit, ni la vanité,
ne furent pour quelque chose dans l'espèce de bonheur qu'elle me prodigua ; mais ce bonheur n'eut pas
du tout la légèreté d'une fantaisie. Je ne croyais pas
que la sensualité pût être profonde. Ce fut la plus
profonde des sensualités. Figurez-vous une de ces
belles pêches, à chair rouge, dans lesquelles on mord
à belles dents, ou plutôt ne vous figurez rien... Il n'y
a pas de figures pour exprimer le plaisir qui jaillis-
sait de cette pêche humaine, rougissant sous le
regard le moins appuyé comme si vous l'aviez mordue. Imaginez ce que c'était quand, au lieu du regard,
on mettait la lèvre ou la dent de la passion dans
cette chair émue et sanguine. Ah ! le corps de cette
femme était sa seule âme ! Et c'est avec ce corps-là
qu'elle me donna, un soir, une fête qui vous fera
juger d'elle mieux que tout ce que je pourrais ajouter. Oui, un soir, n'eut-elle pas l'audace et l'indé-
cence de me recevoir, n'ayant pour tout vêtement
qu'une mousseline des Indes transparente, une nuée,
une vapeur, à travers laquelle on voyait ce corps,
dont la forme était la seule pureté et qui se teignait
du double vermillon mobile de la volupté et de la
pudeur !... Que le Diable m'emporte si elle ne ressemblait pas, sous sa nuée blanche, à une statue de
corail vivant ! Aussi, depuis ce temps, je me suis
soucié de la blancheur des autres femmes comme
de ça ! »

Et Mesnilgrand envoya d'une chiquenaude une
peau d'orange à la corniche, par-dessus la tête du

représentant Le Carpentier, qui avait fait tomber celle du roi.

« Notre liaison dura quelque temps, — continua-t-il, — mais ne croyez pas que je me blasai d'elle. On ne s'en blasait pas. Dans la sensation, qui est *finie*, comme disent les philosophes en leur infâme baragouin, elle transportait l'infini ! Non, si je la quittai, ce fut pour une raison de dégoût moral, de fierté pour moi, de mépris pour elle, pour elle qui, au plus fort des caresses les plus insensées, ne me faisait pas croire qu'elle m'aimât... Quand je lui demandais : *M'aimes-tu ?* ce mot qu'il est impossible de ne pas dire, même à travers toutes les preuves qu'on vous donne que vous êtes aimé, elle répondait : « Non ! » ou secouait énigmatiquement la tête. Elle se roulait dans ses pudeurs et dans ses hontes, et elle restait là-dessous, au milieu de tous les désordres de sens soulevés, impénétrable comme le sphinx[1]. Seulement, le sphinx était froid, et elle ne l'était pas... Eh bien, cette impénétrabilité qui m'impatientait et m'irritait, puis encore la certitude que j'eus bientôt des fantaisies à la Catherine II qu'elle se permettait, furent la double cause du vigoureux coup de caveçon que j'eus la force de donner pour sortir des bras tout-puissants de cette femme, l'abreuvoir de tous les désirs ! Je la quittai, ou plutôt je ne revins plus à elle. Mais je gardai l'idée qu'une seconde femme comme celle-là n'était pas possible ; et de penser cela me rendit désormais fort tranquille et fort indifférent avec toutes les femmes. Ah ! elle m'a parachevé comme officier. Après elle, je n'ai plus pensé qu'à mon service. Elle m'avait trempé dans le Styx[2].

— Et tu es devenu tout à fait Achille ! — dit le vieux M. de Mesnilgrand, avec orgueil.

— Je ne sais pas ce que je suis devenu, — reprit

Mesnilgrand ; — mais je sais bien qu'après notre rupture, le major Ydow, qui était avec moi dans les mêmes termes qu'avec tous les officiers de la division, nous apprit un jour, au café, que sa femme était enceinte, et qu'il aurait bientôt la joie d'être père. À cette nouvelle inattendue, les uns se regardèrent, les autres sourirent ; mais il ne le vit pas, ou, l'ayant vu, il n'y prit garde, résolu qu'il était, probablement, à ne faire jamais attention qu'à ce qui était une injure directe. Quand il fut sorti : « L'enfant est-il de toi, Mesnil ? » me demanda à l'oreille un de mes camarades ; et, dans ma conscience, une voix secrète, une voix plus précise que la sienne, me répéta la même question. Je n'osais me répondre. Elle, la Rosalba, dans nos tête-à-tête les plus abandonnés, ne m'avait jamais dit un mot de cet enfant, qui pouvait être de moi, ou du major, ou même d'un autre…

— L'enfant du drapeau ! — interrompit Mautravers, comme s'il eût donné un coup de pointe avec sa latte de cuirassier.

— Jamais, — reprit Mesnilgrand, — elle n'avait fait la moindre allusion à sa grossesse ; mais quoi d'étonnant ? C'était, je vous l'ai dit, un sphinx que la Pudica, un sphinx qui dévorait le plaisir silencieusement et gardait son secret. Rien du cœur ne traversait les cloisons physiques de cette femme, ouverte au plaisir seul… et chez qui la pudeur était sans doute la première peur, le premier frisson, le premier embrasement du plaisir ! Cela me fit un effet singulier de la savoir enceinte. Convenons-en, Messieurs, à présent que nous sommes sortis de la vie bestiale des passions : ce qu'il y a de plus affreux dans les amours partagées, — cette gamelle ! — ce n'est pas seulement la malpropreté du partage, mais c'est de plus l'égarement du sentiment paternel ; c'est cette anxiété terrible qui vous empêche d'écouter la voix de la nature, et qui l'étouffe dans un doute dont il est impossible de sortir. On se dit : Est-ce à moi, cet enfant ?... Incertitude qui vous poursuit comme la punition du partage, de l'indigne partage auquel on s'est honteusement soumis ! Si on pensait longtemps à cela, quand on a du cœur, on deviendrait fou ; mais la vie, la vie puissante et légère, vous reprend de son flot et vous emporte, comme le bouchon en liège d'une ligne rompue. — Après cette déclaration faite à nous tous par le major Ydow, le petit tressaillement paternel que j'avais cru sentir dans mes entrailles s'apaisa. Rien ne bougea plus... Il est vrai qu'à quelques jours plus tard j'avais bien autre chose à penser qu'au bambin de la Pudica. Nous nous battions à Talavera, où le commandant Titan, du 9ᵉ hussards, fut tué à la première charge, et où je fus obligé de prendre le commandement de l'escadron.

» Cette rude peignée de Talavera exaspéra la guerre que nous faisions. Nous nous trouvâmes plus souvent en marche, plus serrés, plus inquiétés par l'ennemi, et forcément il fut moins question de la Pudica entre nous. Elle suivait le régiment en char-à-bancs, et ce fut là, dit-on, qu'elle accoucha d'un enfant que le major Ydow, qui croyait en sa paternité, se mit à aimer comme si réellement cet enfant avait été le sien. Du moins, quand cet enfant mourut, car il mourut quelques mois après sa naissance, le major eut un chagrin très exalté, un chagrin à folies, et on n'en rit pas dans le régiment. Pour la première fois, l'antipathie dont il était l'objet se tut. On le plaignit beaucoup plus que la mère qui, si elle pleura sa géniture, n'en continua pas moins d'être la Rosalba que nous connaissions tous, cette singulière catin arrosée de pudeur par le Diable, qui avait, malgré ses mœurs, conservé la faculté, qui tenait du prodige, de rougir jusqu'à l'épine dorsale deux cents fois par jour ! Sa beauté ne diminua pas. Elle résistait à toutes les avaries. Et, cependant, la vie qu'elle menait devait faire très vite d'elle ce qu'on appelle entre cavaliers une vieille chabraque, si cette vie de perdition avait duré.

— Elle n'a donc pas duré ? Tu sais donc, toi, ce que cette chienne de femme-là est devenue ? — fit Rançonnet, haletant d'intérêt excité, et oubliant pour une minute cette visite à l'église qui le tenait si dru.

— Oui, — dit Mesnilgrand, — concentrant sa voix comme s'il avait touché au point le plus profond de son histoire. Tu as cru, comme tout le monde, qu'elle avait sombré avec Ydow dans le tourbillon de guerre et d'événements qui nous a enveloppés et, pour la plupart de nous, dispersés et fait disparaître. Mais je vais aujourd'hui te révéler le destin de cette Rosalba. »

Le capitaine Rançonnet s'accouda sur la table en prenant dans sa large main son verre, qu'il y laissa, et qu'il serra comme la poignée d'un sabre, tout en écoutant.

« La guerre ne cessait pas, — reprit Mesnilgrand. — Ces patients dans la fureur, qui ont mis cinq cents ans à chasser les Maures, auraient mis, s'il l'avait fallu, autant de temps à nous chasser. Nous n'avancions dans le pays qu'à la condition de surveiller chaque pas que nous y faisions. Les villages envahis étaient immédiatement fortifiés par nous, et nous les retournions contre l'ennemi. Le petit bourg d'Alcudia, dont nous nous emparâmes, fut notre garnison assez de temps. Un vaste couvent y fut transformé en caserne ; mais l'état-major se répartit dans les maisons du bourg, et le major Ydow eut celle de l'alcade. Or, comme cette maison était la plus spa-

cieuse, le major Ydow y recevait quelquefois le soir
le corps des officiers, car nous ne voyions plus que
nous. Nous avions rompu avec les *afrancesados*,
nous défiant d'eux, tant la haine pour les Français
gagnait du terrain ! Dans ces réunions entre nous,
quelquefois interrompues par les coups de feu de
l'ennemi à nos avant-postes, la Rosalba nous faisait
les honneurs de quelque punch, avec cet air incom-
parablement chaste que j'ai toujours pris pour une
plaisanterie du Démon. Elle y choisissait ses victimes ; mais je ne regardais pas à mes successeurs.
J'avais ôté mon âme de cette liaison, et, d'ailleurs, je
ne traînais après moi, comme l'a dit je ne sais plus
qui, la chaîne rompue d'aucune espérance trompée.
Je n'avais ni dépit, ni jalousie, ni ressentiment. Je
regardais vivre et agir cette femme, qui m'intéressait
comme spectateur, et qui cachait les déportements du
vice le plus impudent sous les déconcertements les
plus charmants de l'innocence. J'allais donc chez
elle, et devant le monde elle m'y parlait avec la simplicité presque timide d'une jeune fille, rencontrée
par hasard à la fontaine ou dans le fond du bois.
L'ivresse, le tournoiement de tête, la rage des sens
qu'elle avait allumée en moi, toutes ces choses terribles n'étaient plus. Je les tenais pour dissipées, éva-
nouies, impossibles ! Seulement, lorsque je retrouvais
inépuisable cette nuance d'incarnat qui lui teignait
le front pour un mot ou pour un regard, je ne pouvais m'empêcher d'éprouver la sensation de l'homme
qui regarde dans son verre vidé la dernière goutte du
champagne rosé qu'il vient de boire, et qui est tenté
de faire rubis sur l'ongle, avec cette dernière goutte
oubliée.

» Je le lui dis, un soir. Ce soir-là, j'étais seul chez
elle.

» J'avais quitté le café de bonne heure, et j'y avais laissé le corps d'officiers engagé dans des parties de cartes et de billard, et jouant un jeu très vif. C'était le soir, mais un soir d'Espagne où le soleil torride avait peine à s'arracher du ciel. Je la trouvai à peine vêtue, les épaules au vent, embrasées par une chaleur africaine, les bras nus, ces beaux bras dans lesquels j'avais tant mordu et qui, dans de certains moments d'émotion que j'avais si souvent fait naître, devenaient, comme disent les peintres, du *ton* de l'intérieur des fraises. Ses cheveux, appesantis par la chaleur, croulaient lourdement sur sa nuque dorée, et elle était belle ainsi, déchevelée, négligée, languissante à tenter Satan et à venger Ève ! À moitié couchée sur un guéridon, elle écrivait... Or, si elle écrivait, la Pudica, c'était, pas de doute ! à quelque amant, pour quelque rendez-vous, pour quelque infidélité nouvelle au major Ydow, qui les dévorait toutes, comme elle dévorait le plaisir, en silence. Lorsque j'entrai, sa lettre était écrite, et elle faisait fondre pour la cacheter, à la flamme d'une bougie, de la cire bleue pailletée d'argent, que je vois encore, et vous allez savoir, tout à l'heure, pourquoi le souvenir de cette cire bleue pailletée d'argent m'est resté si clair.

« — Où est le major ? — me dit-elle, me voyant entrer, troublée déjà, — mais elle était toujours troublée, cette femme qui faisait croire à l'orgueil et aux sens des hommes qu'elle était émue devant eux !

» — Il joue frénétiquement ce soir, — lui répondis-je, en riant et en regardant avec convoitise cette friandise de flocon rose qui venait de lui monter au front ; — et moi, j'ai ce soir une autre frénésie. »

» Elle me comprit. Rien ne l'étonnait. Elle était faite aux désirs qu'elle allumait chez les hommes, qu'elle aurait ramenés en face d'elle de tous les horizons.

« — Bah ! — fit-elle lentement, quoique la teinte d'incarnat que je voulais boire sur son adorable et exécrable visage se fût foncée à la pensée que je lui donnais. — Bah ! vos frénésies à vous sont finies. — Et elle mit le cachet sur la cire bouillante de la lettre, qui s'éteignit et se figea.

» — Tenez ! — dit-elle, insolemment provocante, — voilà votre image ! C'était brûlant il n'y a qu'une seconde, et c'est froid. »

» Et, tout en disant cela, elle retourna la lettre et se pencha pour en écrire l'adresse.

» Faut-il que je le répète jusqu'à satiété ? Certes ! je n'étais pas jaloux de cette femme : mais nous sommes tous les mêmes. Malgré moi, je voulus voir à qui elle écrivait, et, pour cela, ne m'étant pas assis encore, je m'inclinai par-dessus sa tête ; mais mon regard fut intercepté par l'entre-deux de ses épaules, par cette fente enivrante et duvetée où j'avais fait ruisseler tant de baisers, et, ma foi ! magnétisé par cette vue, j'en fis tomber un de plus dans ce ruisseau d'amour, et cette sensation l'empêcha d'écrire... Elle releva sa tête de la table où elle était penchée, comme si on lui eût piqué les reins d'une pointe de feu, se cambrant sur le dossier de son fauteuil, la tête renversée ; elle me regardait, dans ce mélange de désir et de confusion qui était son charme, les yeux en l'air et tournés vers moi, qui étais derrière elle, et qui fis descendre dans la rose mouillée de sa bouche entrouverte ce que je venais de faire tomber dans l'entre-deux de ses épaules.

» Cette sensitive avait des nerfs de tigre. Tout à coup, elle bondit : « Voilà le major qui monte, — me dit-elle. — Il aura perdu, il est jaloux quand il a perdu. Il va me faire une scène affreuse. Voyons !

mettez-vous là... je vais le faire partir. » Et, se levant,
elle ouvrit un grand placard dans lequel elle pendait
ses robes, et elle m'y poussa. Je crois qu'il y a bien
peu d'hommes qui n'aient été mis dans quelque placard, à l'arrivée du mari ou du possesseur en titre...

— Je te trouve heureux avec ton placard ! — dit
Sélune ; — je suis entré un jour dans un sac à charbon, moi ! C'était, bien entendu, avant ma sacrée
blessure. J'étais dans les hussards blancs, alors. Je
vous demande dans quel état je suis sorti de mon
sac à charbon !

— Oui, — reprit amèrement Mesnilgrand, — c'est
encore là un des revenants-bons de l'adultère et du
partage ! En ces moments-là, les plus fendants ne
sont pas fiers, et, par générosité pour une femme
épouvantée, ils deviennent aussi lâches qu'elle, et
font cette lâcheté de se cacher. J'en ai, je crois, mal
au cœur encore d'être entré dans ce placard, en uniforme et le sabre au côté, et, comble de ridicule !
pour une femme qui n'avait pas d'honneur à perdre
et que je n'aimais pas !

» Mais je n'eus pas le temps de m'appesantir sur
cette bassesse d'être là, comme un écolier dans les
ténèbres de mon placard et les frôlements sur mon
visage de ses robes, qui sentaient son corps à me
griser. Seulement, ce que j'entendis me tira bientôt de
ma sensation voluptueuse. Le major était entré. Elle
l'avait deviné, il était d'une humeur massacrante, et,
comme elle l'avait dit, dans un accès de jalousie, et
d'une jalousie d'autant plus explosive qu'avec nous
tous il la cachait. Disposé au soupçon et à la colère
comme il l'était, son regard alla probablement à cette
lettre restée sur la table, et à laquelle mes deux baisers avaient empêché la Pudica de mettre l'adresse.

« — Qu'est-ce que c'est que cette lettre ?... fit-il,
— d'une voix rude.

» — C'est une lettre pour l'Italie, — dit tranquillement la Pudica. »

» Il ne fut pas dupe de cette placide réponse.

« — Cela n'est pas vrai ! — dit-il grossièrement,
car vous n'aviez pas besoin de gratter beaucoup le
Lauzun dans cet homme pour y retrouver le sou-
dard ; et je compris, à ce seul mot, la vie intime de
ces deux êtres, qui engloutissaient entre eux deux des
scènes de toute espèce, et dont, ce jour-là, j'allais
avoir un spécimen. Je l'eus, en effet, du fond de
mon placard. Je ne les voyais pas, mais je les entendais ; et les entendre, pour moi, c'était les voir. Il y
avait leurs gestes dans leurs paroles et dans les intonations de leurs voix, qui montèrent en quelques instants au diapason de toutes les fureurs. Le major
insista pour qu'on lui montrât cette lettre sans
adresse ; et la Pudica, qui l'avait saisie, refusa opi-
niâtrement de la donner. C'est alors qu'il voulut la
prendre de force. J'entendis les froissements et les
piétinements d'une lutte entre eux, mais vous devinez bien que le major fut plus fort que sa femme. Il
prit donc la lettre et la lut. C'était un rendez-vous
d'amour à un homme, et la lettre disait que cet
homme avait été heureux et qu'on lui offrait le bonheur encore... Mais cet homme-là n'était pas nommé.
Absurdement curieux comme tous les jaloux, le
major chercha en vain le nom de l'homme pour qui
on le trompait... Et la Pudica fut vengée de cette
prise de lettre, arrachée à sa main meurtrie, et peut-
être ensanglantée, car elle avait crié pendant la lutte :
« Vous me déchirez la main, misérable ! » Ivre de ne
rien savoir, défié et moqué par cette lettre qui ne le
renseignait que sur une chose, c'est qu'elle avait un
amant, — un amant de plus, — le major Ydow
tomba dans une de ces rages qui déshonorent le
caractère d'un homme, et cribla la Pudica d'injures

ignobles, d'injures de cocher. Je crus qu'il la roue-
rait de coups. Les coups allaient venir, mais un peu
plus tard. Il lui reprocha, — en quels termes ! —
d'être... tout ce qu'elle était. Il fut brutal, abject,
révoltant ; et elle, à toute cette fureur, répondit en
vraie femme qui n'a plus rien à ménager, qui connaît
jusqu'à l'axe l'homme à qui elle s'est accouplée, et
qui sait que la bataille éternelle est au fond de cette
bauge de la vie à deux. Elle fut moins ignoble, mais
plus atroce, plus insultante et plus cruelle dans sa
froideur, que lui dans sa colère. Elle fut insolente,
ironique, riant du rire hystérique de la haine dans
son paroxysme le plus aigu, et répondant au torrent
d'injures que le major lui vomissait à la face par de
ces mots comme les femmes en trouvent, quand
elles veulent nous rendre fous, et qui tombent sur
nos violences et dans nos soulèvements comme des
grenades à feu dans de la poudre. De tous ces mots
outrageants à froid qu'elle aiguisait, celui avec lequel
elle le dardait le plus, c'est qu'elle ne l'aimait pas —
qu'elle ne l'avait jamais aimé : « Jamais ! jamais !
jamais ! » répétait-elle, avec une furie joyeuse, comme
si elle lui eût dansé des entrechats sur le cœur ! —
Or, cette idée — qu'elle ne l'avait jamais aimé — était
ce qu'il y avait de plus féroce, de plus affolant pour
ce fat heureux, pour cet homme dont la beauté avait
fait ravage, et qui, derrière son amour pour elle, avait
encore sa vanité ! Aussi arriva-t-il une minute où, n'y
tenant plus, sous le dard de ce mot, impitoyable-
ment répété, qu'elle ne l'avait jamais aimé, et qu'il ne
voulait pas croire, et qu'il repoussait toujours :

« — Et notre enfant ? — objecta-t-il, l'insensé !
comme si c'était une preuve, et comme s'il eût invo-
qué un souvenir !

» — Ah ! notre enfant ! — fit-elle, en éclatant de
rire. — Il n'était pas de toi ! »

» J'imaginai ce qui dut se passer dans les yeux verts du major, en entendant son miaulement étranglé de chat sauvage. Il poussa un juron à fendre le ciel.

« — Et de qui est-il ? garce maudite ! » — demanda-t-il, avec quelque chose qui n'était plus une voix.

» Mais elle continua de rire comme une hyène.

« — Tu ne le sauras pas ! » dit-elle, en le narguant. Et elle le cingla de ce *tu ne le sauras pas !* mille fois répété, mille fois infligé à ses oreilles ; et quand elle fut lasse de le dire, — le croiriez-vous ? — elle le lui chanta comme une fanfare ! Puis, quand elle l'eut assez fouetté avec ce mot, assez fait tourner comme une toupie sous le fouet de ce mot, assez roulé avec ce mot dans les spirales de l'anxiété et de l'incertitude, cet homme, hors de lui, et qui n'était plus entre ses mains qu'une marionnette qu'elle allait casser ; quand, cynique à force de haine, elle lui eut dit, en les nommant par tous leurs noms, les amants qu'elle avait eus, et qu'elle eut fait le tour du corps d'officiers tout entier : « Je les ai eus tous, — cria-t-elle, — mais ils ne m'ont pas eue, eux ! Et cet enfant que tu es assez bête pour croire le tien, a été fait par le seul homme que j'aie jamais aimé ! que j'aie jamais idolâtré ! Et tu ne l'as pas deviné ! Et tu ne le devines pas encore ? »

» Elle mentait. Elle n'avait jamais aimé un homme. Mais elle sentait bien que le coup de poignard pour le major était dans ce mensonge, et elle l'en dagua, elle l'en larda, elle l'en hacha, et quand elle en eut assez d'être le bourreau de ce supplice, elle lui enfonça, pour en finir, comme on enfonce un couteau jusqu'au manche, son dernier aveu dans le cœur :

« — Eh bien ! — fit-elle, — puisque tu ne devines pas, jette ta langue aux chiens, imbécile ! C'est le capitaine Mesnilgrand. »

» Elle mentait probablement encore, mais je n'en étais pas si sûr, et mon nom, ainsi prononcé par elle, m'atteignit comme une balle à travers mon placard. Après ce nom, il y eut un silence comme après un égorgement. — L'a-t-il tuée au lieu de lui répondre ? pensé-je, lorsque j'entendis le bruit d'un cristal, jeté violemment sur le sol, et qui y volait en mille pièces.

» Je vous ai dit que le major Ydow avait eu, pour l'enfant qu'il croyait le sien, un amour paternel immense et, quand il l'avait perdu, un de ces chagrins à folies, dont notre néant voudrait éterniser et matérialiser la durée. Dans l'impossibilité où il était, avec sa vie militaire en campagne, d'élever à son fils un tombeau qu'il aurait visité chaque jour, — cette idolâtrie de la tombe ! — le major Ydow avait fait embaumer le cœur de son fils pour mieux l'emporter avec lui partout, et il l'avait déposé pieusement dans une urne de cristal, habituellement placée sur une encoignure, dans sa chambre à coucher. C'était cette urne qui volait en morceaux.

« — Ah ! il n'était pas à moi, abominable gouge ! » s'écria-t-il. Et j'entendis, sous sa botte de dragon, grincer et s'écraser le cristal de l'urne, et piétiner le cœur de l'enfant qu'il avait cru son fils !

» Sans doute, elle voulut le ramasser, elle ! l'enlever, le lui prendre, car je l'entendis qui se précipita ; et les bruits de la lutte recommencèrent, mais avec un autre, — le bruit des coups.

« — Eh bien ! puisque tu le veux, le voilà, le cœur de ton marmot, catin déhontée ! » dit le major. Et il lui battit la figure de ce cœur qu'il avait adoré, et le lui lança à la tête comme un projectile. L'abîme appelle l'abîme, dit-on. Le sacrilège créa le sacrilège[1]. La Pudica, hors d'elle, fit ce qu'avait fait le major. Elle rejeta à sa tête le cœur de cet enfant, qu'elle aurait peut-être gardé s'il n'avait pas été de lui, l'homme exécré, à qui elle eût voulu rendre torture pour torture, ignominie pour ignominie ! C'est la première fois, certainement, que si hideuse chose se soit vue ! un père et une mère se souffletant tour à tour le visage, avec le cœur mort de leur enfant !

» Cela dura quelques minutes, ce combat impie... Et c'était si étonnamment tragique, que je ne pensai pas tout de suite à peser de l'épaule sur la porte du placard, pour la briser et intervenir... quand un cri comme je n'en ai jamais entendu, ni vous non plus, Messieurs, — et nous en avons pourtant entendu d'assez affreux sur les champs de bataille ! — me donna la force d'enfoncer la porte du placard, et je vis... ce que je ne reverrai jamais ! La Pudica, terrassée, était tombée sur la table où elle avait écrit, et le major l'y retenait d'un poignet de fer, tous voiles relevés, son beau corps à nu, tordu, comme un serpent coupé, sous son étreinte. Mais que croyez-vous qu'il faisait de son autre main, Messieurs ?... Cette table à écrire, la bougie allumée, la cire à côté, toutes ces circonstances avaient donné au major une idée infernale, — l'idée de cacheter cette femme, comme elle avait cacheté sa lettre, — et il était dans l'acharnement de ce monstrueux cachetage, de cette effroyable vengeance d'amant perversement jaloux[1] !

« — Sois punie par où tu as péché, fille infâme ! » cria-t-il.

» Il ne me vit pas. Il était penché sur sa victime, qui ne criait plus, et c'était le pommeau de son sabre qu'il enfonçait dans la cire bouillante et qui lui servait de cachet !

» Je bondis sur lui ; je ne lui dis même pas de se défendre et je lui plongeai mon sabre jusqu'à la garde dans le dos, entre les épaules, et j'aurais voulu, du

même coup, lui plonger ma main et mon bras avec
mon sabre à travers le corps, pour le tuer mieux !

— Tu as bien fait, Mesnil ! dit le commandant
Sélune ; — il ne méritait pas d'être tué par devant,
comme un de nous, ce brigand-là !

— Eh ! mais c'est l'aventure d'Abailard, transpo-
sée à Héloïse ! — fit l'abbé Reniant.

— Un beau cas de chirurgie, — dit le docteur
Bleny, — et rare ! »

Mais Mesnilgrand, lancé, passa outre :

« Il était, — reprit-il, — tombé mort sur le corps
de sa femme évanouie. Je l'en arrachai, le jetai là, et
poussai du pied son cadavre. Au cri que la Pudica
avait jeté, à ce cri sorti comme d'une vulve de louve,
tant il était sauvage ! et qui me vibrait encore dans
les entrailles, une femme de chambre était montée.
« Allez chercher le chirurgien du 8e dragons ; il y a
ici de la besogne pour lui, ce soir ! » Mais je n'eus
pas le temps d'attendre le chirurgien. Tout à coup,
un boute-selle furieux sonna, appelant aux armes.
C'était l'ennemi qui nous surprenait et qui avait
égorgé au couteau, silencieusement, nos sentinelles.
Il fallait sauter à cheval. Je jetai un dernier regard
sur ce corps superbe et mutilé, immobilement pâle
pour la première fois sous les yeux d'un homme.
Mais, avant de partir, je ramassai ce pauvre cœur,
qui gisait à terre dans la poussière, et avec lequel ils
auraient voulu se poignarder et se déchiqueter, et je
l'emportai, ce cœur d'un enfant qu'elle avait dit le
mien, dans ma ceinture de hussard. »

Ici, le chevalier de Mesnilgrand s'arrêta, dans une
émotion qu'ils respectèrent, ces matérialistes et ces
ribauds.

« Et la Pudica ?... — dit presque timidement
Rançonnet, qui ne caressait plus son verre.

— Je n'ai plus eu jamais des nouvelles de la

Rosalba, *dite* la Pudica, — répondit Mesnilgrand.
— Est-elle morte ? A-t-elle pu vivre encore ? Le chirurgien a-t-il pu aller jusqu'à elle ? Après la surprise
d'Alcudia, qui nous fut si fatale, je le cherchai. Je ne
le trouvai pas. Il avait disparu, comme tant d'autres,
et n'avait pas rejoint les débris de notre régiment
décimé.

— Est-ce là tout ? — dit Mautravers. — Et si c'est
là tout, voilà une fière histoire ! Tu avais raison,
Mesnil, quand tu disais à Sélune que tu lui rendrais,
en une fois, la petite monnaie de ses quatre-vingts
religieuses violées et jetées dans le puits. Seulement, puisque Rançonnet rêve maintenant derrière
son assiette, je reprendrai la question où il l'a laissée : Quelle relation a ton histoire avec tes dévotions
à l'église, de l'autre jour[1] ?...

— C'est juste, — dit Mesnilgrand. — Tu m'y fais
penser. Voici donc ce qui me reste à dire, à Rançonnet et à toi : j'ai porté plusieurs années, et partout, comme une relique, ce cœur d'enfant dont je
doutais ; mais quand, après la catastrophe de Waterloo, il m'a fallu ôter cette ceinture d'officier dans
laquelle j'avais espéré de mourir, et que je l'eus porté
encore quelques années, ce cœur, — et je t'assure,
Mautravers, que c'est lourd, quoique cela paraisse
bien léger, — la réflexion venant avec l'âge, j'ai craint
de profaner un peu plus ce cœur si profané déjà[2], et je
me suis décidé à le déposer en terre chrétienne. Sans
entrer dans les détails que je vous donne aujourd'hui,
j'en ai parlé à un des prêtres de cette ville, de ce
cœur qui pesait depuis si longtemps sur le mien, et
je venais de le remettre à lui-même, dans le confessionnal de la chapelle, quand j'ai été pris dans la
contre-allée à bras-le-corps par Rançonnet. »

Le capitaine Rançonnet avait probablement son
compte. Il ne prononça pas une syllabe, les autres

non plus. Nulle réflexion ne fut risquée. Un silence plus expressif que toutes les réflexions leur pesait sur la bouche à tous.

Comprenaient-ils enfin, ces athées, que, quand l'Église n'aurait été instituée que pour recueillir les cœurs — morts ou vivants — dont on ne sait plus que faire, c'eût été assez beau comme cela !

« Servez donc le café ! — dit, de sa voix de tête, le vieux M. de Mesnilgrand. — S'il est, Mesnil, aussi fort que ton histoire, il sera bon. »

LA VENGEANCE D'UNE FEMME

Fortiter[1].

J'ai souvent entendu parler de la hardiesse de la littérature moderne ; mais je n'ai, pour mon compte, jamais cru à cette hardiesse-là. Ce reproche n'est qu'une forfanterie... de moralité. La littérature, qu'on a dit si longtemps l'expression de la société, ne l'exprime pas du tout, — au contraire ; et, quand quelqu'un de plus crâne que les autres a tenté d'être plus hardi, Dieu sait quels cris il a fait pousser ! Certainement, si on veut bien y regarder, la littérature n'exprime pas la moitié des crimes que la société commet mystérieusement et impunément tous les jours, avec une fréquence et une facilité charmantes. Demandez à tous les confesseurs, — qui seraient les plus grands romanciers que le monde aurait eus, s'ils pouvaient raconter les histoires qu'on leur coule dans l'oreille au confessionnal. Demandez-leur le nombre d'incestes (par exemple) enterrés dans les familles les plus fières et les plus élevées, et voyez si la littérature, qu'on accuse tant d'immorale hardiesse, a osé jamais les raconter, même pour en effrayer ! À cela près du petit souffle, — qui n'est qu'un souffle, — et

qui passe — comme un souffle — dans le *René* de
Chateaubriand, — du religieux Chateaubriand, — je
ne sache pas de livre où l'inceste, si commun dans nos
mœurs, — en haut comme en bas, et peut-être plus en
bas qu'en haut, — ait jamais fait le sujet, franchement abordé[1], d'un récit qui pourrait tirer de ce sujet
des *effets* d'une moralité vraiment tragique. La littérature moderne, à laquelle le bégueulisme jette sa
petite pierre, a-t-elle jamais *osé* les histoires de Myr-
rha, d'Agrippine et d'Œdipe, qui sont des histoires,
croyez-moi, toujours et parfaitement vivantes, car
je n'ai pas vécu — du moins jusqu'ici — dans un autre
enfer que l'enfer social, et j'ai, pour ma part, connu et
coudoyé pas mal de Myrrhas, d'Œdipes et d'Agrippi-
nes, dans la vie privée et dans le plus beau monde,
comme on dit. Parbleu ! cela n'avait jamais lieu
comme au théâtre ou dans l'histoire. Mais, à travers
les surfaces sociales, les précautions, les peurs et les
hypocrisies, cela s'entrevoyait... Je connais — et tout
Paris connaît — une Mme Henri III, qui porte en
ceinture des chapelets de petites têtes de mort, cise-
lées dans de l'or, sur des robes de velours bleu, et qui
se donne la discipline, mêlant ainsi au ragoût de ses
pénitences le ragoût des autres plaisirs de Henri III.
Or, qui écrirait l'histoire de cette femme, qui fait des
livres de piété, et que les jésuites croient un homme
(joli détail plaisant !) et même un saint ?... Il n'y a
déjà pas tant d'années que tout Paris a vu une femme
du faubourg Saint-Germain prendre à sa mère
son amant, et, furieuse de voir cet amant retourner
à sa mère qui, vieille, savait mieux pourtant se faire
aimer qu'elle, voler les lettres très passionnées de
cette dernière à cet homme trop aimé, les faire litho-
graphier et les jeter, par milliers, du *Paradis* (bien
nommé pour une action pareille) dans la salle de
l'Opéra, un jour de première représentation. Qui a

fait l'histoire de cette autre femme-là ?... La pauvre littérature ne saurait même par quel bout prendre de pareilles histoires, pour les raconter.

Et c'est là ce qu'il faudrait faire si on était hardi. L'Histoire a des Tacite et des Suétone ; le Roman n'en a pas, — du moins en restant dans l'ordre élevé et moral du talent et de la littérature. Il est vrai que la langue latine brave l'honnêteté, en païenne qu'elle est, tandis que notre langue, à nous, a été baptisée avec Clovis sur les fonts de Saint-Remy, et y a puisé une impérissable pudeur, car cette vieille rougit encore. Nonobstant, si on *osait oser*, un Suétone ou un Tacite, romanciers, pourraient exister, car le Roman est spécialement l'histoire des mœurs, mise en récit et en drame, comme l'est souvent l'Histoire elle-même. Et nulle autre différence que celles-ci : c'est que l'un (le Roman) met ses mœurs sous le couvert de personnages d'invention, et que l'autre (l'Histoire) donne les noms et les adresses. Seulement, le Roman creuse bien plus avant que l'Histoire. Il a un idéal, et l'Histoire n'en a pas : elle est bridée par la réalité. Le Roman tient, aussi, bien plus longtemps la scène. Lovelace dure plus, dans Richardson, que Tibère dans Tacite. Mais, si Tibère, dans Tacite, était détaillé comme Lovelace dans Richardson, croyez-vous que l'Histoire y perdrait et que Tacite ne serait pas plus terrible ?... Certes, je n'ai pas peur d'écrire que Tacite, comme peintre, n'est pas au niveau de Tibère comme modèle, et que, malgré tout son génie, il en est resté écrasé.

Et ce n'est pas tout. À cette défaillance inexplicable, mais frappante, dans la littérature, quand on la compare, dans sa réalité, avec la réputation qu'elle a, ajoutez la physionomie que le crime a pris par ce temps d'ineffables et de délicieux progrès ! L'extrême civilisation enlève au crime son effroyable poésie, et ne permet pas à l'écrivain de la lui restituer. Ce serait par trop horrible, disent les âmes qui veulent qu'on enjolive tout, même l'affreux. Bénéfice de la philanthropie ! d'imbéciles criminalistes diminuent la pénalité, et d'ineptes moralistes le crime, et encore ils ne le diminuent que pour diminuer la pénalité. Cependant, les crimes de l'extrême civilisation sont, certainement, plus atroces que ceux de l'extrême barbarie par le fait de leur raffinement, de la corruption qu'ils supposent, et de leur degré supérieur d'intellectualité. L'Inquisition le savait bien. À une époque où la foi religieuse et les mœurs publiques étaient fortes, l'Inquisition, ce tribunal qui jugeait la pensée, cette grande institution dont l'idée seule tortille nos petits nerfs et escarbouille nos têtes de linottes, l'Inquisition savait bien que les crimes spirituels étaient les plus grands, et elle les châtiait comme tels... Et, de fait, si ces crimes parlent moins aux sens, ils parlent plus à la pensée ; et la pensée, en fin de compte, est ce qu'il y a de plus profond en nous. Il y a donc, pour le romancier, tout un genre de tragique inconnu à tirer de ces crimes, plus intellectuels que physiques, qui semblent moins des crimes à la superficialité des vieilles sociétés matérialistes, parce que le sang n'y coule pas et que le massacre ne s'y fait que dans l'ordre des sentiments et des mœurs... C'est ce genre de tragique dont on a voulu donner ici un échantillon, en racontant l'histoire d'une vengeance de la plus épouvantable originalité, dans laquelle le sang n'a pas coulé, et où il n'y a eu ni fer ni poison ; un crime *civilisé* enfin, dont rien n'appartient à l'invention de celui qui le raconte, si ce n'est la manière de le raconter[1].

Vers la fin du règne de Louis-Philippe, un jeune homme enfilait, un soir, la rue Basse-du-Rempart

qui, dans ce temps-là, méritait bien son nom de
Rue Basse, car elle était moins élevée que le sol du
boulevard, et formait une excavation toujours mal
éclairée et noire, dans laquelle on descendait du boulevard par deux escaliers qui se tournaient le dos, si
on peut dire cela de deux escaliers. Cette excavation, qui n'existe plus et qui se prolongeait de la rue
de la Chaussée-d'Antin à la rue Caumartin, devant
laquelle le terrain reprenait son niveau ; cette espèce
de ravin sombre, où l'on se risquait à peine le jour,
était fort mal hanté quand venait la nuit[1]. Le Diable
est le Prince des ténèbres. Il avait là une de ses princi-
pautés. Au centre, à peu près, de cette excavation,
bordée d'un côté par le boulevard formant terrasse,
et, de l'autre, par de grandes maisons silencieuses à
portes cochères et quelques magasins de bric-à-
brac, il y avait un passage étroit et non couvert où le
vent, pour peu qu'il fît du vent, jouait comme dans
une flûte, et qui conduisait, le long d'un mur et des
maisons en construction, jusqu'à la rue Neuve-des-
Mathurins. Le jeune homme en question, et très
bien mis du reste, qui venait de prendre ce chemin,
lequel ne devait pas être pour lui le droit chemin de
la vertu, ne l'avait pris que parce qu'il suivait une
femme qui s'était enfoncée, sans hésitation et sans
embarras, dans la suspecte noirceur de ce passage.
C'était un élégant que ce jeune homme, — un *gant
jaune*, comme on disait des élégants de ce temps-là.
Il avait dîné longuement au café de Paris, et il était
venu, tout en mâchonnant son cure-dents, se placer
contre la balustrade à mi-corps de Tortoni (à présent supprimée), et guigner de là les femmes qui
passaient le long du boulevard. Celle-là était justement passée plusieurs fois devant lui ; et, quoique
cette circonstance, ainsi que la mise trop *voyante* de
cette femme et le tortillement de sa démarche, fus-

sent de suffisantes étiquettes ; quoique ce jeune homme, qui s'appelait Robert de Tressignies, fût horriblement blasé et qu'il revînt d'Orient, — où il avait vu l'animal femme dans toutes les variétés de son espèce et de ses races, — à la cinquième passe de cette déambulante du soir, il l'avait suivie... *chiennement*, comme il disait, en se moquant de lui-même, — car il avait la faculté de se regarder faire et de se juger à mesure qu'il agissait, sans que son jugement, très souvent contraire à son acte, empêchât son acte, ou que son acte nuisît à son jugement : asymptote terrible ! Tressignies avait plus de trente ans. Il avait vécu cette niaise première jeunesse qui fait de l'homme le Jocrisse de ses sensations, et pour qui la première venue qui passe est un magnétisme. Il n'en était plus là. C'était un libertin déjà froidi et très compliqué de cette époque positive, un libertin fortement intellectualisé, qui avait assez réfléchi sur ses sensations pour ne plus pouvoir en être dupe, et qui n'avait peur ni horreur d'aucune. Ce qu'il venait de voir, ou ce qu'il avait cru voir, lui avait inspiré la curiosité qui veut aller au fond d'une sensation nouvelle. Il avait donc quitté sa balustrade et suivi... très résolu à pousser à fin la très vulgaire aventure qu'il entrevoyait. Pour lui, en effet, cette femme qui s'en allait devant lui, déferlant onduleusement comme une vague, n'était qu'une fille du plus bas étage ; mais elle était d'une telle beauté qu'on pouvait s'étonner que cette beauté ne l'eût pas classée plus haut, et qu'elle n'eût pas trouvé un amateur qui l'eût sauvée de l'abjection de la rue, car, à Paris, lorsque Dieu y plante une jolie femme, le Diable, en réplique, y plante immédiatement un sot pour l'entretenir.

Et puis, encore, il avait, ce Robert de Tressignies, une autre raison pour la suivre que la souveraine beauté que ne voyaient peut-être pas ces Parisiens,

si peu connaisseurs en beauté vraie et dont l'esthétique, démocratisée comme le reste, manque particulièrement de hauteur. Cette femme était pour lui
une ressemblance. Elle était cet oiseau moqueur qui
joue le rossignol, dont parle Byron, dans ses Mémoires, avec tant de mélancolie. Elle lui rappelait une
autre femme, vue ailleurs[1]... Il était sûr, absolument
sûr, que ce n'était pas elle, mais elle lui ressemblait
à s'y méprendre, si se méprendre n'avait pas été
impossible... Et il en était, du reste, plus attiré que
surpris, car il avait assez d'expérience, comme observateur, pour savoir qu'en fin de compte il y a beaucoup moins de variété qu'on ne croit dans les figures
humaines, dont les traits sont soumis à une géo-
métrie étroite et inflexible, et peuvent se ramener à
quelques types généraux. La beauté est une. Seule,
la laideur est multiple, et encore sa multiplicité est
bien vite épuisée. Dieu a voulu qu'il n'y eût d'infini
que la physionomie, parce que la physionomie est
une immersion de l'âme à travers les lignes correctes ou incorrectes, pures ou tourmentées, du visage.
Tressignies se disait confusément tout cela, en mettant son pas dans le pas de cette femme, qui marchait
le long du boulevard, sinueusement, et le coupait
comme une faux, plus fière que la reine de Saba du
Tintoret lui-même, dans sa robe de satin safran, aux
tons d'or, cette couleur aimée des jeunes Romaines,
et dont elle faisait, en marchant, miroiter et crier les
plis glacés et luisants, comme un appel aux armes !
Exagérément cambrée, comme il est rare de l'être
en France, elle s'étreignait dans un magnifique châle
turc à larges raies blanches, écarlate et or ; et la plume
rouge de son chapeau blanc — splendide de mauvais goût — lui vibrait jusque sur l'épaule. On se
souvient qu'à cette époque les femmes portaient des
plumes penchées sur leurs chapeaux, qu'elles appe-

laient des plumes en *saule pleureur*. Mais rien ne pleu-
rait en cette femme ; et la sienne exprimait bien autre
chose que la mélancolie. Tressignies, qui croyait
qu'elle allait prendre la rue de la Chaussée-d'Antin,
étincelante de ses mille becs de lumière, vit avec surprise tout ce luxe piaffant de courtisane, toute cette
fierté impudente de fille enivrée d'elle-même et des
soies qu'elle traînait, s'enfoncer dans la rue Basse-
du-Rempart, la honte du boulevard de ce temps ! Et
l'élégant, aux bottes vernies, moins brave que la
femme, hésita avant d'entrer *là-dedans*... Mais ce ne
fut guères qu'une seconde... La robe d'or, perdue
un instant dans les ténèbres de ce trou noir, après
avoir dépassé l'unique réverbère qui les tatouait d'un
point lumineux, reluisit au loin, et il s'élança pour
la rejoindre. Il n'eut pas grand-peine : elle l'attendait,
sûre qu'il viendrait ; et ce fut alors qu'au moment
où il la rejoignit elle lui projeta bien en face, pour qu'il
pût en juger, son visage, et lui campa ses yeux dans
les yeux, avec toute l'effronterie de son métier. Il fut
littéralement aveuglé de la magnificence de ce visage
empâté de vermillon, mais d'un brun doré comme
les ailes de certains insectes, et que la clarté blême,
tombant en maigre filet du réverbère, ne pouvait
pas pâlir.

« Vous êtes Espagnole ? — fit Tressignies, qui
venait de reconnaître un des plus beaux types de
cette race.

— *Sí* », répondit-elle.

Être Espagnole, à cette époque-là, c'était quelque
chose ! C'était une valeur sur la place. Les romans
d'alors, le théâtre de Clara Gazul, les poésies d'Alfred
de Musset, les danses de Mariano Camprubi et de
Dolorès Serral, faisaient excessivement priser les femmes orange aux joues de grenade, — et, qui se vantait d'être Espagnole ne l'était pas toujours, mais on

s'en vantait. Seulement, elle ne semblait pas plus tenir à sa qualité d'Espagnole qu'à toute autre chose qu'elle aurait fait chatoyer ; et, en français :

« Viens-tu ? » lui dit-elle, à brûle-pourpoint, et avec le tutoiement qu'aurait eu la dernière fille de la rue des Poulies, existant aussi alors[1]. Vous la rappelez-vous ? Une immondice !

Le ton, la voix déjà rauque, cette familiarité prématurée, ce tutoiement si divin — le ciel ! — sur les lèvres d'une femme qui vous aime, et qui devient la plus sanglante des insolences dans la bouche d'une créature pour qui vous n'êtes qu'un passant, auraient suffi pour dégriser Tressignies par le dégoût, mais le Démon le tenait. La curiosité, pimentée de convoitise, dont il avait été mordu, en voyant cette fille qui était plus pour lui que de la chair superbe, tassée dans du satin, lui aurait fait avaler non pas la pomme d'Ève, mais tous les crapauds d'une crapaudière !

« Par Dieu ! — dit-il, — si je viens ! — Comme si elle pouvait en douter ! Je me mettrai à la lessive demain », pensa-t-il.

Ils étaient au bout du passage par lequel on gagnait la rue des Mathurins ; ils s'y engagèrent. Au milieu des énormes moellons qui gisaient là et des constructions qui s'y élevaient, une seule maison restée debout sur sa base, sans voisines, étroite, laide, rechignée, tremblante, qui semblait avoir vu bien du vice et bien du crime à tous les étages de ses vieux murs ébranlés, et qui avait peut-être été laissée là pour en voir encore, se dressait, d'un noir plus sombre, dans un ciel déjà noir. Longue perche de maison aveugle, car aucune de ses fenêtres (et les fenêtres sont les yeux des maisons) n'était éclairée, et qui avait l'air de vous raccrocher en tâtonnant dans la nuit ! Cette horrible maison avait la classique porte entrebâillée des mauvais lieux, et, au fond d'une ignoble allée,

l'escalier dont on voit quelques marches éclairées d'en
haut, par une lumière honteuse et sale... La femme
entra dans cette allée étroite, qu'elle emplit de la largeur de ses épaules et de l'ampleur foisonnante et
frissonnante de sa robe ; et, d'un pied accoutumé à
de pareilles ascensions, elle monta lestement l'escalier en colimaçon, — image juste, car cet escalier en
avait la viscosité... Chose inaccoutumée à ces bou-
ges, en montant, cet abominable escalier s'éclairait :
ce n'était plus la lueur épaisse du quinquet puant
l'huile qui rampait sur les murs du premier étage,
mais une lumière qui, au second, s'élargissait et
s'épanouissait jusqu'à la splendeur. Deux griffes de
bronze, chargées de bougies, incrustées dans le mur,
illuminaient avec un faste étrange une porte, commune d'aspect, sur laquelle était collée, pour qu'on
sût chez qui on entrait, la carte où ces filles mettent
leur nom, pour que, si elles ont quelque réputation
et quelque beauté, le pavillon couvre la marchandise. Surpris de ce luxe si déplacé en pareil lieu,
Tressignies fit plus attention à ces torchères, d'un
style presque grandiose, qu'une puissante main
d'artiste avait tordues, qu'à la carte et au nom de la
femme, qu'il n'avait pas besoin de savoir, puisqu'il
l'accompagnait. En les regardant, — pendant qu'elle
faisait tourner une clef dans la serrure de cette
porte si bizarrement ornée et inondée de lumière, le
souvenir lui revint des *surprises* des petites maisons
du temps de Louis XV. « Cette fille-là aura lu, —
pensa-t-il, — quelques romans ou quelques mémoires de ce temps, et elle aura eu la fantaisie de mettre
un joli appartement, plein de voluptueuses coquetteries, là où on ne l'aurait jamais soupçonné... » Mais
ce qu'il trouva, la porte une fois ouverte, dut redoubler son étonnement, — seulement dans un sens
opposé.

Ce n'était, en effet, que l'appartement trivial et désordonné de ces filles-là... Des robes, jetées çà et là confusément sur tous les meubles, et un lit vaste, — le champ de manœuvres, — avec les immorales glaces au fond et au plafond de l'alcôve, disaient bien chez qui on était... Sur la cheminée, des flacons qu'on n'avait pas pensé à reboucher, avant de repartir pour la campagne du soir, croisaient leurs parfums dans l'atmosphère tiède de cette chambre où l'énergie des hommes devait se dissoudre à la troisième respiration... Deux candélabres allumés, du même style que ceux de la porte, brûlaient des deux côtés de la cheminée. Partout, des peaux de bêtes faisaient tapis par-dessus le tapis. On avait tout prévu. Enfin, une porte ouverte laissait voir, par-dessous ses portières, un mystérieux cabinet de toilette, la sacristie de ces prêtresses.

Mais, tous ces détails, Tressignies ne les vit que plus tard. Tout d'abord, il ne vit que la fille chez laquelle il venait de monter. Sachant où il était, il ne se gêna pas. Il se mit sans façon sur le canapé, attirant entre ses genoux cette femme qui avait ôté son chapeau et son châle, et qui les avait jetés sur le fauteuil. Il la prit à la taille, comme s'il l'eût bouclée entre ses deux mains jointes, et il la regarda ainsi de bas en haut, comme un buveur qui lève au jour, avant de le boire, le verre de vin qu'il va sabler ! Ses impressions du boulevard n'avaient pas menti. Pour un dégustateur de femmes, pour un homme blasé, mais puissant, elle était véritablement splendide. La ressemblance qui l'avait tant frappé dans les lueurs mobiles et coupées d'ombre du boulevard, cette femme l'avait toujours, en pleine lumière fixe. Seulement, *celle à qui* elle le faisait penser n'avait pas sur son visage, aux traits si semblables qu'ils en paraissaient identiques, cette expression de fierté résolue

et presque terrible que le Diable, ce père joyeux de
toutes les anarchies, avait refusée à une duchesse[1]
et avait donnée — pour quoi en faire ? — à une
demoiselle du boulevard. Quand elle eut la tête nue,
avec ses cheveux noirs, sa robe jaune, ses larges
épaules dont ses hanches dépassaient encore la largeur, elle rappelait la *Judith* de Vernet (un tableau de
ce temps)[2], mais par le corps plus fait pour l'amour
et par le visage plus féroce encore. Cette férocité sombre venait peut-être d'un pli qui se creusait entre
ses deux beaux sourcils, qui se prolongeaient jusque
dans les tempes, comme Tressignies en avait vu à
quelques Asiatiques, en Turquie, et elle les rappro-
chait, dans une préoccupation si continue qu'on
aurait dit qu'ils étaient barrés. Soufficant contraste !
cette fille avait la taille de son métier ; elle n'en avait
pas la figure. Ce corps de courtisane, qui disait si
éloquemment : Prends ! — cette coupe d'amour aux
flancs arrondis qui invitait la main et les lèvres,
étaient surmontés d'un visage qui aurait arrêté le
désir par la hauteur de sa physionomie, et pétrifié
dans le respect la volupté la plus brûlante... Heureusement, le sourire volontairement assoupli de la
courtisane, et dont elle savait profaner la courbure
idéalement dédaigneuse de ses lèvres, ralliait bientôt à
elle ceux que la fierté cruelle de son visage aurait
épouvantés. Au boulevard, elle promenait ce raccro-
chant sourire, étalé impudiquement sur ses lèvres
rouges ; mais, au moment où Tressignies la tenait
debout entre ses genoux, elle était sérieuse, et sa tête
respirait quelque chose de si étrangement implacable, qu'il ne lui manquait que le sabre recourbé aux
mains pour que ce dandy de Tressignies pût, sans
fatuité, se croire Holopherne.

Il lui prit ses mains désarmées, et il s'en attesta la
beauté suzeraine. Elle lui laissait faire silencieuse-

ment tout cet examen de sa personne, et elle le regardait aussi, non pas avec la curiosité futile ou sordidement intéressée de ses pareilles, qui, en vous regardant, vous soupèsent comme de l'or suspect... Évidemment, elle avait une autre pensée que celle du gain qu'elle allait faire ou du plaisir qu'elle allait donner. Il y avait dans les ailes ouvertes de ce nez, aussi expressives que des yeux et par où la passion, comme par les yeux, devait jeter des flammes, une décision suprême comme celle d'un crime qu'on va accomplir. — « Si l'implacabilité de ce visage était, par hasard, l'implacabilité de l'amour et des sens, quelle bonne fortune pour elle et pour moi, dans ce temps d'épuisement ! » — pensa Tressignies, qui, avant de s'en passer la fantaisie, la détaillait comme un cheval anglais... Lui, l'expérimenté, le fort critique en fait de femmes, qui avait marchandé les plus belles filles sur le marché d'Andrinople et qui savait le prix de la chair humaine, quand elle avait cette couleur et cette densité, jeta, pour deux heures de celle-ci, une poignée de louis dans une coupe de cristal bleu, posée à niveau de main sur une console, et qui, probablement, n'avait jamais reçu tant d'or.

« Ah ! je te plais donc ?... — s'écria-t-elle audacieusement et prête à tout, sous l'action du geste qu'il venait de faire ; peut-être impatientée de cet examen dans lequel la curiosité semblait plus forte que le désir, ce qui, pour elle, était une perte de temps ou une insolence. — Laisse-moi ôter tout cela », ajouta-t-elle, comme si sa robe lui eût pesé, et en faisant sauter les deux premiers boutons de son corsage...

Et elle s'arracha de ses genoux pour aller dans le cabinet de toilette d'à côté... Prosaïque détail ! voulait-elle *ménager* sa robe ? La robe, c'est l'outil de ces travailleuses... Tressignies, qui rêvait devant ce visage l'inassouvissement de Messaline, retomba dans la

plate banalité. Il se sentit de nouveau chez la fille —
la fille de Paris, malgré la sublimité d'une physionomie qui jurait cruellement avec le destin de celle
qui l'avait. « Bah ! — pensa-t-il encore, — la poésie
n'est jamais qu'à la peau avec ces drôlesses, et il ne
faut la prendre que là où elle est. »

Et il se promit de l'y prendre, mais il la trouva
aussi ailleurs, — et là où, certes, il ne se doutait pas
qu'elle fût, la poésie ! Jusque-là, en suivant cette
femme, il n'avait obéi qu'à une irrésistible curiosité
et à une fantaisie sans noblesse ; mais, quand celle
qui les lui avait si vite inspirées sortit du cabinet
de toilette, où elle était allée se défaire de tous les
caparaçons du soir, et qu'elle revint vers lui, dans le
costume, qui n'en était pas un, de gladiatrice qui va
combattre, il fut littéralement foudroyé d'une beauté
que son œil exercé, cet œil de sculpteur qu'ont les
hommes à femmes, n'avait pas, au boulevard, devinée
tout entière, à travers les souffles révélateurs de la
robe et de la démarche. Le tonnerre entrant tout à
coup, au lieu d'elle, par cette porte, ne l'aurait pas
mieux foudroyé... Elle n'était pas entièrement nue ;
mais c'était pis ! Elle était bien plus indécente, —
bien plus révoltamment indécente que si elle eût été
franchement nue. Les marbres sont nus, et la nudité
est chaste. C'est même la bravoure de la chasteté.
Mais cette fille, scélératement impudique, qui se
serait allumée elle-même, comme une des torches
vivantes des jardins de Néron, pour mieux incendier
les sens des hommes[1], et à qui son métier avait sans
doute appris les plus basses rubriques de la corruption, avait combiné la transparence insidieuse des
voiles et l'*osé* de la chair, avec le génie et le mauvais
goût d'un libertinage atroce, car, qui ne le sait ? en
libertinage, le mauvais goût est une puissance... Par
le détail de cette toilette, monstrueusement provo-

cante, elle rappelait à Tressignies cette statuette indes-
criptible devant laquelle il s'était parfois arrêté,
exposée qu'elle était chez tous les marchands de
bronze du Paris d'alors, et sur le socle de laquelle
on ne lisait que ce mot mystérieux : « Madame Hus-
son ». Dangereux rêve obscène ! Le rêve était ici une
réalité. Devant cette irritante réalité, devant cette
beauté absolue, mais qui n'avait pas la froideur qu'a
trop souvent la beauté absolue, Tressignies, *retour
de Turquie*, aurait été le plus blasé des pachas à trois
queues qu'il eût retrouvé les sens d'un chrétien, et
même d'un anachorète. Aussi, quand, très sûre des
bouleversements qu'elle était accoutumée à produire, elle vint impétueusement à lui, et qu'elle lui
poussa, à hauteur de la bouche, l'éventail des magni-
ficences savoureuses de son corsage, avec le mouvement retrouvé de la courtisane qui tente le Saint
dans le tableau de Paul Véronèse[1], Robert de Tressignies, qui n'était pas un saint, eut la fringale... de ce
qu'elle lui offrait, et il la prit dans ses bras, cette
brutale tentatrice, avec une fougue qu'elle partagea,
car elle s'y était jetée. Se jetait-elle ainsi dans tous les
bras qui se fermaient sur elle ? Si supérieure qu'elle
fût dans son métier ou dans son art de courtisane,
elle fut, ce soir-là, d'une si furieuse et si hennissante
ardeur, que même l'emportement de sens exceptionnels ou malades n'aurait pas suffi pour l'expliquer.
Était-elle au début de cette horrible vie de fille, pour
la faire avec une semblable furie ? Mais, vraiment,
c'était quelque chose de si fauve et de si acharné,
qu'on aurait dit qu'elle voulait laisser sa vie[2] ou prendre celle d'un autre dans chacune de ses caresses.
En ce temps-là, ses pareilles à Paris, qui ne trouvaient pas assez sérieux le joli nom de « lorettes »
que la littérature leur avait donné et qu'a immorta-
lisé Gavarni, se faisaient appeler orientalement des

« panthères ». Eh bien ! aucune d'elles n'aurait mieux justifié ce nom de panthère... Elle en eut, ce soir-là, la souplesse, les enroulements, les bonds, les égratignements et les morsures. Tressignies put s'attester qu'aucune des femmes qui lui étaient jusque-là passées par les bras ne lui avait donné les sensations inouïes que lui donna cette créature, folle de son corps à rendre la folie contagieuse, et pourtant il avait aimé, Tressignies. Mais, faut-il le dire à la gloire ou à la honte de la nature humaine ? Il y a dans ce qu'on appelle le plaisir, avec trop de mépris peut-être, des abîmes tout aussi profonds que dans l'amour. Était-ce dans ces abîmes qu'elle le roula, comme la mer roule un fort nageur dans les siens ? Elle dépassa, et bien au-delà, ses plus coupables souvenirs de mauvais sujet, et même jusqu'aux rêves d'une imagination comme la sienne, tout à la fois violente et corrompue. Il oublia tout, — et ce qu'elle était, et ce pour quoi il était venu, et cette maison, et cet appartement dont il avait eu presque, en y entrant, la nausée. Positivement, elle lui soutira son âme, à lui, dans son corps, à elle... Elle lui enivra jusqu'au délire, des sens difficiles à griser. Elle le combla enfin de telles voluptés, qu'il arriva un moment où l'athée à l'amour, le sceptique à tout, eut la pensée folle d'une fantaisie éclose tout à coup dans cette femme, qui faisait marchandise de son corps. Oui, Robert de Tressignies, qui avait presque dans la trempe la froideur d'acier de son patron Robert Lovelace, crut avoir inspiré au moins un caprice à cette prostituée, qui ne pouvait être ainsi avec tous les autres, sous peine de bientôt périr consumée[1]. Il le crut deux minutes, comme un imbécile, cet homme si fort ! Mais la vanité qu'elle avait allumée, au feu d'un plaisir cuisant comme l'amour, eut soudainement, entre deux caresses, le petit frisson d'un doute subit... Une voix

lui cria du fond de son être : « Ce n'est pas toi qu'elle
aime en toi ! » car il venait de la surprendre, dans le
temps où elle était le plus panthère et le plus sou-
plement nouée à lui, distraite de lui et toute perdue
dans l'absorbante contemplation d'un bracelet qu'elle
avait au bras, et sur lequel Tressignies avisa le portrait d'un homme. Quelques mots en langue espagnole, que Tressignies, qui ne savait pas cette langue,
ne comprit pas, mêlés à ses cris de bacchante, lui
semblèrent à l'adresse de ce portrait. Alors, l'idée
qu'il *posait pour un autre*, — qu'il était là pour le
compte d'un autre, — ce fait, malheureusement si
commun dans nos misérables mœurs, avec l'état sur-
chauffé et dépravé de nos imaginations, ce dédommagement de l'impossible dans les âmes enragées
qui ne peuvent avoir l'objet de leur désir, et qui se
jettent sur l'apparence, se saisit violemment de son
esprit et le glaça de férocité. Dans un de ces accès
de jalousie absurde et de vanité tigre dont l'homme
n'est pas maître, il lui saisit le bras durement, et voulut voir ce bracelet qu'elle regardait avec une flamme
qui, certainement, n'était pas pour lui, quand tout, de
cette femme, devait être à lui dans un pareil moment.

« Montre-moi ce portrait ! » lui dit-il, avec une voix
encore plus dure que sa main.

Elle avait compris ; mais, sans orgueil :

« Tu ne peux pas être jaloux d'une fille comme
moi », lui dit-elle. Seulement, ce ne fut pas le mot
de *fille* qu'elle employa. Non, à la stupéfaction de
Tressignies, elle se rima elle-même en *tain*, comme un
crocheteur qui l'aurait insultée. « Tu veux le voir ! —
ajouta-t-elle. — Eh bien ! regarde. »

Et elle lui coula près des yeux son beau bras,
fumant encore de la sueur enivrante du plaisir auquel
ils venaient de se livrer.

C'était le portrait d'un homme laid, chétif, au teint

olive, aux yeux noirs jaunes, très sombre, mais non
pas sans noblesse ; l'air d'un bandit ou d'un grand
d'Espagne. Et il fallait bien que ce fût un grand
d'Espagne, car il avait au cou le collier de la Toison
d'Or.

« Où as-tu pris cela ? » fit Tressignies, qui pensa :
Elle va me faire un conte. Elle va me débiter la séduction d'usage, le roman du *premier*, l'histoire connue
qu'elles débitent toutes...

« Pris ! — repartit-elle, révoltée. — C'est bien lui,
POR DIOS, qui me l'a donné !

— Qui lui ? ton amant, sans doute ? — dit Tressignies. — Tu l'auras trahi. Il t'aura chassée, et tu auras
roulé jusqu'ici.

— Ce n'est pas mon amant, — fit-elle froidement,
avec l'insensibilité du bronze, à l'outrage de cette
supposition.

— Peut-être ne l'est-il plus, — dit Tressignies. —
Mais tu l'aimes encore : je l'ai vu tout à l'heure dans
tes yeux. »

Elle se mit à rire amèrement.

« Ah ! tu ne connais donc rien ni à l'amour, ni à la
haine ? — s'écria-t-elle. — Aimer cet homme ! mais
je l'exècre ! C'est mon mari.

— Ton mari !

— Oui, mon mari, — fit-elle, — le plus grand seigneur des Espagnes, trois fois duc, quatre fois marquis, cinq fois comte, grand d'Espagne à plusieurs
grandesses, Toison d'Or. Je suis la duchesse d'Arcos
de Sierra-Leone. »

Tressignies, presque terrassé par ces incroyables
paroles, n'eut pas le moindre doute sur la vérité de
cette renversante affirmation. Il était sûr que cette
fille n'avait pas menti. Il venait de la reconnaître. La
ressemblance qui l'avait tant frappé au boulevard
était justifiée.

Il l'avait rencontrée déjà, et il n'y avait pas si longtemps ! C'était à Saint-Jean-de-Luz, où il était allé
passer la saison des bains une année. Précisément,
cette année-là, la plus haute société espagnole s'était
donné rendez-vous sur la côte de France, dans cette
petite ville, qui est si près de l'Espagne qu'on s'y
rêverait en Espagne encore, et que les Espagnols les
plus épris de leur péninsule peuvent y venir en vil-
légiature, sans croire faire une infidélité à leur pays.
La duchesse de Sierra-Leone avait habité tout un
été cette bourgade, si profondément espagnole par
les mœurs, le caractère, la physionomie, les souvenirs
historiques ; car on se rappelle que c'était là que
furent célébrées les fêtes du mariage de Louis XIV,
le seul roi de France qui, par parenthèse, ait res-
semblé à un roi d'Espagne, et que c'est là aussi que
vint échouer, après son naufrage, la grande fortune
démâtée de la princesse des Ursins[1]. La duchesse
de Sierra-Leone était alors, disait-on, dans la lune
de miel de son mariage avec le plus grand et le plus
opulent seigneur de l'Espagne. Quand, de son côté,
Tressignies arriva dans ce nid de pêcheurs qui a
donné les plus terribles flibustiers au monde, elle y
étalait un faste qu'on n'y connaissait plus depuis
Louis XIV, et, parmi ces Basquaises qui, en fait de
beauté, ne craignent la rivalité de personne, avec leurs
tailles de canéphores antiques et leurs yeux d'aigue-
marine, si pâlement pers, une beauté qui pourtant
terrassait la leur. Attiré par cette beauté, et d'ailleurs
d'une naissance et d'une fortune à pouvoir pénétrer
dans tous les mondes, Robert de Tressignies s'efforça
d'aller jusqu'à elle, mais le groupe de société espagnole dont la duchesse était la souveraine, strictement fermé cette année-là, ne s'ouvrit à aucun des
Français qui passèrent la saison à Saint-Jean-de-Luz.
La duchesse, entrevue de loin, ou sur les dunes du

rivage, ou à l'église, repartit sans qu'il pût la connaître, et, pour cette raison, elle lui était restée dans le
souvenir comme un de ces météores, d'autant plus
brillants dans notre mémoire qu'ils ont passé et que
nous ne les reverrons jamais ! Il parcourut la Grèce
et une partie de l'Asie ; mais aucune des créatures
les plus admirables de ces pays, où la beauté tient
tant de place qu'on ne conçoit pas le paradis sans
elle, ne put lui effacer la tenace et flamboyante image
de la duchesse.

Eh bien !, aujourd'hui, par le fait d'un hasard
étrange et incompréhensible, cette duchesse, admirée un instant et disparue, revenait dans sa vie par le
plus incroyable des chemins ! Elle faisait un métier
infâme ; il l'avait achetée. Elle venait de lui appartenir. Elle n'était plus qu'une prostituée, et encore de
la prostitution la plus basse, car il y a une hiérarchie
jusque dans l'infamie... La superbe duchesse de
Sierra-Leone, qu'il avait rêvée et peut-être aimée, — le
rêve étant si près de l'amour dans nos âmes ! — n'était
plus... était-ce bien possible ? qu'une fille du pavé
de Paris ! ! ! C'était elle qui venait de se rouler dans
ses bras tout à l'heure, comme elle s'était roulée probablement, la veille, dans les bras d'un autre, — le
premier venu comme lui, — et comme elle se roule-
rait encore dans les bras d'un troisième demain, et,
qui sait ? peut-être dans une heure ! Ah ! cette découverte abominable le frappait à la poitrine et au front
d'un coup de massue de glace. L'homme, en lui, qui
flambait il n'y avait qu'une minute, — qui, dans
son délire, croyait voir courir du feu jusque sur les
corniches de cet appartement, embrasé par ses sensations, restait désenivré, transi, écrasé. L'idée, la
certitude que c'était là réellement la duchesse de
Sierra-Leone, n'avait pas ranimé ses désirs, éteints
aussi vite qu'une chandelle qu'on souffle, et ne lui

avait pas fait remettre sa bouche, avec plus d'avidité
que la première fois, au feu brûlant où il avait bu à
pleines gorgées. En se révélant, la duchesse avait
emporté jusqu'à la courtisane ! Il n'y avait plus ici,
pour lui, que la duchesse ; mais dans quel état !
souillée, abîmée, perdue, une femme à la mer, tombée de plus haut que du rocher de Leucade dans
une mer de boue, immonde et dégoûtante à ne pouvoir l'y repêcher. Il la fixait d'un œil hébété, assise
droite et sombre, métamorphosée et tragique ; de
Messaline, changée tout à coup il ne savait en quelle
mystérieuse Agrippine, sur l'extrémité du canapé où
ils s'étaient vautrés tous deux ; et l'envie ne le prenait
pas de la toucher du bout du doigt, cette créature
dont il venait de pétrir, avec des mains idolâtres, les
formes puissantes, pour s'attester que c'était bien là
ce corps de femme qui l'avait fait bouillonner, — que
ce n'était pas une illusion, — qu'il ne rêvait pas, —
qu'il n'était pas fou ! La duchesse, en émergeant à
travers la fille, l'avait anéanti.

« Oui, — lui dit-il, d'une voix qu'il s'arracha de la
gorge où elle était collée, tant ce qu'il avait entendu
l'avait strangulé ! — je *vous* crois (il ne la tutoyait déjà
plus), car je vous reconnais. Je vous ai vue à Saint-
Jean-de-Luz, il y a trois ans. »

À ce nom rappelé de Saint-Jean-de-Luz, une clarté
passa sur le front qui venait pour lui de s'envelopper,
avec son incroyable aveu, dans de si prodigieuses
ténèbres. — « Ah ! — dit-elle, sous la lueur de ce souvenir, — j'étais alors dans toutes les ivresses de la
vie, et à présent... »

L'éclair était déjà éteint, mais elle n'avait pas baissé
sa tête volontaire.

« Et à présent ?... — dit Tressignies, qui lui fit écho.

— À présent, — reprit-elle, — je ne suis plus que
dans l'ivresse de la vengeance... Mais je la ferai assez

profonde, — ajouta-t-elle avec une violence concentrée, — pour y mourir, dans cette vengeance, comme les mosquitos de mon pays, qui meurent, gorgés de sang, dans la blessure qu'ils ont faite. »

Et, lisant sur le visage de Tressignies : « — Vous ne comprenez pas, — dit-elle, — mais je m'en vais vous faire comprendre. Vous savez qui je suis, mais vous ne savez pas tout ce que je suis. Voulez-vous le savoir ? Voulez-vous savoir mon histoire ? Le voulez-vous ? — reprit-elle avec une insistance exaltée. — Moi, je voudrais la dire à tous ceux qui viennent ici ! Je voudrais la raconter à toute la terre ! J'en serais plus infâme, mais j'en serais mieux vengée.

— Dites-la ! » — fit Tressignies, crocheté par une curiosité et un intérêt qu'il n'avait jamais ressentis à ce degré, ni dans la vie, ni dans les romans, ni au théâtre. Il lui semblait bien que cette femme allait lui raconter de ces choses comme il n'en avait pas entendu encore. Il ne pensait plus à sa beauté. Il la regardait comme s'il avait désiré assister à l'autopsie de son cadavre. Allait-elle le faire revivre pour lui ?...

« Oui, — reprit-elle, — j'ai voulu bien des fois déjà la raconter à ceux qui montent ici ; mais ils n'y montent pas, disent-ils, pour écouter des histoires. Lorsque je la leur commençais, ils m'interrompaient ou ils s'en allaient, brutes repues de ce qu'elles étaient venues chercher ! Indifférents, moqueurs, insultants, ils m'appelaient menteuse ou bien folle. Ils ne me croyaient pas, tandis que vous, vous me croirez. Vous, vous m'avez vue à Saint-Jean-de-Luz, dans toutes les gloires d'une femme heureuse, au plus haut sommet de la vie, portant comme un diadème ce nom de Sierra-Leone que je traîne maintenant à la queue de ma robe dans toutes les fanges, comme on traînait à la queue d'un cheval, autrefois, le blason d'un chevalier déshonoré. Ce nom, que je hais et dont je ne me pare que pour l'avilir, est encore porté par le plus grand seigneur des Espagnes et le plus orgueilleux de tous ceux qui ont le privilège de rester couverts devant Sa Majesté le Roi, car il se croit dix fois plus noble que le Roi. Pour le duc d'Arcos de Sierra-Leone, que sont toutes les plus illustres maisons qui ont régné sur les Espagnes : Castille, Aragon, Transtamare, Autriche et Bourbon ?... Il est, dit-il, plus ancien qu'elles. Il descend, lui, des anciens rois Goths, et par Brunehild il est allié aux Mérovingiens de France. Il se pique de n'avoir dans les veines que de ce *sangre azul* dont les plus vieilles races, dégradées par des mésalliances, n'ont plus maintenant que quelques gouttes... Don Christoval d'Arcos, duc de Sierra-Leone et *otros ducados*, ne s'était pas, lui, mésallié en m'épousant. Je suis une Turre-Cremata, de l'ancienne maison des Turre-Cremata d'Italie, la dernière des Turre-Cremata, race qui finit en moi, bien digne du reste de porter ce nom de Turre-Cremata (tour brûlée), car je suis brûlée à tous les feux de l'enfer. Le grand inquisiteur Torquemada, qui était un Turre-Cremata d'origine, a infligé moins de supplices, pendant toute sa vie, qu'il n'y en a dans ce sein maudit... Il faut vous dire que les Turre-Cremata n'étaient pas moins fiers que les Sierra-Leone. Divisés en deux branches, également illustres, ils avaient été, durant des siècles, tout-puissants en Italie et en Espagne. Au quinzième, sous le pontificat d'Alexandre VI, les Borgia, qui voulurent, dans leur enivrement de la grande fortune de la papauté d'Alexandre, s'apparenter à toutes les maisons royales de l'Europe, se dirent nos parents ; mais les Turre-Cremata repoussèrent cette prétention avec mépris, et deux d'entre eux payèrent de leur vie cette audacieuse hauteur. Ils furent, dit-on, empoisonnés par César.

Mon mariage avec le duc de Sierra-Leone fut une affaire de race à race. Ni de son côté, ni du mien, il n'entra de sentiment dans notre union. C'était tout simple qu'une Turre-Cremata épousât un Sierra-Leone. C'était tout simple, même pour moi, élevée dans la terrible étiquette des vieilles maisons d'Espagne qui représentait celle de l'Escurial, dans cette dure et compressive étiquette qui empêcherait les cœurs de battre, si les cœurs n'étaient pas plus forts que ce corset de fer. Je fus un de ces cœurs-là... J'aimai Don Esteban. Avant de le rencontrer, mon mariage sans bonheur de cœur (j'ignorais même que j'en eusse un) fut la chose grave qu'il était autrefois dans la cérémonieuse et catholique Espagne, et qui ne l'est plus, à présent, que par exception, dans quelques familles de haute classe qui ont gardé les mœurs antiques. Le duc de Sierra-Leone était trop profondément Espagnol pour ne pas avoir les mœurs du passé. Tout ce que vous avez entendu dire en France de la gravité de l'Espagne, de ce pays altier, silencieux et sombre, le duc l'avait et l'outrepassait... Trop fier pour vivre ailleurs que dans ses terres, il habitait un château féodal, sur la frontière portugaise, et il s'y montrait, dans toutes ses habitudes, plus féodal que son château. Je vivais là, près de lui, entre mon confesseur et mes caméristes, de cette vie somptueuse, monotone et triste, qui aurait écrasé d'ennui toute âme plus faible que la mienne. Mais j'avais été élevée pour être ce que j'étais : l'épouse d'un grand seigneur espagnol. Puis, j'avais la religion d'une femme de mon rang, et j'étais presque aussi impassible que les portraits de mes aïeules qui ornaient les vestibules et les salles du château de Sierra-Leone, et qu'on y voyait représentées, avec leurs grandes mines sévères, dans leurs garde-infants et sous leurs buses d'acier. Je devais ajouter une génération de plus à ces générations de femmes irréprochables et majestueuses, dont la vertu avait été gardée par la fierté comme une fontaine par un lion. La solitude dans laquelle je vivais ne pesait point sur mon âme, tranquille comme les montagnes de marbre rouge qui entourent Sierra-Leone. Je ne soupçonnais pas que sous ces marbres dormait un volcan. J'étais dans les limbes d'avant la naissance, mais j'allais naître et recevoir d'un seul regard d'homme le baptême de feu. Don Esteban, marquis de Vasconcellos, de race portugaise, et cousin du duc, vint à Sierra-Leone ; et l'amour, dont je n'avais eu l'idée que par quelques livres mystiques, me tomba sur le cœur comme un aigle tombe à pic sur un enfant qu'il enlève et qui crie... Je criai aussi. Je n'étais pas pour rien une Espagnole de vieille race. Mon orgueil s'insurgea contre ce que je sentais en présence de ce dangereux Esteban, qui s'emparait de moi avec cette révoltante puissance. Je dis au duc de le congédier sous un prétexte ou sous un autre, de lui faire au plus vite quitter le château..., que je m'apercevais qu'il avait pour moi un amour qui m'offensait comme une insolence. Mais don Christoval me répondit, comme le duc de Guise à l'avertissement que Henri III l'assassinerait : « Il n'oserait ! » C'était le mépris du Destin, qui se vengea en s'accomplissant. Ce mot me jeta à Esteban... »

Elle s'arrêta un instant ; — et il l'écoutait, parlant cette langue élevée qui, à elle seule, lui aurait affirmé, s'il avait pu en douter, qu'elle était bien ce qu'elle disait : la duchesse de Sierra-Leone. Ah ! la fille du boulevard était alors entièrement effacée. On eût juré d'un masque tombé, et que la vraie figure, la vraie personne, reparaissait[1]. L'attitude de ce corps effréné était devenue chaste. Tout en parlant, elle avait pris derrière elle un châle, oublié au dos du canapé, et elle s'en était enveloppée... Elle en avait ramené les

plis sur ce sein *maudit* — comme elle l'avait nommé,
— mais auquel la prostitution n'avait pu enlever la
perfection de sa rondeur et sa fermeté virginale. Sa
voix même avait perdu la raucité qu'elle avait dans
la rue... Était-ce une illusion produite par ce qu'elle
disait ? mais il semblait à Tressignies que cette voix
était d'un timbre plus pur, — qu'elle avait repris sa
noblesse.

« Je ne sais pas, — continua-t-elle, — si les autres
femmes sont comme moi. Mais cet orgueil incrédule de don Christoval, ce dédaigneux et tranquille :
« Il n'oserait ! » en parlant de l'homme que j'aimais,
m'insulta pour lui, qui, déjà, dans le fond de mon
être, avait pris possession de moi comme un Dieu.
« Prouve-lui que tu oseras ! » — lui dis-je, le soir
même, en lui déclarant mon amour[1]. Je n'avais pas
besoin de le lui dire. Esteban m'adorait depuis le
premier jour qu'il m'avait vue. Notre amour avait
eu la simultanéité de deux coups de pistolet tirés en
même temps, et qui tuent... J'avais fait mon devoir
de femme espagnole en avertissant don Christoval.
Je ne lui devais que ma vie, puisque j'étais sa femme,
car le cœur n'est pas libre d'aimer ; et, ma vie, il
l'aurait prise très certainement, en mettant à la porte
de son château don Esteban, comme je le voulais.
Avec la folie de mon cœur déchaîné, je serais morte
de ne plus le voir, et je m'étais exposée à cette terrible chance. Mais puisque lui, le duc, mon mari, ne
m'avait pas comprise, puisqu'il se croyait si au-dessus de Vasconcellos, qu'il lui paraissait impossible
que celui-ci élevât les yeux et son hommage jusqu'à
moi, je ne poussai pas plus loin l'héroïsme conjugal
contre un amour qui était mon maître... Je n'essaie-
rai pas de vous donner l'idée exacte de cet amour.
Vous ne me croiriez peut-être pas, vous non plus...
Mais qu'importe, après tout, ce que vous penserez !

Croyez-moi, ou ne me croyez pas ! ce fut un amour
tout à la fois brûlant et chaste, un amour chevale-
resque, romanesque, presque idéal, presque mystique.
Il est vrai que nous avions vingt ans à peine, et que
nous étions du pays des Bivar, d'Ignace de Loyola et
de sainte Thérèse, Ignace, ce chevalier de la Vierge,
n'aimait pas plus purement la Reine des cieux que
ne m'aimait Vasconcellos ; et moi, de mon côté,
j'avais pour lui quelque chose de cet amour extati-
que que sainte Thérèse avait pour son Époux divin.
L'adultère, fi donc ! Est-ce que nous pensions que
nous pouvions être adultères ? Le cœur battait si haut
dans nos poitrines, nous vivions dans une atmosphère
de sentiments si transcendants et si élevés, que nous
ne sentions en nous rien des mauvais désirs et des
sensualités des amours vulgaires. Nous vivions en
plein azur du ciel ; seulement ce ciel était africain,
et cet azur était du feu. Un tel état d'âmes aurait-il
duré ? Était-ce bien possible qu'il durât ? Ne jouions-
nous pas là, sans le savoir, sans nous en douter, le
jeu le plus dangereux pour de faibles créatures, et
ne devions-nous pas être précipités, dans un temps
donné, de cette hauteur immaculée[1] ?... Esteban était
pieux comme un prêtre, comme un chevalier portu-
gais du temps d'Albuquerque ; moi, je valais assurément moins que lui, mais j'avais en lui et dans la
pureté de son amour une foi qui enflammait la pureté
du mien. Il m'avait dans son cœur, comme une
madone dans sa niche d'or, — avec une lampe à ses
pieds, — une lampe inextinguible. Il aimait mon
âme pour mon âme. Il était de ces rares amants qui
veulent grande la femme qu'ils adorent. Il me voulait noble, dévouée, héroïque, une grande femme de
ces temps où l'Espagne était grande. Il aurait mieux
aimé me voir faire une belle action que de valser avec
moi souffle à souffle ! Si les anges pouvaient s'aimer

entre eux devant le trône de Dieu, ils devraient s'aimer comme nous nous aimions... Nous étions tellement fondus l'un dans l'autre, que nous passions de longues heures ensemble et seuls, la main dans la main, les yeux dans les yeux, pouvant tout, puisque nous étions seuls, mais tellement heureux que nous ne désirions pas davantage. Quelquefois, ce bonheur immense qui nous inondait nous faisait mal à force d'être intense, et nous désirions mourir, mais l'un avec l'autre ou l'un pour l'autre, et nous comprenions alors le mot de sainte Thérèse : *Je meurs de ne pouvoir mourir !* ce désir de la créature finie succombant sous un amour infini, et croyant faire plus de place à ce torrent d'amour infini par le brisement des organes et la mort. Je suis maintenant la dernière des créatures souillées ; mais, dans ce temps-là, croirez-vous que jamais les lèvres d'Esteban n'ont touché les miennes, et qu'un baiser déposé par lui sur une rose, et repris par moi, me faisait évanouir ? Du fond de l'abîme d'horreur où je me suis volontairement plongée, je me rappelle à chaque instant, pour mon supplice, ces délices divines de l'amour pur dans lesquelles nous vivions, perdus, éperdus, et si transparents, sans doute, dans l'innocence de cet amour sublime, que don Christoval n'eut pas grand-peine à voir que nous nous adorions. Nous vivions la tête dans le ciel. Comment nous apercevoir qu'il était jaloux, et de quelle jalousie ! De la seule dont il fût capable : de la jalousie de l'orgueil. Il ne nous surprit pas. On ne surprend que ceux qui se cachent. Nous ne nous cachions pas. Pourquoi nous serions-nous cachés ? Nous avions la candeur de la flamme en plein jour qu'on aperçoit dans le jour même, et, d'ailleurs, le bonheur débordait trop de nous pour qu'on ne le vît pas, et le duc le vit ! Cela creva enfin les yeux à son orgueil, cette splendeur d'amour !

Ah ! Esteban avait *osé* ! Moi aussi ! Un soir nous étions comme nous étions toujours, comme nous passions notre vie depuis que nous nous aimions, tête à tête, unis par le regard seul ; lui, à mes pieds, devant moi, comme devant la Vierge Marie, dans une contemplation si profonde que nous n'avions besoin d'aucune caresse. Tout à coup, le duc entra avec deux noirs qu'il avait ramenés des colonies espagnoles, dont il avait été longtemps gouverneur. Nous ne les aperçûmes pas, dans la contemplation céleste qui enlevait nos âmes en les unissant, quand la tête d'Esteban tomba lourdement sur mes genoux. Il était étranglé ! Les noirs lui avaient jeté autour du cou ce terrible lazo avec lequel on étrangle au Mexique les taureaux sauvages. Ce fut la foudre pour la rapidité ! Mais la foudre qui ne me tua pas. Je ne m'évanouis point, je ne criai pas. Nulle larme ne jaillit de mes yeux. Je restai muette et rigide, dans un état sans nom d'horreur, d'où je ne sortis que par un déchirement de tout mon être. Je sentis qu'on m'ouvrait la poitrine et qu'on m'en arrachait le cœur [1]. Hélas ! ce n'était pas à moi qu'on l'arrachait : c'était à Esteban, à ce cadavre d'Esteban qui gisait à mes pieds, étranglé, la poitrine fendue, fouillée, comme un sac, par les mains de ces monstres ! J'avais ressenti, tant j'étais par l'amour devenue lui, ce qu'aurait senti Esteban s'il avait été vivant. J'avais ressenti la douleur que ne sentait pas son cadavre, et c'était cela qui m'avait tirée de l'horreur dans laquelle je m'étais figée quand ils me l'avaient étranglé. Je me jetai à eux : « À mon tour ! » leur criai-je. Je voulais mourir de la même mort, et je tendis ma tête à l'infâme lacet. Ils allaient la prendre. — « On ne *touche pas à la reine* », fit le duc, cet orgueilleux duc qui se croyait plus que le Roi, et il les fit reculer en les fouettant de son fouet de chasse. « Non ! vous

vivrez, Madame, me dit-il, mais pour *penser toujours*
à ce que vous allez voir… » Et il siffla. Deux énormes
chiens sauvages accoururent.

« Qu'on fasse manger, — dit-il — le cœur de ce
traître à ces chiens ! » — Oh ! à cela, je ne sais quoi
se redressa en moi :

« — Allons donc, venge-toi mieux ! — lui dis-je.
— C'est à moi qu'il faut le faire manger ! »

» Il resta comme épouvanté de mon idée… « Tu
l'aimes donc furieusement ? » — reprit-il. — Ah !
je l'aimais d'un amour qu'il venait d'exaspérer. Je
l'aimais à n'avoir ni peur ni dégoût de ce cœur saignant, plein de moi, chaud de moi encore, et j'aurais
voulu le mettre dans le mien, ce cœur… Je le demandai à genoux, les mains jointes ! Je voulais épargner, à
ce noble cœur adoré, cette profanation impie, sacrilège… J'aurais communié avec ce cœur, comme avec
une hostie[1]. N'était-il pas mon Dieu ?… La pensée de
Gabrielle de Vergy, dont nous avions lu, Esteban et
moi, tant de fois l'histoire ensemble, avait surgi en
moi. Je l'enviais[2] !… Je la trouvais heureuse d'avoir
fait de sa poitrine un tombeau vivant à l'homme
qu'elle avait aimé. Mais la vue d'un amour pareil
rendit le duc atrocement implacable. Ses chiens
dévorèrent le cœur d'Esteban devant moi. Je le leur
disputai ; je me battis avec ces chiens. Je ne pus le
leur arracher. Ils me couvrirent d'affreuses morsures,
et traînèrent et essuyèrent à mes vêtements leurs
gueules sanglantes. »

Elle s'interrompit. Elle était devenue livide à ces
souvenirs… et, haletante, elle se leva d'un mouvement
forcené, et, tirant à elle un tiroir de commode par sa
poignée de bronze, elle montra à Tressignies une robe
en lambeaux, teinte de sang à plusieurs places :

« Tenez ! — dit-elle, — c'est là le sang du cœur de
l'homme que j'aimais et que je n'ai pu arracher aux

chiens ! Quand je me retrouve seule dans l'exécrable vie que je mène, quand le dégoût m'y prend,
quand la boue m'en monte à la bouche et m'étouffe,
quand le génie de la vengeance faiblit en moi, que
l'ancienne duchesse revient et que la fille m'épouvante, je m'entortille dans cette robe, je vautre mon
corps souillé dans ses plis rouges, toujours brûlants
pour moi, et j'y réchauffe ma vengeance. C'est un
talisman que ces haillons sanglants ! Quand je les ai
autour du corps, la rage de le venger me reprend aux
entrailles, et je me retrouve de la force, à ce qu'il
me semble, pour une éternité ! »

Tressignies frémissait, en écoutant cette femme
effrayante. Il frémissait de ses gestes, de ses paroles, de sa tête, devenue une tête de Gorgone : il lui
semblait voir autour de cette tête les serpents que
cette femme avait dans le cœur. Il commençait alors
de comprendre — le rideau se tirait ! — ce mot *vengeance*, qu'elle disait tant, — qui lui flambait toujours aux lèvres !

« La vengeance ! oui, — reprit-elle — vous comprenez, maintenant, ce qu'elle est, ma vengeance !
Ah ! je l'ai choisie entre toutes comme on choisit de
tous les genres de poignards celui qui doit faire le
plus souffrir, le cric dentelé qui doit le mieux déchi-
rer l'être abhorré qu'on tue. Le tuer simplement cet
homme, et d'un coup ! je ne le voulais pas. Avait-il
tué, lui, Vasconcellos avec son épée, comme un gentilhomme ? Non ! il l'avait fait tuer par des valets. Il
avait fait jeter son cœur aux chiens, et son corps au
charnier peut-être ! Je ne le savais pas. Je ne l'ai
jamais su. Le tuer, pour tout cela ? Non ! c'était trop
doux et trop rapide ! Il fallait quelque chose de plus
lent et de plus cruel… D'ailleurs, le duc était brave.
Il ne craignait pas la mort. Les Sierra-Leone l'ont
affrontée à toutes les générations. Mais son orgueil,

son immense orgueil était lâche, quand il s'agissait de déshonneur. Il fallait donc l'atteindre et le crucifier dans son orgueil. Il fallait donc déshonorer son nom dont il était si fier. Eh bien ! je me jurai que, ce nom, je le tremperais dans la plus infecte des boues, que je le changerais en honte, en immondice, en excrément ! et pour cela je me suis faite ce que je suis, — une fille publique, — la fille Sierra-Leone, qui vous a raccroché ce soir !... »

Elle dit ces dernières paroles avec des yeux qui se mirent à étinceler de la joie d'un coup bien frappé.

« — Mais, — dit Tressignies, — le sait-il, lui, le duc, ce que vous êtes devenue ?...

— S'il ne le sait pas, il le saura un jour, — répondit-elle, avec la sécurité absolue d'une femme qui a pensé à tout, qui a tout calculé, qui est sûre de l'avenir. — Le bruit de ce que je fais peut l'atteindre d'un jour à l'autre, d'une éclaboussure de ma honte ! Quelqu'un des hommes qui montent ici peut lui cracher au visage le déshonneur de sa femme, ce crachat qu'on n'essuie jamais ; mais ce ne serait là qu'un hasard, et ce n'est pas à un hasard que je livrerais ma vengeance ! J'ai résolu d'en mourir pour qu'elle soit plus sûre ; ma mort l'assurera, en l'achevant[1]. »

Tressignies était dépaysé par l'obscurité de ces dernières paroles ; mais elle en fit jaillir une hideuse clarté :

« Je veux mourir où meurent les filles comme moi, — reprit-elle. — Rappelez-vous !... Il fut un homme, sous François Ier, qui alla chercher chez une de mes pareilles une effroyable et immonde maladie, qu'il donna à sa femme pour en empoisonner le roi, dont elle était la maîtresse, et c'est ainsi qu'il se vengea de tous les deux... Je ne ferai pas moins que cet homme. Avec ma vie ignominieuse de tous les soirs, il arrivera bien qu'un jour la putréfaction de la débauche saisira et rongera enfin la prostituée, et qu'elle ira tomber par morceaux et s'éteindre dans quelque honteux hôpital ! Oh ! alors, ma vie sera payée ! — ajouta-t-elle, avec l'enthousiasme de la plus affreuse espérance ; — alors, il sera temps que le duc de Sierra-Leone apprenne comment sa femme, la duchesse de Sierra-Leone, aura vécu et comment elle meurt ! »

Tressignies n'avait pas pensé à cette profondeur dans la vengeance, qui dépassait tout ce que l'histoire lui avait appris. Ni l'Italie du XVIᵉ siècle, ni la Corse de tous les âges, ces pays renommés pour l'implacabilité de leurs ressentiments, n'offraient à sa mémoire un exemple de combinaison plus réfléchie et plus terrible que celle de cette femme, qui se vengeait à même elle, à même son corps comme à même son âme ! Il était effrayé de ce sublime horrible, car l'intensité dans les sentiments, poussée à ce point, est sublime. Seulement, c'est le sublime de l'enfer.

« Et quand il ne le saurait pas, — reprit-elle encore, redoublant d'éclairs sur son âme, — moi, après tout, je le saurais[1] ! Je saurais ce que je fais chaque soir, — que je bois cette fange, et que c'est du nectar, puisque c'est ma vengeance !... Est-ce que je ne jouis pas, à chaque minute, de la pensée de ce que je suis ?... Est-ce qu'au moment où je le déshonore, ce duc altier, je n'ai pas, au fond de ma pensée, l'idée enivrante que je le déshonore ? Est-ce que je ne vois pas clairement dans ma pensée tout ce qu'il souffrirait s'il le savait ?... Ah ! les sentiments comme les miens ont leur folie, mais c'est leur folie qui fait le bonheur ! Quand je me suis enfuie de Sierra-Leone, j'ai emporté avec moi le portrait du duc, pour lui faire voir, à ce portrait, comme si ç'avait été à lui-même, les hontes de ma vie ! Que de fois je lui ai dit, comme s'il avait pu me voir et m'entendre : « Regarde

donc ! regarde ! » Et quand l'horreur me prend dans
vos bras, à tous vous autres, — car elle m'y prend
toujours : je ne puis pas m'accoutumer au goût de
cette fange ! — j'ai pour ressource ce bracelet, — et
elle leva son bras superbe d'un mouvement tragique ; — j'ai ce cercle de feu, qui me brûle jusqu'à la
moelle et que je garde à mon bras, malgré le supplice de l'y porter, pour que je ne puisse jamais
oublier le bourreau d'Esteban, pour que son image
excite mes transports, — ces transports d'une haine
vengeresse, que les hommes sont assez bêtes et assez
fats pour croire du plaisir qu'ils savent donner ! Je
ne sais pas ce que vous êtes, vous, mais vous n'êtes
certainement pas le premier venu parmi tous ces
hommes ; et cependant vous avez cru, il n'y a qu'un
instant, que j'étais encore une créature humaine,
qu'il y avait encore une fibre qui vibrait en moi ; et
il n'y avait en moi que l'idée de venger Esteban du
monstre dont voici l'image ! Ah ! son image, c'était
pour moi comme le coup de l'éperon, large comme
un sabre, que le cavalier arabe enfonce dans le flanc
de son cheval pour lui faire traverser le désert. J'avais,
moi, des espaces de honte encore plus grands à dévo-
rer, et je m'enfonçais cette exécrable image dans les
yeux et dans le cœur, pour mieux bondir sous vous
quand vous me teniez... Ce portrait, c'était comme
si c'était lui ! c'était comme s'il nous voyait par ses
yeux peints !... Comme je comprenais l'envoûte-
ment des siècles où l'on envoûtait ! Comme je comprenais le bonheur insensé de planter le couteau
dans le cœur de l'image de celui qu'on eût voulu tuer !
Dans le temps que j'étais religieuse, avant d'aimer cet
Esteban qui a pour moi remplacé Dieu, j'avais
besoin d'un crucifix pour mieux penser au Cruci-
fié ; et, au lieu de l'aimer, je l'aurais haï, j'eusse été
une impie, que j'aurais eu besoin du crucifix pour

mieux le blasphémer et l'insulter ! Hélas ! — ajouta-t-elle, changeant de ton et passant de l'âpreté des sentiments les plus cruels aux douceurs poignantes d'une incroyable mélancolie, — je n'ai pas le portrait d'Esteban. Je ne le vois que dans mon âme… et c'est peut-être heureux, — ajouta-t-elle. — Je l'aurais sous les yeux qu'il relèverait mon pauvre cœur, qu'il me ferait rougir des indignes abaissements de ma vie. Je me repentirais, et je ne pourrais plus le venger !… »

La Gorgone était devenue touchante, mais ses yeux étaient restés secs. Tressignies, ému d'une tout autre émotion que celles-là par lesquelles jusqu'ici elle l'avait fait passer, lui prit la main, à cette femme qu'il avait le droit de mépriser, et il la lui baisa avec un respect mêlé de pitié. Tant de malheur et d'énergie la lui grandissaient : « Quelle femme ! pensait-il. Si, au lieu d'être la duchesse de Sierra-Leone, elle avait été la marquise de Vasconcellos, elle eût, avec la pureté et l'ardeur de son amour pour Esteban, offert à l'admiration humaine quelque chose de comparable et d'égal à la grande marquise de Pescaire[1]. Seulement, — ajouta-t-il en lui-même, — elle n'aurait pas montré, et personne n'aurait jamais su, quels gouffres de profondeur et de volonté étaient en elle. » Malgré le scepticisme de son époque et l'habitude de se regarder faire et de se moquer de ce qu'il faisait, Robert de Tressignies ne se sentit point ridicule d'embrasser la main de cette femme perdue ; mais il ne savait plus que lui dire. Sa situation vis-à-vis d'elle était embarrassée. En jetant son histoire entre elle et lui, elle avait coupé, comme avec une hache, ces liens d'une minute qu'ils venaient de nouer. Il y avait en lui un inexprimable mélange d'admiration, d'horreur, et de mépris ; mais il se serait trouvé de très mauvais goût de faire du sentiment ou de la morale avec cette femme. Il s'était souvent moqué des moralistes, sans mandat et sans autorité, qui pullulaient dans ce temps-là, où, sous l'influence de certains drames et de certains romans, on voulait se donner des airs de relever, comme des pots de fleurs renversés, les femmes qui tombaient[1]. Il était, tout sceptique qu'il fût, doué d'assez de bon sens pour savoir qu'il n'y avait que le prêtre seul — le prêtre du Dieu rédempteur — qui pût relever de pareilles chutes... et, encore croyait-il que, contre l'âme de cette femme, le prêtre lui-même se serait brisé. Il avait en lui une implication de choses douloureuses, et il gardait un silence plus pesant pour lui que pour elle. Elle, toute à la violence de ses idées et de ses souvenirs, continua :

« Cette idée de le déshonorer, au lieu de le tuer, cet homme pour qui l'honneur, comme le monde l'entend, était plus que la vie, ne me vint pas tout de suite... Je fus longtemps à trouver cela. Après la mort de Vasconcellos, qu'on ne sut peut-être pas dans le château, dont le corps fut probablement jeté dans quelque oubliette avec les noirs qui l'avaient assassiné, le duc ne m'adressa plus la parole, si ce n'est brièvement et cérémonieusement devant ses gens, car la femme de César ne doit pas être soupçonnée, et je devais rester aux yeux de tous l'impeccable duchesse d'Arcos de Sierra-Leone. Mais, tête à tête et entre nous, jamais un seul mot, jamais une allusion ; le silence, ce silence de la haine, qui se nourrit d'elle-même et n'a pas besoin de parler. Don Christoval et moi, nous luttions de force et de fierté. Je dévorais mes larmes. Je suis une Turre-Cremata. J'ai en moi la puissante dissimulation de ma race qui est italienne, et je me bronzais, jusque dans les yeux, pour qu'il ne pût pas soupçonner ce qui fermentait sous ce front de bronze où couvait l'idée de ma ven-

geance. Je fus absolument impénétrable. Grâce à cette
dissimulation, qui boucha tous les jours de mon
être par lesquels mon secret aurait pu filtrer, je pré-
parai ma fuite de ce château dont les murs m'écra-
saient, et où ma vengeance n'aurait pu s'accomplir
que sous la main du duc, qui se serait vite levée. Je
ne me confiai à personne. Est-ce que jamais mes
duègnes ou mes caméristes avaient osé lever leurs
yeux sur mes yeux pour savoir ce que je pensais ?
J'eus d'abord le projet d'aller à Madrid ; mais, à
Madrid, le duc était tout-puissant, et le filet de toutes les polices se serait refermé sur moi à son premier
signal. Il m'y aurait facilement reprise, et, reprise une
fois, il m'aurait jetée dans l'*in-pace* de quelque couvent, étouffée là, tuée entre deux portes, supprimée
du monde, de ce monde dont j'avais besoin pour
me venger !... Paris était plus sûr. Je préférai Paris.
C'était une meilleure scène pour l'étalage de mon
infamie et de ma vengeance ; et, puisque je voulais
qu'un jour tout cela éclatât comme la foudre, quelle
bonne place que cette ville, le centre de tous les échos,
à travers laquelle passent toutes les nations du
monde ! Je résolus d'y vivre de cette vie de prostituée qui ne me faisait pas trembler, et d'y descendre
impudemment jusqu'au dernier rang de ces filles
perdues qui se vendent pour une pièce de monnaie,
fût-ce à des goujats ! Pieuse comme je l'étais avant
de connaître Esteban, qui m'avait arraché Dieu de
la poitrine pour s'y mettre à la place, je me levais
souvent la nuit sans mes femmes, pour faire mes
oraisons à la Vierge noire de la chapelle. C'est de là
qu'une nuit je me sauvai et gagnai audacieusement
les gorges des sierras. J'emportai tout ce que je pus
de mes bijoux et de l'argent de ma cassette. Je me
cachai quelque temps chez des paysans qui me con-
duisirent à la frontière. Je vins à Paris. Je m'y atte-

lai, sans peur, à cette vengeance qui est ma vie. J'en suis tellement assoiffée, de cette fureur de me venger, que parfois j'ai pensé à affoler de moi quelque jeune homme énergique et à le pousser vers le duc pour lui apprendre mon ignominie ; mais j'ai fini toujours par étouffer cette pensée, car ce n'est pas quelques pieds d'ordure que je veux élever sur *son* nom et sur ma mémoire : c'est toute une pyramide de fumier ! Plus je serai tard vengée, mieux je serai vengée... »

Elle s'arrêta. De livide, elle était devenue pourpre. La sueur lui découlait des tempes. Elle s'enrouait. Était-ce le coup de la honte ?... Elle saisit fébrilement une carafe sur la commode, et se versa un énorme verre d'eau qu'elle lampa.

« Cela est dur à passer, la honte ! — dit-elle ; — mais il faut qu'elle passe ! J'en ai assez avalé depuis trois mois, pour qu'elle puisse passer !

— Il y a donc trois mois que ceci dure ? — (il n'osait plus dire quoi) fit Tressignies, avec un vague plus sinistre que la précision.

— Oui, — dit-elle, — trois mois. Mais qu'est-ce que trois mois ? — ajouta-t-elle. — Il faudra du temps pour cuire et recuire ce plat de vengeance que je lui cuisine, et qui lui paiera son refus du cœur d'Esteban qu'il n'a pas voulu me faire manger[1]... »

Elle dit cela avec une passion atroce et une mélancolie sauvage. Tressignies ne se doutait pas qu'il pût y avoir dans une femme un pareil mélange d'amour idolâtre et de cruauté. Jamais on n'avait regardé avec une attention plus concentrée une œuvre d'art qu'il ne regardait cette singulière et toute-puissante artiste en vengeance, qui se dressait alors devant lui... Mais quelque chose, qu'il était étonné d'éprouver, se mêlait à sa contemplation d'observateur. Lui qui croyait en avoir fini avec les sentiments involontaires et dont la réflexion, au rire terrible, mordait toujours les sensations, comme j'ai vu des charretiers mordre leurs chevaux pour les faire obéir, sentait que dans l'atmosphère de cette femme il respirait un air dangereux. Cette chambre, pleine de tant de passion physique et barbare, asphyxiait ce civilisé. Il avait besoin d'une gorgée d'air et il pensait à s'en aller, dût-il revenir.

Elle crut qu'il partait. Mais elle avait encore des côtés à lui faire voir dans son chef-d'œuvre.

« Et cela ? » fit-elle, avec un dédain et un geste retrouvé de duchesse, en lui montrant du doigt la coupe de verre bleu qu'il avait remplie d'or.

« Reprenez cet argent, — dit-elle. — Qui sait ? Je suis peut-être plus riche que vous. L'or n'entre pas ici. Je n'en accepte de personne. » Et, avec la fierté d'une bassesse qui était sa vengeance, elle ajouta : « Je ne suis qu'une fille à cent sous. »

Le mot fut dit comme il était pensé. Ce fut le dernier trait de ce sublime à la renverse, de ce sublime infernal dont elle venait de lui étaler le spectacle, et dont certainement le grand Corneille, au fond de son âme tragique, ne se doutait pas ! Le dégoût de ce dernier mot donna à Tressignies la force de s'en aller. Il rafla les pièces d'or de la coupe et n'y laissa que ce qu'elle demandait. « Puisqu'elle le veut ! dit-il, je pèserai sur le poignard qu'elle s'enfonce, et j'y mettrai aussi ma tache de boue, puisque c'est de boue qu'elle a soif. » Et il sortit dans une agitation extrême. Les candélabres inondaient toujours de leur lumière cette porte, si commune d'aspect, par laquelle il était déjà passé. Il comprit pourquoi étaient plantées là ces torchères, quand il regarda la carte collée sur la porte, comme l'enseigne de cette boutique de chair. Il y avait sur cette carte en grandes lettres :

LA DUCHESSE D'ARCOS
DE SIERRA-LEONE

Et, au-dessous, un mot ignoble pour dire le métier qu'elle faisait.

Tressignies rentra chez lui, ce soir-là, après cette incroyable aventure, dans une situation si troublée qu'il en était presque honteux. Les imbéciles — c'est-à-dire à peu près tout le monde — croient que rajeunir serait une invention charmante de la nature humaine ; mais ceux qui connaissent la vie savent mieux le profit que ce serait. Tressignies se dit avec effroi qu'il allait peut-être se retrouver trop jeune... et voilà pourquoi il se promit de ne plus mettre le pied chez la duchesse, malgré l'intérêt, ou plutôt à cause de l'intérêt que cette femme inouïe lui infligeait. « Pourquoi, se dit-il, retourner dans ce lieu malsain d'infection, au fond duquel une créature de haute origine s'est volontairement précipitée ? Elle m'a conté toute sa vie, et je peux imaginer sans effort les détails, qui ne peuvent changer, de cette horrible vie de chaque jour. » Telle fut la résolution de Tressignies, prise énergiquement au coin du feu, dans la solitude de sa chambre. Il s'y calfeutra quelque temps contre les choses et les distractions du dehors, tête à tête avec les impressions et les souvenirs d'une soirée que son esprit ne pouvait s'empêcher de savourer, comme un poème étrange et tout-puissant auquel il n'avait rien lu de comparable, ni dans Byron, ni dans Shakespeare, ses deux poètes favoris. Aussi passa-t-il bien des heures, accoudé aux bras de son fauteuil, à feuilleter rêveusement en lui les pages toujours ouvertes de ce poème d'une hideuse énergie. Ce fut là un lotus qui lui fit oublier les salons de Paris, — sa patrie. Il lui fallut même le coup de collier de sa

volonté pour y retourner. Les irréprochables duchesses qu'il y retrouva lui semblèrent manquer un peu
d'accent... Quoiqu'il ne fût pas une bégueule, ce
Tressignies, ni ses amis non plus, il ne leur dit pas
un seul mot de son aventure, par un sentiment de
délicatesse qu'il traitait d'absurde, car la duchesse ne
lui avait-elle pas demandé de raconter à tout venant
son histoire, et de la faire rayonner aussi loin qu'il
pourrait la faire rayonner ?... Il la garda pour lui,
au contraire. Il la mit et la scella dans le coin le plus
mystérieux de son être, comme on bouche un flacon
de parfum très rare, dont on perdrait quelque chose
en le faisant respirer. Chose étonnante, avec la nature
d'un homme comme lui ! ni au Café de Paris, ni au
cercle, ni à l'orchestre des théâtres, ni nulle part où
les hommes se rencontrent seuls et se disent tout, il
n'aborda jamais un de ses amis sans avoir peur de lui
entendre raconter, comme lui étant arrivé, l'aventure
qui était la sienne ; et, cette chose qui pouvait arriver faisait surgir en lui une perspective qui, dans les
dix premières minutes d'une conversation, lui causait
un léger tremblement. Nonobstant, il se tint parole,
et non seulement il ne retourna pas rue Basse-du-
Rempart, mais au boulevard. Il ne s'appuya plus,
comme le faisaient les autres *gants jaunes*, les lions
du temps, contre la balustrade de Tortoni. « Si je
revoyais flotter sa diable de robe jaune, se disait-il,
je serais peut-être encore assez bête pour la suivre. »
Toutes les robes jaunes qu'il rencontrait le faisaient
rêver... Il aimait à présent les robes jaunes, qu'il avait
toujours détestées. « Elle m'a dépravé le goût », se
disait-il, et c'est ainsi que le dandy se moquait de
l'homme[1]. Mais ce que Mme de Staël, qui les connaissait, appelle quelque part *les pensées du Démon*, était
plus fort que l'homme et que le dandy. Tressignies
devint sombre. C'était dans le monde un homme d'un
esprit animé, dont la gaieté était aimable et redou-

table — ce qu'il faut que toute gaieté soit dans ce monde, qui vous mépriserait si, tout en l'amusant, vous ne le faisiez pas trembler un peu. Il ne causa plus avec le même entrain… « Est-il amoureux ? » disaient les commères. La vieille marquise de Clérembault, qui croyait qu'il en voulait à sa petite-fille, sortie tout chaud du Sacré-Cœur et romanesque comme on l'était alors, lui disait avec humeur : « Je ne puis plus vous sentir quand vous prenez vos airs d'Hamlet. » De sombre, il passa souffrant. Son teint se plomba. « Qu'a donc M. de Tressignies ? » disait-on, et on allait peut-être lui découvrir le cancer à l'estomac de Bonaparte dans la poitrine, quand, un beau jour, il supprima toutes les questions et inquisitions sur sa personne en bouclant sa malle en deux temps, comme un officier, et en disparaissant comme par un trou.

Où allait-il ? Qui s'en occupa ? Il resta plus d'un an parti, puis il revint à Paris, reprendre le brancard de sa vie de mondain. Il était un soir chez l'ambassadeur d'Espagne, où, ce soir-là, par parenthèse, le monde le plus étincelant de Paris fourmillait… Il était tard. On allait souper. La cohue du buffet vidait les salons. Quelques hommes, dans le salon de jeu, s'attardaient à un whist obstiné. Tout à coup, le partner de Tressignies, qui tournait les pages d'un petit portefeuille d'écaille sur lequel il écrivait les paris qu'on faisait à chaque *rob*, y vit quelque chose qui lui fit faire le « Ah ! » qu'on fait quand on retrouve ce qu'on oubliait.

« Monsieur l'ambassadeur d'Espagne, — dit-il au maître de la maison, qui, les mains derrière son dos, regardait jouer, — y a-t-il encore des Sierra-Leone à Madrid ?

— Certes, s'il y en a ! — fit l'ambassadeur. —

D'abord, il y a le duc, qui est de pair avec tout ce qu'il y a de plus élevé parmi les Grandesses.

— Qu'est donc cette duchesse de Sierra-Leone qui vient de mourir à Paris, et qu'est-elle au duc ? — reprit alors l'interlocuteur.

— Elle ne pourrait être que sa femme, répondit tranquillement l'ambassadeur. Mais, il y a presque deux ans que la duchesse est comme si elle était morte. Elle a disparu, sans qu'on sache pourquoi ni comment elle a disparu : — la vérité est un profond mystère ! Figurez-vous bien que l'imposante duchesse d'Arcos de Sierra-Leone n'était pas une femme de ce temps-ci, une de ces femmes à folies, qu'un amant enlève. C'était une femme aussi hautaine pour le moins que le duc son mari, qui est bien le plus orgueilleux des *ricos hombres*[1] de toute l'Espagne. De plus, elle était pieuse, pieuse d'une piété quasi monastique. Elle n'a jamais vécu qu'à Sierra-Leone, un désert de marbre rouge, où les aigles, s'il y en a, doivent tomber asphyxiés d'ennui de leurs pics ! Un jour, elle en a disparu et jamais on n'a pu retrouver sa trace. Depuis ce temps-là, le duc, un homme du temps de Charles Quint, à qui personne n'a jamais osé poser la moindre question, est venu habiter Madrid, et n'y a pas plus parlé de sa femme et de sa disparition que si elle n'avait jamais existé. C'était, en son nom, une Turre-Cremata, la dernière des Turre-Cremata, de la branche d'Italie.

— C'est bien cela, — interrompit le joueur. Et il regarda ce qu'il avait écrit sur un des feuillets de son calepin d'écaille. — Eh bien ! — ajouta-t-il solennellement, — monsieur l'ambassadeur d'Espagne, j'ai l'honneur d'annoncer à Votre Excellence que la duchesse de Sierra-Leone a été enterrée ce matin, et, ce dont assurément vous ne vous douteriez jamais, qu'elle a été enterrée à l'église de la Salpêtrière, comme une pensionnaire de l'établissement ! »

À ces paroles, les joueurs tournèrent le nez à leurs cartes et les plaquèrent devant eux sur la table, regardant tour à tour, effarés, celui-là qui parlait et l'ambassadeur[1].

« Mais oui ! — dit le joueur, qui *faisait son effet*, cette chose délicieuse en France ! — Je passais par là, ce matin, et j'ai entendu le long des murs de l'église un si majestueux tonnerre de musique religieuse, que je suis entré dans cette église, peu accoutumée à de pareilles fêtes... et que je suis tombé de mon haut, en passant par le portail, drapé de noir et semé d'armoiries à double écusson, de voir dans le chœur le plus resplendissant catafalque. L'église était à peu près vide. Il y avait au *banc des pauvres* quelques mendiants, et çà et là quelques femmes, de ces horribles lépreuses de l'hôpital qui est à côté, du moins de celles-là qui ne sont pas tout à fait folles et qui peuvent encore se tenir debout. Surpris d'un pareil personnel auprès d'un pareil catafalque, je m'en suis approché, et j'ai lu, en grosses lettres d'argent sur fond noir, cette inscription que j'ai, ma foi ! copiée, de surprise et pour ne pas l'oublier :

CI-GÎT
SANZIA-FLORINDA-CONCEPCION
DE TURRE-CREMATA,
DUCHESSE D'ARCOS DE SIERRA-LEONE,
FILLE REPENTIE,
MORTE À LA SALPÊTRIÈRE, LE...
REQUIESCAT IN PACE !

Les joueurs ne songeaient plus à la partie. Quant à l'ambassadeur, quoiqu'un diplomate ne doive pas plus être étonné qu'un officier ne doive avoir peur, il sentit que son étonnement pouvait le compromettre :

« Et vous n'avez pas pris de renseignements ?...
— fit-il, comme s'il eût parlé à un de ses inférieurs.
— À personne, Excellence, — répondit le joueur.
— Il n'y avait que des pauvres ; et les prêtres, qui
peut-être auraient pu me renseigner, chantaient
l'office. D'ailleurs, je me suis souvenu que j'aurais
l'honneur de vous voir ce soir.

— Je les aurai demain », fit l'ambassadeur. Et la
partie s'acheva, mais coupée d'interjections, et chacun si préoccupé de sa pensée, que tout le monde fit
des fautes parmi ces forts *whisteurs*, et que personne
ne s'aperçut de la pâleur de Tressignies, qui saisit
son chapeau et sortit, sans prendre congé de personne.

Le lendemain, il était de bonne heure à la Salpêtrière. Il demanda le chapelain, — un vieux
bonhomme de prêtre, — lequel lui donna tous les renseignements qu'il lui demanda sur le n° 119 qu'était
devenue la duchesse d'Arcos de Sierra-Leone. La
malheureuse était venue s'abattre où elle avait prévu
qu'elle s'abattrait... À ce jeu terrible qu'elle avait joué,
elle avait gagné la plus effroyable des maladies. En
peu de mois, dit le vieux prêtre, elle s'était cariée
jusqu'aux os... Un de ses yeux avait sauté un jour
brusquement de son orbite et était tombé à ses pieds
comme un gros sou... L'autre s'était liquéfié et
fondu... Elle était morte[1] — mais stoïquement —
dans d'intolérables tortures[1]... Riche d'argent encore
et de ses bijoux, elle avait tout légué aux malades,
comme elle, de la maison qui l'avait accueillie, et pres-
crit de solennelles funérailles. « Seulement, pour se
punir de ses désordres, — dit le vieux prêtre qui
n'avait rien compris du tout à cette femme-là, — elle
avait exigé, par pénitence et par humilité, qu'on mît
après ses titres, sur son cercueil et sur son tombeau,
qu'elle était une FILLE... REPENTIE.

» Et encore, ajouta le vieux chapelain, dupe de la confession d'une pareille femme[1], par humilité, elle ne voulait pas qu'on mît « repentie ».

Tressignies se prit à sourire amèrement du brave prêtre, mais il respecta l'illusion de cette âme naïve.

Car il savait, lui, qu'elle ne se repentait pas, et que cette touchante humilité était encore, après la mort, de la vengeance !

DOSSIER

CHRONOLOGIE

1808. 2 novembre. Naissance à Saint-Sauveur-le-Vicomte de
Jules-Amédée Barbey : « Je suis venu au monde un
jour d'hiver sombre et glacé, le jour des soupirs et des
larmes... » Son père appartenait à une famille installée
en Normandie depuis des siècles, famille paysanne,
puis de petite robe, anoblie par l'achat d'une charge en
1756. Sa mère, Ernestine Ango, était la fille du dernier
bailli de Saint-Sauveur. L'atmosphère familiale était
austère, janséniste : « Une éducation compressive avait
pesé sur moi sans me briser. »

1816. Théophile Barbey tente en vain d'obtenir l'admission
de son fils dans une école militaire. L'enfant et ses
trois frères sont confiés à un précepteur. Sans que l'on
soit très bien renseigné, il semble que le futur écrivain
poursuive ses études au collège de Valognes. Il habite
alors chez son oncle, le docteur Pontas-Duméril ;
« esprit hardi et vigoureux », dira de lui son neveu, qui
l'a peint dans une des *Diaboliques*, sous les traits du
docteur Torty. Pontas-Duméril a une grande influence
sur le jeune homme ; libéral, incroyant, il l'aide sans
doute à se libérer de l'influence paternelle ; il lui fait
aussi découvrir les « dessous de cartes » de la société
valognaise, thèmes de futures *Diaboliques*.

1827. Barbey vient achever ses études à Paris, au collège Stanislas.

1829. Pourvu du titre de bachelier, Jules Barbey revient à
Saint-Sauveur ; les vacances sont orageuses ; le jeune

homme a pris, depuis quelques années, des positions politiques et religieuses tout opposées à celles de sa famille ; il voudrait aussi, contre la volonté de son père, faire une carrière militaire ; son frère Édouard rompt à cette époque avec ses parents et s'engage. Jules cède et accepte de faire son droit à Caen.

1830-1831. Liaison avec Louise Cantru des Costils, qui vient d'épouser Alfred du Méril, cousin germain de Barbey « ... Époque de ma vie — dira-t-il — la plus malheureuse, au moins la plus tempestueusement agitée. » Rencontre avec Guillaume-Stanislas Trebutien, alors libraire à Caen, qui devient vite un ami intime. Barbey écrit sa première nouvelle, *Le Cachet d'onyx*.

1832. Il compose *Léa*, fonde avec Trebutien et Edelestand du Méril une revue libérale. *La Revue de Caen* ; le premier numéro paraît le 30 octobre ; il contient *Léa* et quelques articles politiques ; la revue disparaît aussitôt.

1833. Il s'installe à Paris ; durant les années suivantes, il vit tantôt à Paris, tantôt en Normandie, et dilapide très vite la fortune que lui a laissée son grand-oncle et parrain, Lefebvre de Montressel. Dans les années qui suivent, Barbey fait plusieurs tentatives dans le journalisme, collabore au *Nouvelliste*, au *Globe*, tente d'entrer au *Journal des Débats*, Il écrit *La Bague d'Annibal*, *L'Amour impossible*.

1845. Publication d'un essai *Du dandysme et de George Brummell*. Barbey commence *Une vieille maîtresse*.

1846. La fondation avec un groupe d'amis, rencontrés dans le salon de Mme de Maistre, de la *Société catholique*, précipite une évolution commencée depuis longtemps ; la lecture de Joseph de Maistre, l'influence du salon de Mme de Maistre, l'évolution même de Barbey le rapprochaient des positions politiques et religieuses de sa jeunesse. Barbey se convertit, intellectuellement du moins ; il attendra presque dix ans avant de pratiquer. En septembre, en vue de la fondation de cette *Société*, Barbey fait un voyage dans le centre de la France. Il restera plusieurs semaines à Bourg-Argental, dont il fait le cadre d'*Une histoire sans nom*.

1848. Barbey, que la révolution n'a pas trop effrayé d'abord, est vite déçu et rejeté dans l'opposition. Les derniers mois de 1848, l'année 1849, sont pour lui une époque d'agitation et de solitude. « Je travaille beaucoup, je suis un stylite, un Fakir de solitude. » Il prépare les *Prophètes du passé*, achève *Une vieille maîtresse*, conçoit l'idée d'une série de romans normands pour lesquels il prend des notes et qui devaient porter le titre collectif d'*Ouest*. Il écrit encore « Le Dessous de cartes d'une partie de whist », qui prendra place dans *Les Diaboliques*, et commence peut-être *L'Ensorcelée*.

1850. Collaboration à *La Mode*, journal légitimiste.

1851. Collaboration à *L'Assemblée nationale*. Publication presque simultanée d'*Une vieille maîtresse* et des *Prophètes du passé*.

1852. Barbey se rallie à Louis-Napoléon et fait dans *Le Public* une assez vive campagne pour le rétablissement de l'Empire. Il entre au *Pays* où il fera la critique littéraire pendant plus de dix ans.

1854. Publication de *L'Ensorcelée*.

1855. Retour à la pratique religieuse.

1856. Réconciliation avec ses parents ; séjour en Normandie, où il n'était pas revenu depuis 1838.

1858. Fondation, avec Granicr de Cassagnac, du *Réveil*, journal littéraire, catholique et gouvernemental. Barbey, par ses articles, se fait bien des ennemis : Sainte-Beuve, avec qui il rompra définitivement quelques années plus tard. Pontmartin, le critique légitimiste, Veuillot, avec qui il maintiendra toutefois les apparences...
12 février : Mort d'Ernestine Barbey, mère de l'écrivain. Deuxième édition d'*Une vieille maîtresse* qui fait alors scandale.

1862. Articles contre *Les Misérables*, qui font scandale. Rupture avec *Le Pays*, à la suite d'un article contre Sainte-Beuve. « J'ai un fier mal au cœur de tout cela et je voudrais pouvoir aller me livrer aux charmes de la misanthropie et du mépris dans quelque coin... » Barbey se réfugie à la Bastide-d'Armagnac, auprès de Mme de Bouglon. Il revient au roman, travaille au *Chevalier des Touches* et au *Prêtre marié*.

1863. Collaboration au *Figaro*. Un article contre Buloz et *La Revue des Deux Mondes* entraîne un procès que perd Barbey.

Collaboration au *Nain Jaune* ; y paraissent les *Quarante médaillons de l'Académie*, et, en feuilleton, *Le Chevalier des Touches*.

1864. Publication du *Chevalier des Touches*.

1865. Publication d'*Un prêtre marié*. Collaboration au *Nain Jaune*.

1866. Barbey travaille aux *Diaboliques*. Jusqu'à 1870, il collabore à des petits journaux. En 1869, il devient critique au *Constitutionnel* : « Je remplace Sainte-Beuve... » dira-t-il.
Plan des *Diaboliques*.

1867. Publication de « Le Plus Bel Amour de Don Juan ».

1868. En Normandie, Barbey travaille aux *Diaboliques*.

1871. Dès la fin du siège, d'Aurevilly quitte Paris. Il passe quelques semaines à Saint-Sauveur ; contraint pour payer les dettes de son père de vendre ses terres et ses maisons, il s'installe à Valognes. « J'ai quitté Saint-Sauveur... qui sait ? peut-être pour toujours... des trois maisons que nous avions à Saint-Sauveur et dans lesquelles a passé le rêve turbulent de nos enfances, il n'y a plus une poutre à nous, sous laquelle nous puissions nous abriter. Il n'est pas probable que le vent du soir de la vie, qui va souffler, rapporte la feuille arrachée que je suis au tronc qui ne lui appartient plus » (9 octobre). À Valognes, où « il se noie de mélancolie », il achève *Les Diaboliques*.

1872. Retour à Paris. Polémiques au *Figaro*, au *Gaulois*.

1873. Barbey reprend son feuilleton au *Constitutionnel*.

1874. Publication des *Diaboliques*. Menace de procès ; l'ouvrage sera retiré de la vente.
Dans les années qui suivent, Barbey fait surtout de la critique, et commence à écrire sans doute *Une histoire sans nom*.

1880. Composition d'*Une histoire sans nom*. Dernières polémiques dans le légitimiste *Triboulet*. On demande vite à Barbey de se cantonner dans la littérature. Il rompt avec les milieux royalistes : « Ah ! nous appartenons à de jolis partis. Qu'y a-t-il de plus bête que les royalistes, si ce n'est les catholiques ? » (Lettre de 1880).
Septembre-octobre : Séjour à Valognes, où Barbey travaille à ses romans.

1882. Publication d'*Une histoire sans nom*, et d'*Une page d'Histoire*. Réédition des *Diaboliques*.

Dans les années qui suivent, Barbey ne publie plus que quelques articles. Il rassemble ses articles anciens dans les recueils des *Œuvres et les hommes*, dont le onzième volume paraîtra en 1889.

1889. Barbey meurt le 23 avril.

La genèse des « Diaboliques »

On sait que le titre du recueil fut choisi tardivement et à une époque où, si l'on en croit Barbey, cinq nouvelles étaient déjà écrites. Le premier titre, qu'il rature dans le plan de 1866 (v. ci-après, p. 360) était « Ricochets de conversation ». Le manuscrit du « Rideau cramoisi » le porte encore en sous-titre, « Le Dessous de cartes » a paru sous ce titre, mais, en 1867, « Le Plus Bel Amour de Don Juan » est donné sous l'indication : *Les Diaboliques*.

Ce premier titre indique l'importance des problèmes techniques, de ce jeu où figure un auditoire et où les interlocuteurs interviennent. Il semble qu'il y ait là une influence balzacienne et que Barbey ait lu « Une conversation entre onze heures et minuit » publiée par Balzac dans les *Contes bruns* ; reliés par le fil de la causerie, une dizaine de récits, plus tard repris dans d'autres œuvres. Le début du texte de Balzac paraît inspirer assez directement le prélude du « Dessous de cartes ». Il est vrai que Barbey, naturellement, aimait à « conter », mais avant 1849, date où il écrit ce récit, il n'a guère utilisé systématiquement ce procédé et l'on sait qu'il lit alors tout Balzac. Seules deux nouvelles ne seront pas mises en scène de cette manière : « À un dîner d'athées » et « La Vengeance d'une femme », encore qu'elles comportent de longs récits.

Barbey pousse à la limite ce procédé, cherchant à créer entre la « mise en scène » et le récit un rapport profond : « Le Dessous de cartes » est conté dans un salon, « Le Plus Bel

Amour de Don Juan » a pour cadre un boudoir, la présence
des fauves est indispensable au « Bonheur dans le crime » ; à
cet égard « Le Rideau cramoisi » et « À un dîner d'athées »
sont de remarquables réussites, tant le cadre s'accorde ou
contraste heureusement avec « l'histoire ». Un véritable jeu
de miroir renvoie souvent de cette histoire au cadre (voir les
notes), accentuant ainsi l'unité profonde de chaque œuvre.
Enfin, le mouvement sinueux de la conversation, je l'ai montré, dans l'*Introduction*, permet un effet de révélation progressive auquel l'écrivain attache une grande importance.

Un autre élément important intervient. Chacune des *Diaboliques* manifeste une opposition profonde à l'époque. Elles
furent écrites — mis à part « Le Dessous de cartes » — pendant l'une des périodes les plus difficiles de la vie de Barbey.
L'inquiétude que fait naître l'évolution de l'Empire, des circonstances personnelles aussi accentuent vers 1863, 1864 le
mouvement qui le dresse contre son temps. Et l'on décèle
aisément l'angoisse dans les articles de polémique qu'il écrit
alors. La défaite de 1870, le rétablissement de la République
l'affectent profondément. C'est en Normandie, où il s'est
enfui dès la fin du siège, qu'il achèvera *Les Diaboliques*. (« Le
Dessous de cartes » a été écrit au cours d'une autre période
de fuite, entre la révolution de 1848 et le moment où l'élec-
tion de Louis-Napoléon le rassure, provisoirement.)

S'opposant à son temps, l'écrivain se tourne vers ses souvenirs. On a cherché des sources à ces récits. J'ai signalé, dans
les notes, que l'on avait pu identifier tel ou tel personnage :
un certain vicomte de Bonchamp, modèle de Brassard ; la
baronne de Maistre, qui apparaît dans deux récits... On voit
bien, à propos de cette dernière, que Barbey a rêvé sur une
situation toute différente. Une anecdote racontée par un de
ses amis lui a fourni le départ du « Bonheur dans le crime ».
On a pu croire aussi que certains « scandales » dont il aurait
entendu parler dans sa jeunesse, lui auraient fourni des
sujets. Lorsque « Le Dessous de cartes » parut en 1850, un de
ses cousins, Edelestand du Méril, s'en fâcha, l'héroïne, la
comtesse du Tremblay de Stasseville, étant « copiée » sur une
personne qu'il aurait connue, Mme du Poirier de Franque-
ville. Barbey répliquera qu'il ne « savait rien ». « Toutes mes
situations sont inventées. Tous les faits aussi, excepté le cadavre dans la jardinière, qui est un fait dont *j'ai été le témoin* et

qui appartient à la vie d'une autre femme... » Et plus clairement : « Il a vu des *indiscrétions*, là où il n'y avait que des
points de souvenir entre lesquels j'avais tissé une trame de
suppositions pathétiques... » Rien n'indique mieux la part de
la rêverie dans la création aurevillienne, rêverie qui l'entraîne
beaucoup plus loin (voir l'*Introduction*).

La composition

On ne peut guère dater chacune des nouvelles. « Le Dessous
de cartes d'une partie de whist » a paru en 1850, « Le Plus Bel
Amour de Don Juan » en 1867. D'autres à cette date étaient
écrites. Dans les *Disjecta membra*, carnets de notes que tenait
Barbey, on trouve à la date de décembre 1866, avec l'indication *Ricochets de conversation* raturée et remplacée par *Les
Diaboliques*, le titre de dix nouvelles :
*1. Le Rideau cramoisi. 2. Le Dessous de cartes d'une partie
de whist (déjà publié). 3. Le Plus Bel Amour de Don Juan. 4.
Entre adultères (à faire). 5. Les deux vieux hommes d'État de
l'amour (à faire). 6. Le Bonheur dans le crime. 7. L'Honneur des
femmes. 8. Madame Henri III (à faire). 9. L'Avorteur (à faire).
10. Valognes (à faire).*
Si l'on en croit cette liste (en admettant que « L'Honneur
des femmes » soit devenu « La Vengeance d'une femme »), seul
resterait alors à écrire « À un dîner d'athées ». Mais Barbey a
trop souvent annoncé comme achevée une œuvre ébauchée
pour que l'on n'ait pas quelque doute. Il est assez probable
qu'il a repris, achevé, certaines nouvelles, assez tard, en 1871
ou au début de 1872.

La publication et le procès

Lorsque Barbey revient à Paris en 1872, sa situation littéraire est assez solide ; plusieurs de ses romans sont réédités
et il vend sans difficulté ses *Diaboliques*. L'ouvrage, un peu
retardé, paraît en novembre 1874. On verra en comparant les
deux préfaces (la première est en note) que Barbey n'était pas
sans inquiétude sur l'accueil que l'on ferait à son livre ; aussi

ajoute-t-il à la préface composée dès 1870 une « justification morale ».

Dès 1850, il avait esquissé cette défense pour répondre à du Méril et à son ami Trebutien, qui lui reprochaient « Le Dessous de cartes » :

« Relisez ma nouvelle. Vous n'y trouverez pas un mot qui soit de nature à diminuer l'horreur qu'inspire cette passion souterraine de la comtesse de Stasseville, révélée par cet effroyable dénouement et révélée par *cela seul*. La passion a des éloquences quand elle parle et quand elle se raconte, elle a des fascinations, mais ici la passion est muette. On la raconte sans entrer en elle. On en parle avec un frissonnement tragique. »

On pourrait longuement discuter cette défense. L'essentiel est d'insister sur le sérieux et la conviction de Barbey et sur l'honnêteté avec laquelle il applique ce critère aux œuvres dont il parle. Mais profondément et à juste titre, sans le voir toujours clairement, il déplace un peu le problème : si l'œuvre est belle, ce problème ne se pose plus. Un de ses amis écrivit : « C'est un livre d'artiste et de l'art le plus sincère et le plus rare ; il faut le tenir comme tel et ne pas lui demander davantage… » L'auteur le remercia de cette défense.

L'époque était austère, on était, dira Bloy, « en pleine effervescence des pèlerinages propitiatoires, des comités catholiques et royaux pour organiser l'ordre moral et régénérer la patrie ». Et sans doute certains trouvèrent-ils amusant d'opposer Barbey à lui-même, en apparence, en insistant sur son catholicisme : « Que dites-vous des *bons livres* qu'enfante un des champions du trône et de l'autel ? » écrivait un rédacteur du *Charivari*.

Cet article, dit-on, attira l'attention de la Justice. Le Parquet fit saisir le 11 décembre 1874 tous les exemplaires restants de l'ouvrage. Barbey revint de Normandie, fit intervenir tous ses amis, et même Gambetta. Après quelques semaines, un non-lieu fut prononcé, mais les exemplaires saisis furent détruits et l'ouvrage ne fut réédité qu'en 1882.

L'attitude de l'écrivain peut paraître étrange. Il s'attendait à ce scandale et, d'une certaine manière, l'avait cherché. Mais ce provocateur était un timide. Il préféra céder que risquer un procès, moins par peur de la condamnation elle-même que par un mouvement plus obscur, une sorte d'affolement.

BIBLIOGRAPHIE

Pour une bibliographie plus complète, on se reportera à :

J.-P. Seguin : *Barbey d'Aurevilly, Études de bibliographie critique*, Avranches, s.d. (1949). (Œuvres de Barbey, articles et ouvrages sur lui, avec une courte analyse critique.)

J. Petit, P. J. Yarrow : *Barbey d'Aurevilly, journaliste et critique, bibliographie*, Annales littéraires de l'Université de Besançon, 1959. (Articles publiés par Barbey.)

J. Petit : *Barbey d'Aurevilly critique*.

LES DIABOLIQUES

Le Dessous de cartes d'une partie de whist a paru dans *La Mode* en 1850 et fut repris avec *L'Ensorcelée*, en 1855 et 1859.

Le Plus Bel Amour de Don Juan a paru dans *La Situation* en novembre 1867.

Les Diaboliques, Paris, Dentu, 1874, édition originale en partie détruite sur ordre du Parquet.

Les Diaboliques, Paris, Lemerre, 1882.

Parmi les nombreuses rééditions, citons :

Les Diaboliques, Introduction de Léon Gosset, Paris, Mercure de France, 1939.

Les Diaboliques, Introduction et notes de J.-P. Seguin, Club français du livre, 1955.

Les Diaboliques, Édition de J.-H. Bornecque, Paris, Garnier, 1963.

ŒUVRES ROMANESQUES

Barbey d'Aurevilly, *Œuvres romanesques complètes*, Bibliothèque de la Pléiade, 2 vol. (cette édition comprend également les *Memoranda*, *Du Dandysme et de George Brummell*, *Poésies*, *Rythmes oubliés*).

RECUEILS D'ARTICLES

Les Œuvres et les Hommes, 26 volumes.
Le Théâtre contemporain, 5 volumes.
Dernières Polémiques, Paris, Savine, 1891.
Goethe et Diderot, Paris, Dentu, 1880.
Polémiques d'hier, Paris, Savine, 1889.
Les Prophètes du passé, Paris, Hervé, 1851.
Les Ridicules du temps, Paris, Rouveyre, 1883.
Les Quarante Médaillons de l'Académie française, Paris, Dentu, 1864.
Victor Hugo, Paris, Crès, 1922.
Les Vieilles Actrices, le Musée des Antiques, Paris, Librairie des auteurs modernes, 1884.
Articles inédits (1852-1884). Annales littéraires de l'Université de Besançon, Les Belles-Lettres, 1972.
Premiers articles (1832-1852), id. 1973. Établis par Andrée Hirschi et Jacques Petit.

CHOIX DE TEXTES

Le XIXᵉ siècle, *Des œuvres et des hommes*, 2 vol., Mercure de France, 1964, 349 p., 1966, 366 p.

CORRESPONDANCES

Lettres à Léon Bloy, Paris, Mercure de France, 1903.
Lettres à une amie, Paris, Mercure de France, 1907.
Lettres à Trebutien, Paris, Bernouard, 1927, 4 volumes.
Lettres intimes, Paris, Édouard-Joseph, 1921.
Lettres et fragments, Paris, Aubier, 1958.
Un carnet de notes de Barbey a également été publié : *Disjecta Membra*, 2 volumes, la Connaissance, 1925.
Correspondance générale (1824-1888), Belles Lettres, 9 vol. 1980-1989.

ÉTUDES

A. Bellessort : *Barbey d'Aurevilly, Revue hebdomadaire*, 25 avril, 1er mai, 16 mai, 23 mai 1931.

Ph. Berthier : *Barbey d'Aurevilly et l'Imagination*, Genève, Droz, 1978.

A. Besus : *Barbey d'Aurevilly*, Éditions universitaires, 1957, 125 p.

J.-P. Bonnes : *Le Bonheur du masque*, petite introduction aux romans de Barbey d'Aurevilly, Casterman, 1947, tome VIII, 124 p. Contient une préface de A. Beguin.

J.-H. Bornecque. *Paysages extérieurs et monde intérieur dans l'œuvre de Barbey d'Aurevilly*, Publication de la Faculté des lettres de Caen, 1968.

J.-P. Boucher : « *Les Diaboliques* de Barbey d'Aurevilly », Presses de l'Université du Québec, 1976.

Ch. Buet : *Impressions et Souvenirs*, Paris, Savine, 1891, 468 p.

J. Canu : *Barbey d'Aurevilly*, Laffont, 1945, 491 p.

F. Clerget : *Barbey d'Aurevilly*, Falque, 1909, 346 p.

P. Colla : *L'Univers tragique de Barbey d'Aurevilly*, La Renaissance du livre, Bruxelles, 1965, 192 p.

R. Cornilleau : *Barbey d'Aurevilly et la médecine*, Paris, Spes, 1933, 144 p.

M. Crouzet : « Barbey d'Aurevilly et "l'esprit" dans *Les Diaboliques* », in *Barbey d'Aurevilly cent ans après* (sous la direction de Ph. Berthier), Genève, Droz, 1990.

J. Gautier : *Barbey d'Aurevilly, ses amours, son romantisme*, Paris, Tequi, 1962, 252 p.

A. Giard : « Le récit lacunaire dans *Les Diaboliques* », *Poétique*, n° 41, 1980.

E. de Gramont : *Barbey d'Aurevilly*, Paris, 1946, 245 p.

E. Grele : *Barbey d'Aurevilly, sa vie, son œuvre*, Caen, 1902, 2 vol.

H. Hofer : *Barbey d'Aurevilly romancier*, Berne, 1975.

P. Klossowski : *Un si funeste désir*, Gallimard, Blanche, 1987 ; L'Imaginaire, 1994.

F. Laurentie : *Sur Barbey d'Aurevilly*, Paris, Émile-Paul, 1912.

P. Leberruyer : *Au pays de Barbey d'Aurevilly*, éd. Bellée, Coutances, s.d.

Y. Leclerc : *Crimes écrits : la littérature en procès au XIXᵉ siècle*, Plon, 1991.

A. Marie : *Le Connétable des Lettres, Barbey d'Aurevilly*, Mercure de France, 1939.

F. McIntosch : *La Vraisemblance narrative : Walter Scott, Barbey d'Aurevilly*, Presses de la Sorbonne nouvelle, 2002.

B. de Montrond : *La Culpabilité dans l'œuvre de Jules Barbey d'Aurevilly*, Dactylo-Sorbonne, 1962, 91 p.

J. Petit : « La Famille de Barbey d'Aurevilly, Légendes et réalités ». *Revue de la Manche*, avril 1963.

J. Petit : *Barbey d'Aurevilly, critique*, Annales littéraires de l'Université de Besançon, Les belles Lettres, 1963, 770 p.

J. Petit : *Essais de lecture des* Diaboliques *de Barbey d'Aurevilly*, Lettres modernes Minard, 1975.

H. Queru : *Le Dernier Grand Seigneur, Barbey d'Aurevilly*, Éditions de Flore, 1946, 285 p.

B. G. Rogers : *The Novels and Stories of Barbey d'Aurevilly*, Genève, Droz, 1967.

B. Rogers : *Proust et Barbey d'Aurevilly : le dessous des cartes*, préface de Ph. Berthier, Honoré Champion, 2000.

H. Schwartz : *Idéologie et art romanesque chez Barbey d'Aurevilly*, Fink, Munich, 1971.

J.-P. Seguin : *Barbey d'Aurevilly, Documents iconographiques*, Cailler, Genève, 1961.

E. Seillière : *Barbey d'Aurevilly, ses idées, son œuvre*, Paris, Bloud et Cie, 1910, 288 p.

J. Verrier : « Les dessous d'une Diabolique », *Poétique*, 9.

P. J. Yarrow : *La Pensée politique et religieuse de Barbey d'Aurevilly*, Droz, 1961, 252 p.

Barbey d'Aurevilly, numéro annuel de la *Revue des Lettres modernes*, sous la direction de J. Petit. (1. *Paysages romanesques*, 1966 ; 2-3. *Les obsessions du romancier*, 1967 et 1968 ; 4. *Techniques romanesques*, 1969 ; 5. *Les Maîtres*, 1970 ; 6. *Influences*, 1971 ; 7. *L'Art*, 1972 ; 8. *Création et critique*, 1973.)

Revue des lettres modernes, n° 9, série Barbey d'Aurevilly, « L'histoire des *Diaboliques*, 1874-1974 », Minard, 1974.

NOTES

PRÉFACE

Page 23.

1. On connaît une autre préface, datée de décembre 1870, qui se trouve dans les *Disjecta Membra*, carnets de notes de Barbey :

Pourquoi Les Diaboliques *?*
Est-ce pour les femmes qui sont ici ?
Ou pour les femmes de ces histoires ?
Qui sait ?
Les Histoires sont vraies. Rien d'inventé. Tout vu. Tout touché du coude ou du doigt. Il y aura certainement des têtes vives, montées par ce titre de Diaboliques, *qui ne les trouveront pas aussi* diaboliques *qu'elles ont l'air de s'en vanter. Elles s'attendaient à des inventions, à des complications, à des recherches, à des raffinements, à tout le* tremblement *du mélodrame moderne, qui se fourre partout, même dans le roman : quelque chose comme les* Mémoires du Diable *qui n'ont donné à leur auteur qu'une peine du Diable. Mais* Les Diaboliques *ne sont point des diableries, ce sont des diaboliques : des histoires réelles de ce temps civilisé et si divin que, quand on s'avise de les écrire, il semble que ce soit le Diable qui ait dicté... Le Diable est comme Dieu. Le manichéisme qui est la souche de toutes les grandes hérésies du Moyen Âge, le manichéisme n'est pas si bête ! Malebranche disait que Dieu se reconnaissait à l'emploi des moyens les plus simples.* Le Diable aussi.
Quant aux femmes de ces histoires, pourquoi ne seraient-

elles pas les diaboliques *? N'ont-elles pas assez de diabolisme en leur personne pour mériter ce doux nom-là ?... Diabolique, il n'y en a pas une seule ici qui ne le soit à quelque degré. Il n'y en a pas une seule à qui on puisse dire le mot de « mon ange » sans exagérer. Comme le Diable qui était un ange aussi, mais qui a culbuté, si elles sont des anges encore, c'est la tête en bas, le reste... en haut ! Pas une ici qui soit pure, vertueuse, innocente. Monstres même à part, elles présentent un effectif de bons sentiments et de moralité bien peu considérable. Elles pourraient donc s'appeler* Diaboliques *sans l'avoir volé. On a voulu faire un petit Musée de ces Dames, en attendant qu'on fasse le Musée, encore plus petit, des Dames qui leur font pendant et contraste dans la société, car toutes choses sont doubles. L'Art a deux lobes, comme le cerveau. La Nature ressemble à ces femmes qui ont un œil bleu et un œil noir. Voici l'œil noir, dessiné à l'encre... de la* petite vertu. *Oh ! de la plus petite qu'on ait pu trouver !*

On donnera peut-être l'œil bleu, plus tard, si on trouve du bleu assez pur. Mais y en a-t-il ?

En ce cas-là, après Les Diaboliques *viendraient* Les Célestes.

Entre ce texte et celui de 1874, toute la différence est dans la « justification » morale de la peinture ; ce qui ne veut pas dire nécessairement que Barbey imagine cette justification *a posteriori* ; mais au moins qu'il pressent le scandale et, après avoir tout fait pour le provoquer, soudain le redoute.

Page 25.

1. Faut-il rappeler que Barbey n'a jamais tenté d'écrire « Les Célestes », pas plus qu'il n'a écrit les six autres *Diaboliques* qu'il annonce. La liste de 1866 (voir *Notice*) comprend, il est vrai, dix titres.

LE RIDEAU CRAMOISI

Page 27.

1. Il y eut en effet un modèle probable, le vicomte de Bon-champ, que Barbey connut vers 1836-1838. Mais il joue ici à intriguer son lecteur. La *vérité* de l'histoire est un des éléments du jeu, garantie contre le reproche d'*invraisemblance* ; ce qui a un sens à la date où sont publiées ces nouvelles.

Page 28.

1. Même jeu que pour Brassard. La marquise du Vallon était connue vers 1840, pour ses aventures assez nombreuses.

Page 29.

1. Sans doute faut-il comprendre qu'il avait la fougue de Murat et le sang-froid de Marmont.

Page 34.

1. Cette opposition entre le « héros » tel qu'il apparaît — tel qu'il est peint au début du récit — et ce qu'il est — ce que le récit le révèle, est un des mouvements extérieurs les plus nets de toutes ces nouvelles. Voir l'*Introduction*.

Page 35.

1. Nicolas Ier, empereur de Russie (1796-1855).

2. Détail curieux, car on sait que Barbey se teignait les cheveux et la moustache.

Page 38.

1. Cette rêverie rappelle des thèmes baudelairiens. Voir dans *Le Spleen de Paris*, « Les Fenêtres ».

Page 41.

1. Barbey note dans ses *Disjecta Membra* : Goethe disait : « La situation la plus élevée de l'esprit est l'étonnement. »

Page 42.

1. Cette notation appelle le finale : le récit terminé, la vie reprend ; comme si ce récit se situait hors du temps.

2. En dépit d'un certain nombre d'indications éparses dans la nouvelle, la chronologie ne peut guère être fixée. D'après l'allusion finale à la bataille de Leipzig, l'histoire se passe en 1812-1813, le voyage se situerait donc vers 1848. Mais Barbey a dit avoir connu Brassard « quinze ans » après 1830 et l'avoir longtemps perdu de vue... Ces détails n'ont pour lui aucun intérêt.

3. Dans ses *Lettres et Mémoires*, le maréchal de Saxe expose ses idées sur l'art militaire. Mais il est aussi célèbre par ses aventures amoureuses.

Page 43.

1. Ville des Pays-Bas, célèbre pour les sièges qu'elle a soutenus, prise par les Français en 1747.

Page 44.

1. Voir p. 34, n. I, et à la fin le rappel de cette réflexion.

Page 45.

1. On notera la lenteur voulue ; un tiers de la nouvelle sert de prélude, et le récit de Brassard va comporter un prélude également fort long.

Page 46.

1. Boulevard des Italiens, appelé ainsi en 1815, parce que les Royalistes s'y retrouvaient : Louis XVIII était alors réfugié à Gand.

Page 47.

1. L'atmosphère de cette petite ville est celle de Valognes, que Barbey a bien connue. Les précisions de lieux l'intéressent aussi peu que celles de temps : d'après les indications données sur le parcours de la diligence, l'action se situerait à Évreux.

Page 55.

1. Ce n'est pas seulement une habileté de « conteur » que d'annoncer ainsi l'épisode important. Barbey marque le rythme de la nouvelle, faite de longues analyses ou de lents récits, coupés par *trois* épisodes seulement : le premier geste de séduction, la première visite nocturne d'Alberte, la mort.

Page 62.

1. Ces interruptions (il y en aura une seconde après le récit de la première visite nocturne) rappellent le projet primitif, les « Ricochets de conversation » ; elles ont surtout pour but de ralentir encore le mouvement, très ostensiblement maladroites.

Page 68.

1. Tous ces détails ont une grande importance : le lit aux têtes de sphinx et le buste de Niobé se trouvaient dans la cham-

bre de la *mère* de Barbey ; ce qui réintroduit dans ce récit la présence d'une image maternelle menaçante. On pourrait noter que le même décor (avec le canapé bleu) a été utilisé dans un roman de jeunesse, tardivement publié, *Ce qui ne meurt pas*, et dont le thème est très clairement incestueux.

Page 70.

1. Cette impression de peur est fondamentale, non seulement pour cette nouvelle. Barbey analyse d'ailleurs plus loin le rôle du danger dans le bonheur.

Page 71.

1. Rappel insistant de la séduction par la femme, mouvement que l'on retrouve dans toutes *Les Diaboliques*

Page 74.

1. Cette image insistante (toutes les femmes dans ces nouvelles sont des « sphinx ») est à la fois banale et superficielle. Son rôle par contre est important : il y a un « secret » que le narrateur semble nous promettre et qu'il ne nous révélera pas.

Page 75.

1. Autre thème constant qu'illustreront « Le Dessous de cartes d'une partie de whist » et « Le Bonheur dans le crime »...

Page 77.

1. Voir, p. 61, une interruption identique.

Page 78.

1. Régiment célèbre de hussards, qui s'illustra sous l'Empire.
2. Le Poul-Sherro où, selon la mythologie persane, se fait la séparation des bons et des méchants.

Page 79.

1. Aboutit ici l'un des mouvements profonds de la nouvelle : le rêve de puissance virile, que traduit plus superficiellement le portrait de Brassard. Il se mêle au thème de mort, qui le contredit. Voir *Introduction*.

Page 81.

1. Barbey n'ose peut-être pas citer ici la Bible ; il se souvient vraisemblablement d'Élie ressuscitant ainsi le fils de la veuve *(Livre des Rois, I, 17).*

Page 85.

1. Les explications de Brassard sont évidemment invraisemblables. Mais l'important est que le récit nous laisse sur une « déception ». Tous les détails qui suivent vont nous ramener au début.

Page 87.

1. Cf. p. 44.
2. C'est, après les notations d'immobilité et de silence, le retour à la vie, comme si rien ne s'était passé... On notera aussi la rapidité de ce finale, qui contraste avec la lenteur du début.

LE PLUS BEL AMOUR DE DON JUAN

Page 89.

1. Sans doute faut-il comprendre « anonyme » et attribuer la formule à Barbey.
2. Restaurant fort à la mode de 1840 à la fin du Second Empire ; il se trouvait boulevard des Italiens.

Page 90.

1. Arnaud de Brescia vivait vers 1100. Le mot que cite Barbey est de saint Bernard.
2. Ce premier prologue (il y en a plusieurs, comme dans « Le Rideau cramoisi ») est écrit sur un ton badin, apparemment. Ce reproche lui donne son sens véritable. Pour ce thème de la profanation (apparu plusieurs fois déjà dans « Le Rideau cramoisi »), voir « À un dîner d'athées ».
3. Mille trois, nombre auquel la légende fixe les conquêtes de Don Juan.

Page 91.

1. Si Ravila et Ravilés ne sont que des jeux de mots, les prénoms sont ceux de Barbey.

Page 92.

1. Barbey, qui a fait de Brassard un « vieux beau », peint Don Juan âgé. Il a lui-même soixante ans quand il écrit cette nouvelle et se laisse entraîner par l'évocation de la vieillesse.

Page 96.

1. C'est à cette phrase que songeait Gide en parlant de cette « conception du péché-sorbet » qui fut, dit-il, celle de Barbey d'Aurevilly (*Journal*, Pléiade, p. 298). En réalité, elle vient de Stendhal ; mais Barbey la reprend volontiers (voir p. 207). Elle dit, sous une forme « légère », la profanation ; mais seul le ton est léger.

Page 97.

1. C'est un second « prologue » que ce tableau, tout dominé par l'image de la destruction ; ainsi reparaît l'ambivalence du rêve, sensible dans « Le Rideau cramoisi ».

Page 98.

1. Retour du thème de la profanation qui s'approfondit ; voir p. 102.

Page 99.

1. Dynastie dont les princes ont régné sur la Pologne et la Bohême.

Page 100.

1. C'est un nouveau prélude, le troisième ; mais, dans cette nouvelle, le vrai récit est retardé jusqu'aux dernières lignes.

Page 101.

1. Remarquons que Brassard (p. 50) a déjà fait la même allusion ; elle n'a rien d'autobiographique. Mais il est curieux que ces deux « séducteurs » évoquent cet ordre dont les chevaliers faisaient vœu de chasteté.

Page 102.

1. Cette allusion est très précise. Barbey pense à Mme de Maistre, qui fut son amie, et non sa maîtresse (mais il s'en croyait aimé), et rappelle ici sa liaison platonique avec Maurice de Guérin. On sait d'ailleurs que Mme de Maistre se reconnut et n'apprécia guère la publication de cette nouvelle.

2. Le thème, déjà noté, de la profanation prend ici une valeur plus forte. Mais l'insistance même, paradoxalement, l'atténue. La vraie « profanation » est celle de l'innocence, à la fin du récit.

3. Barbey joue ici à dénoncer lui-même la lenteur de son récit. Il fera de même plus nettement p. 110. Mais cette « métaphysique » l'intéresse : il avait rêvé d'écrire un *Traité de la Princesse* (v. ci-après l'allusion à Machiavel) qui eût été un « traité de la séduction ».

Page 106.

1. Dans *Une histoire sans nom*, Barbey écrira : « Ce n'était pas une chose impossible qu'un amour caché sous une haine ou une antipathie menteuse... » (collection « Folio » n° 196, p. 88), ce qui est le meilleur commentaire de cette notation ; « menteuse » ne supposant pas une dissimulation ; l'être ne comprend pas ses propres sentiments.

2. Comme celui d'Alberte, le portrait de la petite fille comporte des éléments « masculins ».

3. Voir p. 102, n. 3. Notons que nous sommes aux deux tiers de la nouvelle et que le vrai récit n'est pas commencé.

Page 110.

1. Une fois encore, Barbey insiste lui-même sur la lenteur de son récit ; il en donne ici une justification sans grande profondeur.

Page 114.

1. Cette image a une grande importance car sa signification est évidemment infernale. L'enfant est sans doute amoureuse de Don Juan, sans le comprendre ; elle est surtout affolée par ce qu'elle découvre en elle. L'enfant, innocente, est obsédée par le mal.

Page 115.

1. Une des filles de la baronne de Maistre mourut assez jeune ; l'origine vécue de cette nouvelle se trouve confirmée par ce détail.

2. Voir, par exemple, à la fin du « Dessous de cartes » une notation identique. Le récit frappe et, en même temps, provoque par ce qu'il a d'extraordinaire le rêve chez les auditeurs.

LE BONHEUR DANS LE CRIME

Page 117.

1. Cette épigraphe convient, dans l'esprit de Barbey, à l'ensemble ; elle est d'ailleurs reprise presque mot pour mot dans la préface.

2. On a depuis longtemps, et à juste titre, noté que Torty a pour modèle Pontas-Duméril, l'oncle maternel de Barbey, officier de santé à Valognes. Adolescent, l'écrivain a peut-être vécu chez lui quelques années, tandis qu'il fréquentait le collège de Valognes. Libéral, acheteur de biens nationaux, Duméril avait une attitude très différente de celle de la famille Barbey.

Page 118.

1. L'aveu est clair, non sans importance. Barbey n'a pas avec son oncle Duméril fréquenté la société aristocratique de Valognes, ce que confirment les renseignements obtenus par ailleurs ; mais il a pu apprendre par lui les petits scandales de cette ville de province.

2. Cabanis (1757-1808), disciple de Condillac, médecin matérialiste, auteur d'un *Traité du physique et du moral de l'homme*. Chaussier (1746-1828), professeur d'anatomie et de physiologie à Paris. Antoine Dubois, accoucheur célèbre (1756-1857), fut appelé auprès de l'impératrice Marie-Louise, pour la naissance du roi de Rome. Il eut un fils, lui aussi médecin.

Page 119.

1. Cette apostrophe implique un double récit : Barbey rapporte à une auditrice indéterminée le récit qu'il a entendu.

On notera qu'ici le narrateur, Torty, n'est pas un acteur véritable, mais un témoin. Le récit ne nous apprend rien sur lui.

2. Pantalon que l'on mettait pour monter à cheval.

Page 121.

1. Armide est l'enchanteresse qui, dans *La Jérusalem délivrée*, retient Renaud. Locuste prépara le poison que Néron fit prendre à Britannicus.

Page 122.

1. Tout le portrait du couple tend à l'inverser (voir plus loin, n. 1, p. 123), ce qui explique cette notation inattendue. Mais déjà dans « Le Rideau cramoisi », c'est la femme qui a un rôle masculin.

2. Héros de Charles Nodier, à propos duquel est noté, en effet, ce détail de toilette.

Page 123.

1. De la manière la plus claire, le rapport des deux personnages se trouve ainsi inversé. Cette indication paraît soutenue par le mythe de l'androgyne, sensible un peu plus loin : « comme s'ils avaient voulu [...] ne faire qu'un seul corps à eux deux ».

Page 124.

1. Barbey se souvient ici d'un récit qui lui a été fait en 1854 (il le rapporte dans une lettre à Trebutien, le 18 février 1854). Toutefois, il s'agissait d'un lion et la jeune fille avait une attitude toute différente ; elle défiait son compagnon de caresser, comme elle avait fait, la tête du lion. En substituant au lion une panthère, Barbey suggère une comparaison entre l'animal et la femme. On notera aussi que celle-ci ne se contente pas de sa victoire (la panthère n'a pu supporter son regard), elle veut « humilier sa rivale » ; une telle attitude prépare celle qu'aura Hauteclaire en face de la société valognaise.

Page 127.

1. Barbey ne cherche pas à masquer son personnage ; c'est que le crime a moins d'importance profonde qu'il ne paraît.

2. Il y a donc eu deux prologues distincts : la présentation (inutile, dirait-on) du narrateur et celle des deux protagonistes.

Page 134.

1. Ce détail est nécessaire pour la suite du récit : personne ne reconnaîtra Hauteclaire, devenue femme de chambre au château de Savigny. Et Barbey tentera d'en donner une explication psychologique. Ce « masque » toutefois a une valeur « symbolique » ; le mouvement de la nouvelle est marqué par le « dévoilement » progressif de Hauteclaire, qui correspond à son ascension sociale.

Page 135.

1. Retour du thème de la femme-sphinx. Le mystère que représente Hauteclaire ne nous sera d'ailleurs pas expliqué totalement. Ainsi en était-il déjà dans « Le Rideau cramoisi ».

Page 136.

1. Tancrède, dans *La Jérusalem délivrée*, se bat contre Clorinde qu'il n'a pas reconnue, et la tue.

2. C'est en somme la scène de séduction. Rapprochée d'une autre scène (p. 157) : Savigny et Hauteclaire faisant des armes : « amants qui s'étaient aimés les armes à *la main* et qui continuaient de s'aimer ainsi », elle n'est pas sans signification. L'amour est ici un combat où triomphe Hauteclaire.

Page 142.

1. Cet abandon et cette faiblesse opposent la comtesse à Hauteclaire, selon un schéma fréquent dans les récits aurevilliens.

Page 144.

1. Cette situation attire Barbey : dans *Une vieille maîtresse*, Vellini menace son amant de se proposer comme femme de chambre à sa femme, s'il refuse de la voir. L'orgueil s'humilie par amour.

Page 148.

1. Ce thème du danger est intervenu déjà dans « Le Rideau cramoisi » ; il se lie évidemment au mystère. Le développement en est ici presque paradoxal.

Page 153.

1. C'est une fausse piste : car cette « inconnue » ne sera pas dégagée. L'auteur nous laissera à deviner ce que peuvent être les rapports de Savigny et de Hauteclaire. Dans une esthétique consciente, il veut ne donner que les détails essentiels, sur lesquels rêvera son lecteur. Plus profondément cette relation garde une ambiguïté qu'il ne résout pas. Il est seulement assez clair que Savigny a moins d'audace que sa maîtresse.

Page 158.

1. Cette scène a évidemment une valeur symbolique ; elle rappelle la première rencontre de Savigny et de Hauteclaire, mais elle est aussi une scène amoureuse, qui éclaire les rapports des deux personnages. Paradoxalement, celle qui suit, plus claire, est aussi plus superficielle.

Page 160.

1. Hauteclaire n'est plus « masquée », toutefois elle ne montre pas encore son visage : la coiffe est un demi-masque.

2. Allusion à un passage du *Cantique des Cantiques* : « Tu as blessé mon cœur [...] par un seul cheveu de ton cou. »

Page 163.

1. Tout ce passage est très significatif : c'est le mariage qui a été le vrai scandale et qui le demeure ; on finit par oublier le crime.

Page 167.

1. C'est la réplique au thème du scandale. Ainsi se maintient l'opposition des deux personnages féminins : la comtesse ne veut pas d'un scandale qui, pourtant, la vengerait (cf. « La Vengeance d'une femme ») ; Hauteclaire veut ce scandale (v. ci-après).

Page 168.

1. Le récit est « truqué », puisque nous savons déjà comment se terminera ce « deuil ». Ce qui importe n'est pas l'événement, mais le secret — inaccessible — du personnage.

Page 169.

1. Cette réflexion donne, par contraste, le sens du récit : ils ont besoin de cette réprobation qui les entoure.

Page 170.

1. L'insistance renforce l'interprétation suggérée : le mariage a plus d'importance que le crime.

Page 172.

1. Cf. p. 160, n. 1. On notera le caractère de provocation, évident, de l'attitude.

Page 173.

1. Si tentante que soit une explication du récit par « l'ascension sociale » de Hauteclaire, il faut y renoncer ; elle n'est pas admise dans cette société, elle ne peut que s'opposer à elle.

Page 175.

1. Allusion à un chapitre de *De l'Allemagne* et au livre IV du *Paradis perdu*. Plus qu'ironie, ces références sont profanation, car ces deux textes disent la pureté et la moralité du bonheur conjugal.

Page 176.

1. Barbey ne saisit sans doute pas le mouvement profond de son récit : l'opposition à la société est fondamentale pour Hauteclaire.

2. Voir la fin du « Plus Bel Amour de Don Juan ». Ces deux sentiments contradictoires, Barbey aimerait à les faire naître chez son lecteur.

Page 177.

1. Si l'on s'en tenait aux prétentions morales de Barbey, ces dernières phrases seraient étranges. Mais Hauteclaire n'est elle-même que par son crime, et sa séduction vient de là.

LE DESSOUS DE CARTES D'UNE PARTIE DE WHIST

Page 179.

1. C'est évidemment une indication donnée sur le caractère « insatisfaisant » du récit : une illusion d'histoire, puisque nous ne saurons rien.

2. Il s'agit encore de la baronne de Maistre, peinte déjà dans « Le Rideau cramoisi ». La famille de Maistre est originaire de Savoie.

Page 181.

1. Barbey embellit un peu la réalité ; le salon de Mme de Maistre n'était pas, quoi qu'il imaginât, un des centres de la vie mondaine.

2. Détail important, puisqu'une bague sera au centre du récit.

Page 182.

1. Ce personnage est l'un de ceux dont Barbey évoquera les réactions, à plusieurs reprises.

2. Ce conteur est Barbey lui-même, qui trouvait en effet dans ce salon un auditoire attentif.

Page 183.

1. Ce n'est pas une citation, mais une réflexion que l'on attribue à Molière.

2. Allusion à : « Le dernier acte est sanglant, quelque belle que soit la comédie... »

Page 184.

1. Barbey définit là — rappelons que cette nouvelle est écrite en 1849 — un des traits essentiels de son esthétique, consciente. Un certain mystère est indispensable à l'effet recherché. Voir l'*Introduction*.

Page 185.

1. Le groupe que forment le narrateur, la baronne et la petite Sibylle, rappelle les personnages du « Plus Bel Amour de Don Juan » : Don Juan, la marquise et sa fille ; l'enfant a,

atténuées, les mêmes réactions d'effroi. Mais ce « trio » se retrouve aussi dans le récit qui va être fait : Marmor, la comtesse et sa fille.

2. Ces détails assurent l'identification du narrateur, né à Saint-Sauveur, près de Valognes, ville déjà décrite dans « Le Bonheur dans le crime » et « Le Rideau cramoisi ».

Page 189.

1. Nom authentique d'une famille noble de Valognes.

Page 190.

1. Avec quelques embellissements, car Barbey n'a guère fréquenté cette société aristocratique, l'atmosphère correspond à ce que l'on sait de l'enfance et de l'adolescence de l'écrivain. On notera qu'à cette époque, il mêle volontiers des prises de position politiques très claires à la narration romanesque.

2. Les Barbey étaient fort joueurs et l'écrivain utilise ici ses propres souvenirs. Voir dans l'*Introduction* le rapport relevé entre les détails de ce récit et la naissance de Barbey.

Page 191.

1. L'hôtel de Beaumont existe encore à Valognes.

Page 192.

1. Allusion à une légende rapportée par Montaigne au début de l'*Apologie de Raymond Sebond*.

Page 193.

1. Sans doute l'écrivain Bulwer-Lytton (1803-1873).

Page 194.

1. C'est une « annonce », mais surtout un trait qui donne du mystère au personnage ; comme les héros byroniens, il semble coupable de quelque grand crime.

2. Nouvelle indication, insistante, du caractère « criminel » de ce personnage.

Page 195.

1. Remarque qui aura un écho (voir p. 219) et qui ne manque pas d'ironie, lorsque l'on connaît la suite de l'histoire.

Page 196.

1. Les trois « héros » sont ainsi groupés dès la première soirée.

Page 197.

1. Ce n'est plus seulement la femme qui est sphinx ; ici, le mystère entoure tous les personnages.

Page 198.

1. C'est une des rares scènes de ce récit tout en descriptions et en portraits, encore se réduit-elle à une présentation du personnage. Nous en sommes toujours au prologue.

Page 199.

1. Habileté de conteur qui veut aiguiser la curiosité de ses auditeurs, une telle remarque enlève aussi volontairement au récit une partie de son intérêt.

Page 200.

1. Sans doute le « *gladium versatilem* » que tient l'ange qui garde l'entrée du Paradis terrestre.
2. Allusion à Mme Récamier.

Page 202.

1. Encore un détail qui prend tout son sens dans la suite du récit, puisqu'il y aura une naissance cachée.

Page 203

1. Barbey n'a pas encore écrit *Le Chevalier des Touches*, mais il y songe déjà.
2. Rapprochement qui doit guider le lecteur.

Page 205.

1. Une image presque identique est appliquée p. 206 à Karkoël.

2. Cleveland, le héros du roman, est jeté par la tempête sur la côte ; nul ne sait d'où il vient. Et ce mystère même séduira Minna Troil. Barbey cite plus loin ces personnages.

Page 206.

1. Les « caractères mystérieux » (plus loin les « hiérogly-phes ») rappellent très clairement le manuscrit impossible à déchiffrer. Il faut relever aussi l'allusion au poison.

Page 211.

1. Voir la note précédente : retour du thème du poison. Peut-être y a-t-il aussi dans ces détails la même image que dans « Le Bonheur dans le crime » : une sorte d'antagonisme dans l'amour.

Page 212.

1. Thème apparu dans « Le Rideau cramoisi » et, également, mais inversé, dans « Le Bonheur dans le crime », où le scandale est cherché.

Page 213.

1. Cf. p. 182.
2. Formule souvent citée, qui n'a d'original que sa conci-sion ; elle traduit simplement le satanisme romantique.

Page 217.

1. Ce chevalier de Tharsis a pour modèle le chevalier de Montressel, grand-oncle et parrain de Barbey. Qu'il soit pré-sent dans ce récit a quelque importance. C'est dans sa maison que naquit Barbey, au cours d'une partie de whist.

Page 219.

1. Reprise insistante du rapprochement fait par la com-tesse : « C'est mon diamant et c'est ma fille... »
2. Voir p. 195.
3. *La Rose de Stasseville* doit sans doute être rapprochée de la « rose » dont la baronne « casse le cou », p. 232.
4. Image de mort et de meurtre, qui se confirme assez vite.

Page 224.

1. L'explication sera donnée plus loin et sans doute faut-il voir dans ce geste la satisfaction de la vengeance : ces résédas ont poussé dans la jardinière où est enterré l'enfant ; la comtesse est la meurtrière.

2. Le mouvement du récit s'était accéléré ; les deux scènes juxtaposées, bien que distinctes dans le temps, lui ont donné une sorte de vivacité. Nous avons maintenant tous les éléments du puzzle, sauf un : le seul qui puisse lui donner sens.

3. On peut voir dans cette notation l'écho — au niveau du « cadre » — de la disparition réelle d'Herminie.

Page 225.

1. Détail réel. Barbey vint deux ans à Paris au collège Stanislas.

Page 230.

1. Cette conversation rassemble tous les détails du récit, mais sans conduire à une interprétation claire et Barbey y insiste. Il est toutefois fort probable, si on reprend la comparaison avec « Le Plus Bel Amour de Don Juan », que l'enfant était né d'Herminie (la même situation est reprise dans *Une histoire sans nom*). La comtesse aurait tué l'enfant et empoisonné sa fille. Pour elle, on peut imaginer ou une vengeance de Marmor ou, plus vraisemblable, un suicide. Mais cette obscurité du dénouement est essentielle.

Page 232.

1. Voir pp. 182, 213. La réflexion notée ici tente de rapprocher le cadre et le récit, les auditrices et les héroïnes.

2. Voir le nom donné à Herminie, « La Rose de Stasseville ». Ainsi s'expliquerait que Barbey ait fait porter à la baronne une « rose » et non des résédas ; le geste aurait une valeur symbolique. La remarque a été faite par Jean Verrier dans un article auquel j'ai emprunté certains rapprochements, « Les dessous d'une *Diabolique* », *Poétique*, 9.

À UN DÎNER D'ATHÉES

Page 235.

1. Tout ce début — en contraste avec l'atmosphère du récit — rappelle certaines notations des *Memoranda*, en 1864, par exemple, lorsque Barbey se trouve à Valognes ; car c'est encore cette petite ville qui sert de cadre au récit.

Page 239.

1. Le personnage a existé. Mesnilgrand était un cousin de Barbey. Mais on ne sait guère dans quelle mesure le portrait s'inspire de la réalité : il fut officier dans l'armée impériale, servit au régiment de Chamborand, et fut mis en demi-solde en 1815. Il se consacra alors à la peinture mais avec moins de vigueur et de talent que ne dit Barbey plus loin.

2. On notera immédiatement son attitude correcte et presque respectueuse, qui fait déjà soupçonner les contradictions du personnage.

Page 243.

1. « Portrait dépaysé, je cherche mon cadre », disait Barbey de lui-même. Le rapprochement ne vaut pas que par le détail : l'écrivain a beaucoup mis de soi dans ce personnage, ne serait-ce que cette passion et le désir d'action qui ne trouve pas à se satisfaire.

2. Le Téméraire avait été battu à Granson et à Morat en 1476 ; il mourut l'année suivante devant Nancy : on retrouva son cadavre à demi enfoui dans la neige.

3. Alfieri rapporte en effet dans ses *Mémoires* qu'il apprit le grec en 1797 ; il était né en 1749.

Page 244.

1. Géricault avait été mousquetaire avant les Cent-Jours.

2. De lui-même, Barbey disait : « La vie me brûle, mais, comme la salamandre, je vis dans ce feu. »

Page 245.

1. Le général Berton participa, sous la Restauration, à plusieurs complots et s'affilia au carbonarisme. Il fut jugé et exécuté en 1822 après une tentative de soulèvement.

Page 246.

1. Autre rapprochement probable : Barbey doit songer à soi-même. N'a-t-il pas intitulé un recueil de chroniques, *Les Ridicules du temps* ?

Page 247.

1. Deux des héros de Byron que Barbey admire le plus.

Page 248.

1. On a vu déjà en Brassard « un vieux beau », Don Juan au « cinquième acte », Savigny ayant « passé la ligne »... La même obsession resurgit de la vieillesse, d'une vie finie.

Page 249.

1. Détail authentique : Vicq d'Azyr était originaire de Valognes et apparenté à la famille de Barbey. Pour l'évolution politique de Mesnilgrand, elle est intéressante : la famille de l'écrivain n'eut pas toute ou pas toujours cette intransigeance politique qu'il a aimé évoquer.

Page 253.

1. Il y a là une annonce de l'histoire racontée plus loin et surtout un rapport thématique établi, par la profanation, entre ces dîners et l'ensemble du récit.

2. Expression familière pour désigner un repas où l'on sert du gras et du maigre.

3. Cf. p. 96.

Page 254.

1. C'est le fameux « dîner du Vendredi Saint » offert par Sainte-Beuve et auquel assistaient Renan, Taine, About et le prince Napoléon... Il eut lieu le 10 avril 1868. Son importance a pu être grande dans la genèse de cette nouvelle. On notera aussi une admiration que Barbey masque à peine pour ces « athées forcenés » ; la force lui plaît, où qu'elle soit.

Page 255.

1. Épisode légendaire de la bataille de Marathon.

Page 258.

1. Cette image de « messe noire » achève bien la description, en contraste avec le prélude « religieux ».

Page 259.

1. Le tailleur le plus célèbre de l'époque, selon Balzac ; c'est chez lui que Lucien de Rubempré se fait habiller en arrivant à Paris.

2. L'expression désignait familièrement les épaulettes d'officiers généraux.

Page 261.

1. « Serons-nous capucins, ne le serons-nous pas ? Voilà aujourd'hui la question. » Paul-Louis Courier, *Œuvres complètes*, Pléiade, p. 169.

Page 265.

1. Le Carpentier ne pouvait pas à la date du récit se trouver à Valognes (il était enfermé au Mont-Saint-Michel). Mais il était tristement célèbre dans cette ville d'où il était originaire et où il avait été représentant du peuple.

Page 266.

1. Religieuse et mystique française du XVIIe siècle.

Page 267.

1. L'un des chefs de l'armée républicaine chargée de combattre la chouannerie.

Page 269.

1. Cette réflexion est au centre de la nouvelle et peut-être de toute l'œuvre aurevillienne : le blasphème, le satanisme n'ont de sens que par la foi. Hors d'elle, ils ne sont plus qu'un jeu. Voir déjà, p. 213, la formule : « L'enfer, c'est le ciel en creux. » Cela résout d'ailleurs toutes les discussions sur le catholicisme de Barbey, en l'affirmant.

Page 280.

1. Barbey a noté par ailleurs cette phrase comme étant de Diderot.

Page 282.

1. Deux éléments se mêlent dans cette réflexion, que l'on a déjà vus apparaître simultanément ; le mystère (la Rosalba est, plus encore que les autres héroïnes des *Diaboliques*, un sphinx) et le charme trouble du mystère.

Page 283.

1. Barbey a employé le même mot pour caractériser les réactions des auditeurs dans presque tous ses récits.

Page 286.

1. Comme Alberte, comme la comtesse de Stasseville, comme Hauteclaire, c'est la Rosalba qui est « l'homme » dans ses relations amoureuses.

Page 287.

1. La marquise de Boufflers (1711-1787) qu'on avait surnommée *la dame de volupté.*

Page 289.

1. Retour d'une image constante ; cf. pp. 75, 197…, redoublée par le thème de la femme impénétrable, pp. 107, 153, 205…

2. Sa liaison avec Alberte a marqué d'une « tache noire » tous les plaisirs de Brassard, Don Juan ne rêve plus qu'à cette petite fille qui l'a aimé ; le même thème apparaît dans la dernière *Diabolique.*

Page 300.

1. Le thème du « sacrilège » et de la profanation (le mot est employé plus loin) établit le rapport thématique entre cette histoire et celle des hosties profanées et, par contraste, avec le prélude et la conclusion. Il donne à la nouvelle son unité.

Page 301.

1. Barbey avait imaginé ce dénouement pour la première nouvelle qu'il a écrite, *Le Cachet d'onyx* ; elle n'avait pas été publiée et demeurait inédite lorsque parurent *Les Diaboliques*.

Page 303.

1. La nouvelle se clôt sur le retour au prélude, comme les autres par un retour sur l'auditoire présenté au début.

2. Cf. p. 300, n. 1.

LA VENGEANCE D'UNE FEMME

Page 305.

1. Cette épigraphe mérite d'être remarquée : « Courageusement ! »

Page 306.

1. Ce thème est obsédant pour Barbey ; son premier roman le traite et on le retrouve ici dans la situation du « Plus Bel Amour de Don Juan » et du « Dessous de cartes ».

Page 308.

1. Ce prologue est curieux. S'y mêlent l'opposition à l'époque et sans doute le désir de se prémunir contre les critiques. Son intérêt est aussi dans la définition d'un « tragique inconnu ».

Page 309.

1. Cette rue qui longeait en contrebas les boulevards de la Madeleine, des Capucines et des Italiens, a disparu avec les travaux d'Haussmann.

Page 311.

1. Ce détail annonce le récit que Tressignies va entendre.

Page 313.

1. La rue des Poulies était située près de la rue de l'Oratoire et parallèle à celle-ci. Barbey dans toute cette description se montre très exact.

Page 316.

1. Autre annonce puisque cette prostituée est bien une duchesse.

2. *Judith et Holopherne* (Musée du Louvre). Il y a là plus qu'un souvenir visuel. Ce tableau suggère l'image de la vengeance.

Page 318.

1. Thème de destruction qui va s'imposer et dominer toute la suite de la nouvelle, au point que l'on peut se demander s'il ne domine pas celui — plus clair — de la vengeance.

Page 319.

1. *La Tentation de saint Antoine* que Barbey a vue et fort admirée au Musée de Caen.

2. Cf. p. 318, n. 1. Il est vrai qu'ici le thème de la vengeance suit aussitôt.

Page 320.

1. Cf. p. 318, n. 1.

Page 323.

1. *Camerera mayor* de la reine d'Espagne, elle fut disgraciée et dut rentrer en France.

Page 329.

1. Le mouvement — très clair dans toutes *Les Diaboliques* — est repris ici avec insistance : le personnage se révèle autre qu'il n'apparaissait.

Page 330.

1. Notons que c'est la duchesse qui « déclare » son amour à Esteban, agissant ainsi comme toutes les héroïnes de ces nouvelles.

Page 331.

1. La remarque est curieuse, importante. Il faut qu'il y ait cette opposition profonde de la pureté et de la prostitution (comme en Rosalba ce mélange d'impudeur et d'audace) ; mais dans cet univers, au sein de la pureté même (cf. « Le Plus Bel Amour de Don Juan »), il y a le Mal.

Page 333.

1. Ainsi reparaît sous une forme symbolique le thème de l'amour impossible.

Page 334.

1. Ces images liées rappellent à la fois la profanation des hosties et celle du cœur dans « À un dîner d'athées ».
2. L'histoire a d'abord été racontée de la châtelaine de Coucy. Barbey pense à une tragédie, *Gabrielle de Vergy*, dont l'héroïne subit le même châtiment.

Page 336.

1. Aboutissement et explication des thèmes de destruction ; cf. p. 318.

Page 337.

1. Cette réflexion rend plus net encore le désir de se détruire.

Page 339.

1. Victoria Colonna, épouse du marquis de Pescaire, un des capitaines de Charles Quint, souvent citée comme un modèle d'amour conjugal.

Page 340.

1. Barbey reprend, en le précisant, le reproche fait à la littérature de son époque. Il songe à Hugo et surtout à Alexandre Dumas fils.

Page 342.

1. Comme si ce « refus » était plus grave que l'assassinat d'Esteban.

Page 345.

1. Tressignies est, lui aussi, devenu incapable d'aimer. Voir p. 289, n. 2.

Page 347.

1. Nom donné anciennement aux Grands d'Espagne.

Page 348.

1. Toute cette dernière conversation est une « mise en scène »
du scandale. Comme il n'y a pas ici un récit continu, cette
reprise était nécessaire.

Page 349.

1. On peut évidemment juger de mauvais goût cette insistance sur les détails physiologiques ; c'est la destruction, le
« pourrissement » qu'il s'agit de rendre sensibles.

Page 350.

1. De même, à la fin du « Dessous de cartes », Barbey note
que le confesseur de la comtesse a été dupe. Il tient à laisser
tout leur mystère à ces personnages et, dirait-on, à les « dam-
ner ».

DU MÊME AUTEUR

Dans la même collection

Composition Nord compo.
Impression 🦁 Grafica Veneta
à Trebaseleghe, le 6 novembre 2015
Dépôt légal : novembre 2015
1er dépôt légal dans la collection: septembre 2003

ISBN : 978-2-07-030275-8./Imprimé en Italie